O CHAMADO DE CTHULHU
E OUTROS CONTOS

O CHAMADO DE CTHULHU
E OUTROS CONTOS

H.P. LOVECRAFT

TRADUÇÃO: DANIELLE SALES

Principis

Esta é uma publicação Principis, selo exclusivo da Ciranda Cultural
© 2019 Ciranda Cultural Editora e Distribuidora Ltda.

Texto
H. P. Lovecraft

Revisão
Beluga Editorial

Editora
Michele de Souza Barbosa

Produção e projeto gráfico
Ciranda Cultural

Tradução
Danielle Sales

Imagens
IADA/Shutterstock.com;
Vera Petruk/Shutterstock.com;
Sergj/Shutterstock.com

Preparação:
Lindsay Viola

Nesta edição, a tradução respeitou o texto original do autor, sem adaptações – mas vale ressaltar que a Ciranda não concorda com as opiniões do autor explícitas na obra. (N.E.)

Dados Internacionais de Catalogação na Publicação (CIP) de acordo com ISBD

L897c   Lovecraft, H. P.

O chamado de Cthulhu e outros contos / H. P. Lovecraft ; traduzido por Danielle Sales. - Jandira, SP : Principis, 2019.
240 p. ; 16cm x 23cm.

Inclui índice.
ISBN: 978-65-509-7026-0

1. Literatura americana. 2. Contos. 3. Terror. I. Sales, Danielle. II. Título.

2019-2071

CDD 813
CDU 821.111(73)-3

Elaborado por Vagner Rodolfo da Silva - CRB-8/9410

Índice para catálogo sistemático:
1. Literatura americana: contos 813
2. Literatura americana: contos 821.111(73)-3

1ª edição em 2019
www.cirandacultural.com.br
Todos os direitos reservados.
Nenhuma parte desta publicação pode ser reproduzida, arquivada em sistema de busca ou transmitida por qualquer meio, seja ele eletrônico, fotocópia, gravação ou outros, sem prévia autorização do detentor dos direitos, e não pode circular encadernada ou encapada de maneira distinta daquela em que foi publicada, ou sem que as mesmas condições sejam impostas aos compradores subsequentes.

Esta obra reproduz costumes e comportamentos da época em que foi escrita.

SUMÁRIO

O CHAMADO DE CTHULHU 7
DAGON 41
A MÚSICA DE ERICH ZANN 49
O HORROR DE DUNWICH 59
A SOMBRA FORA DO TEMPO 109
OS RATOS NAS PAREDES 183
OS GATOS DE ULTHAR 205
A COR QUE CAIU DO ESPAÇO 209

O CHAMADO DE CTHULHU

(Encontrado entre os papéis do falecido Francis Wayland Thurston, de Boston)

"No que tange a tais grandes poderes ou seres, pode-se conceber uma sobrevivência… Uma sobrevivência de um período extremamente remoto, quando a consciência talvez se manifestasse por meio de formas e linhas há muito desaparecidas, antes da maré crescente da humanidade… Formas das quais somente a poesia e a lenda guardam uma lembrança fugaz, chamei-as de deuses, monstros, seres míticos de todos os tipos e espécies…" – Algernon Blackwood

I.
O HORROR NO BARRO

A coisa mais misericordiosa do mundo, penso eu, é a incapacidade da mente humana de correlacionar todo o seu conteúdo. Vivemos em uma ilha plácida de ignorância no meio dos mares negros do infinito, e isso não significa que devemos ir muito longe. As ciências, cada uma esforçando-se em sua própria direção, até agora nos prejudicaram pouco, mas algum dia a junção de todo esse conhecimento fragmentado levará a visões aterrorizantes da realidade e de nossa assustadora posição, quando enlouqueceremos diante da revelação ou fugiremos da luz mortífera para a paz e a segurança de uma nova era das trevas.

Os teosofistas presumiram a espantosa grandeza do ciclo cósmico, em que nosso mundo e nossa raça humana formam nada mais que incidentes efêmeros. Eles sugeriram estranhos sobreviventes em termos que fariam nosso sangue congelar se não fossem mascarados por um otimismo insípido. Mas eles não foram responsáveis pelo único vislumbre de éons proibidos que me arrepiam quando penso no assunto e me enlouquecem em sonhos. Esse vislumbre, como todos os vislumbres assustadores da verdade, brotou de uma junção acidental de coisas separadas; nesse caso, um velho artigo de jornal e as anotações de um professor já falecido. Espero que ninguém mais o faça. Certamente, se eu viver, nunca fornecerei um elo sequer para uma corrente tão horrenda. Acredito que o professor também pretendia manter silêncio sobre o que sabia, e teria destruído suas anotações se a morte não tivesse se apoderado dele subitamente.

Meu conhecimento sobre o tema começou no inverno de 1926-27, com a morte do meu tio-avô George Gammell Angell, professor emérito de Línguas Semíticas da Universidade Brown, em Providence, Rhode Island. O professor Angell era amplamente conhecido como uma autoridade em inscrições antigas e frequentemente tinha seus serviços utilizados por chefes de importantes museus, de modo que seu falecimento, aos 92 anos de idade, é lembrado por muitas pessoas. Localmente, o interesse foi intensificado pela obscuridade da causa de sua morte. O professor caiu enquanto voltava de barco de Newport. Tombou repentinamente, conforme testemunhas disseram, depois de esbarrar fortemente em um homem negro de aparência de marinheiro que tinha vindo de um dos estranhos pátios escuros na encosta íngreme que servia de atalho entre a orla e a casa do falecido, na rua Williams. Os médicos foram incapazes de encontrar qualquer problema aparente, mas concluíram, depois de debaterem a causa, que alguma lesão cardíaca obscura, induzida pela rápida escalada de uma colina tão íngreme por um homem tão idoso, foi responsável por seu fim. Na época, não vi razão para discordar desse consenso, mas ultimamente estou inclinado a imaginar – e mais do que imaginar.

Como herdeiro e testamenteiro de meu tio-avô, que morrera sem deixar esposa nem filhos, esperava-se que eu examinasse seus documentos com alguma seriedade, e foi com esse propósito que enviei todo o seu conjunto de arquivos e caixas para os meus aposentos em Boston. Uma grande parte do material que correlacionei será publicado mais tardiamente pela American Archaeological Society, mas havia uma caixa extremamente intrigante, e me senti muito avesso a que outros olhos a vissem. Ela estava trancada e eu não encontrava a chave, até que me ocorreu examinar o chaveiro que o professor carregava sempre no bolso. Então, na verdade, consegui abri-la, mas, quando o fiz, tive de transpor uma barreira ainda maior e mais difícil. Qual seria o significado do estranho baixo-relevo em argila e das anotações, das divagações e dos recortes desconexos que encontrei? Será que meu tio-avô, em seus últimos anos, tornou-se crédulo das imposturas mais superficiais? Resolvi procurar o excêntrico escultor responsável por essa aparente perturbação da paz de espírito de um idoso.

O baixo-relevo era um retângulo áspero com menos de 2,5 centímetros de espessura e cerca de 12,7 por 15,7 centímetros de área; obviamente, tinha origem moderna. Os entalhes, no entanto, estavam longe de apresentar uma atmosfera moderna, pois, embora os caprichos do cubismo e do futurismo sejam diversos e selvagens, eles nem sempre reproduzem essa regularidade enigmática que se esconde nas escritas pré-históricas. E a maior parte desses detalhes parecia certamente ser algum tipo de escrita, mas minha memória, apesar da grande familiaridade com os papéis e as coleções de meu tio-avô, não conseguia de alguma forma identificar essa espécie em particular, nem mesmo sugerir suas afiliações mais remotas.

Acima desses hieróglifos aparentes havia um entalhe evidentemente pictórico, embora sua execução impressionista proibisse uma ideia muito clara sobre sua natureza. Parecia ser uma espécie de monstro, ou um símbolo representando um monstro, de uma maneira que só uma mente doentia poderia conceber. Se eu disser que minha imaginação um pouco extravagante produziu imagens simultâneas de um polvo, um dragão e uma caricatura humana, não serei infiel ao espírito da coisa. Uma cabeça carnuda e tentacular se sobrepujava de um corpo grotesco e escamoso com asas rudimentares, mas a silhueta era o que tornava a criatura ainda mais assustadora. Por trás da figura havia uma vaga sugestão de um pano de fundo arquitetônico ciclópico.

As anotações que acompanhavam esse estranho objeto, além de uma pilha de recortes de imprensa, continham a mais recente caligrafia do professor Angell, e não fingiam um estilo literário. O que parecia ser o documento principal estava intitulado "O CULTO A CTHULHU" em caracteres meticulosamente desenhados para evitar a leitura errônea de uma palavra tão inédita. O manuscrito foi dividido em duas seções, a primeira das quais foi intitulada "1925 – Sonho e Obra de H. A. Wilcox, rua Thomas 7, Providence, RI", e a segunda, "Relato do Inspetor John R. Legrasse, rua Bienville 121, Nova Orleans, Louisiana, Congresso da A. A. S. em 1908. – Notas sobre o Insp. e Depoimento do Professor Webb". Os outros artigos do manuscrito eram todos notas breves, algumas delas relatos dos estranhos sonhos de diferentes pessoas, alguns deles citações de livros e revistas teosóficas (notavelmente de *Atlantis e Lemúria*, de W. Scott-Elliot), e o restante comentava sobre sociedades secretas e cultos misteriosos que sobrevivem há tempos, com referências a passagens em fontes mitológicas e antropológicas como *O ramo de ouro*, de Frazer, e *O Culto da Bruxa na Europa Ocidental*, de Margareth Murray. Os recortes aludiam em grande parte às doenças mentais bizarras e aos surtos de loucura ou de histeria coletiva na primavera de 1925.

A primeira metade do manuscrito principal contava uma história muito peculiar. Parece que, no dia 1º de março de 1925, um jovem magro e moreno, de aspecto neurótico e exaltado, havia procurado o professor Angell trazendo o singular baixo-relevo de barro, que estava então extremamente úmido e fresco, em mãos. Seu cartão tinha o nome de Henry Anthony Wilcox, e meu tio-avô o reconhecera como o filho mais novo de uma excelente família que ele conhecia pouco, que estudara escultura na Escola de Design de Rhode Island e morava sozinho no Edifício Fleur-de-Lys, perto dessa instituição. Wilcox era um conhecido jovem precoce, de grande excentricidade, e desde a infância despertara a atenção de todos pelas estranhas histórias e sonhos inusitados que costumava contar. Ele mesmo dizia sofrer de uma "hipersensibilidade psíquica", mas o povo sério da antiga cidade comercial o tratava meramente como "estranho". Nunca se misturava muito com os de sua espécie, havia negado gradualmente a visibilidade social e agora era conhecido apenas por um pequeno grupo de estetas de outras cidades. Até mesmo o Providence Art Club, preocupado em preservar seu conservadorismo, achara-o um caso totalmente perdido.

Na ocasião da visita, de acordo com o manuscrito do professor, o jovem escultor recorreu abruptamente ao conhecimento arqueológico do seu anfitrião para identificar os hieróglifos no baixo-relevo. Falava de uma maneira sonhadora e empolada, que sugeria uma certa pose e falta de simpatia; e meu tio-avô demonstrou certa nitidez ao responder, pois o frescor conspícuo da tabuleta indicava falta de parentesco com a arqueologia. A réplica do jovem Wilcox, que impressionou meu tio-avô o suficiente para fazê-lo recordar-se dela mais tarde e registrá-la literalmente, palavra por palavra, era de um viés fantasticamente poético que deve ter permeado toda a sua conversa, e que desde então achei altamente característico dele. Ele disse: "É recente, de fato, porque eu a criei na noite passada, depois de sonhar com cidades estranhas; e os sonhos são mais antigos do que as reminiscências de Tiro, ou a contemplativa Esfinge, ou a Babilônia cercada por jardins".

Foi então que ele começou um relato desconexo que, de repente, tocou uma lembrança adormecida e conquistou o interesse febril de meu tio-avô. Houve um ligeiro tremor de terra na noite anterior, o mais considerável na Nova Inglaterra durante alguns anos, e a imaginação de Wilcox foi profundamente afetada. Ao se deitar, ele teve um sonho sem precedentes com grandes cidades ciclópicas feitas de blocos titânicos e grandes monólitos, todos cheios de uma gosma verde e sinistra com o horror latente. Os hieróglifos cobriam as paredes e os pilares, e de algum ponto indeterminado havia surgido uma voz que não era uma voz; uma sensação caótica que só a fantasia poderia transmutar em som, mas que ele tentou processar pela mistura quase impronunciável de letras: "Cthulhu fhtagn".

Essa desordem verbal foi a chave para a lembrança que empolgou e perturbou o professor Angell. Ele questionou o escultor com rigor científico e estudou com intensidade quase frenética o baixo-relevo em que o jovem se encontrava trabalhando, com frio e vestido apenas com suas roupas de dormir, até que a vigília o pegasse de surpresa desconcertantemente. Meu tio-avô culpou sua velhice, segundo Wilcox, por sua lentidão em reconhecer hieróglifos e desenhos pictóricos. Muitas de suas perguntas pareciam muito fora de propósito para seu visitante, especialmente aquelas que tentavam conectá-lo com estranhos cultos ou sociedades, e Wilcox não conseguia entender as repetidas promessas de silêncio que lhe foram oferecidas em troca da admissão em alguma seita mística ou pagã amplamente difundida. Quando o professor Angell se convenceu de que o escultor era realmente ignorante de qualquer culto ou sistema de conhecimento críptico, impôs cerco ao visitante com exigências de relatos futuros de sonhos. Isso resultou em bons frutos regularmente, porque, depois da primeira entrevista, o manuscrito registrava visitas diárias do jovem, durante as quais ele relacionava fragmentos surpreendentes de paisagens noturnas cujo mote era sempre alguma terrível visão ciclópica de uma pedra escura e gotejante, com uma voz ou uma inteligência subterrânea soando monotonamente como impactos indescritíveis, exceto pelos sussurros. Os dois sons repetidos com mais frequência são aqueles representados pelas letras "Cthulhu" e "R'lyeh".

Em 23 de março, o manuscrito continuou, mas Wilcox não apareceu. Investigações em seus aposentos revelaram que ele havia sido atingido por um tipo obscuro de febre e levado para a casa de sua família na rua Waterman. Ele berrara durante toda a noite, despertando vários outros artistas no prédio, e manifestara desde então apenas alternâncias entre inconsciência e delírio. Meu tio telefonou imediatamente para a família e, daquele momento em diante, acompanhou o caso de perto, ligando frequentemente para o escritório do dr. Thobey, na rua Thayer. A mente febril do jovem, aparentemente, meditava sobre coisas estranhas, e o médico estremeceu enquanto falava delas. Não era apenas uma repetição do que ele havia sonhado anteriormente, mas versavam selvagemente sobre uma coisa gigantesca, de "metros de altura", que alternava entre andar e se arrastar. Em momento algum ele descreveu completamente esse ser, mas ocasionais palavras frenéticas, repetidas pelo dr. Tobey, convenceram o professor de que ele deveria ser idêntico à monstruosidade sem nome que ele procurara retratar em sua escultura. A referência a esse objeto, acrescentou o médico, era invariavelmente um prelúdio da entrega do jovem à letargia. Sua temperatura, curiosamente, não estava muito acima do normal, mas toda a sua condição sugeria mais uma febre verdadeira do que um problema mental.

No dia 2 de abril, por volta das três da tarde, todos os vestígios da doença de Wilcox cessaram repentinamente. Ele se sentou na cama, espantado por se encontrar em casa e completamente ignorante em relação ao que acontecera em sonho ou realidade desde a noite de 22 de março. Depois que o médico declarou que estava bem, ele retornou aos seus aposentos em três dias, no entanto não conseguiu mais ser de algum valor para o professor Angell. Todos os vestígios de sonhos estranhos tinham desaparecido com a sua recuperação, e meu tio não manteve nenhum registro de seus pensamentos noturnos depois de uma semana de relatos inúteis e irrelevantes de visões completamente usuais.

Aqui termina a primeira parte do manuscrito, mas as referências a algumas das anotações dispersas me deram muito o que pensar – tanto, de fato, que apenas o ceticismo arraigado formador de minha filosofia poderia explicar minha contínua desconfiança em relação ao artista. As anotações em questão eram descritivas dos sonhos de várias pessoas cobrindo o mesmo período em que o jovem Wilcox recebeu suas estranhas visitas. Meu tio, ao que parece, instituíra rapidamente um corpo prodigiosamente extenso de investigações entre quase todos os amigos que ele podia questionar, solicitando relatos noturnos de seus sonhos e as datas de quaisquer visões notáveis surgidas naquela época. As atitudes ante seu pedido parecem ter sido variadas, mas ele deve, no mínimo, ter recebido mais respostas do que qualquer homem comum poderia ter tratado sem o auxílio de uma secretária. Essa correspondência original não foi preservada, mas suas anotações formavam um resumo completo e realmente significativo. As pessoas comuns, envolvidas na sociedade e nos negócios locais – o tradicional "sal da terra" da Nova Inglaterra – deram uma resposta quase sempre completamente negativa, embora casos esparsos de impressões noturnas inquietas mas sem forma apareçam aqui e ali, sempre entre 23 de março e 2 de abril – o período de delírio do jovem Wilcox. Os homens das ciências foram um pouco menos afetados, embora quatro casos de descrição vaga sugiram vislumbres fugidios de paisagens estranhas, e em um caso mencionou-se um medo de algo sobrenatural.

As respostas mais pertinentes vieram dos artistas e dos poetas, e sei que o pânico teria se espalhado se tivessem sido capazes de comparar suas anotações. Da maneira como estava, faltando-lhes as cartas originais, eu quase suspeitava que o compilador tivesse feito perguntas tendenciosas ou tivesse editado a correspondência para refletir o que ele havia deliberadamente decidido ver. É por isso que continuei a sentir que Wilcox, de algum modo consciente dos antigos dados que meu tio possuíra, quisesse se aproveitar do veterano cientista. As respostas dos estetas contaram uma história perturbadora. De 28 de fevereiro a 2 de abril, grande parte deles sonhara com coisas muito bizarras, sendo a intensidade dos sonhos imensamente mais forte durante o período do delírio do escultor. Mais de um quarto relataram cenas e sons parecidos com os que Wilcox descrevera; e alguns confessaram o medo agudo da gigantesca coisa sem nome visível nos últimos sonhos. Um caso, descrito enfaticamente nas anotações, foi particularmente triste. O sujeito, um arquiteto amplamente conhecido com inclinações para a teosofia e o ocultismo, ficou violentamente insano na data em que o jovem Wilcox adoeceu, vindo a falecer vários meses depois, após gritar incessantemente que fosse salvo de um habitante foragido do inferno. Se meu tio tivesse se referido a esses casos pelo nome, em vez de simplesmente pelo número, eu poderia tentar alguma corroboração e iniciado uma investigação pessoal, mas, da maneira como tudo aconteceu, consegui descobrir apenas alguns deles. Todos, no entanto, comprovavam as anotações na íntegra. Muitas vezes me perguntei se todos os que foram objeto do questionamento do professor pareciam tão confusos quanto esse grupo. É bom que nenhuma explicação jamais chegue até eles.

Os recortes de materiais da imprensa, como eu sugeri, versavam sobre casos de pânico, mania e excentricidade durante o mesmo período.

O professor Angell deve ter colocado um departamento apenas para fazer os recortes, pois o número de notas era enorme, e as fontes estavam espalhadas ao redor do mundo. Havia uma sobre um suicídio noturno em Londres, quando um adormecido solitário saltou de uma janela depois de dar um grito horripilante. Também havia uma carta para o editor de um jornal na América do Sul, em que um fanático deduz um futuro terrível de acordo com visões que teve. Um despacho da Califórnia descreve uma colônia de teosofistas vestindo macacões brancos em massa e aguardando alguma "realização gloriosa" que nunca chega, enquanto os recortes da Índia falam cautelosamente de graves conflitos entre nativos no final de março. As orgias vodus se multiplicavam no Haiti, e os postos avançados africanos relatavam murmúrios sinistros. Oficiais americanos nas Filipinas achavam que certas tribos estavam incômodas nessa época, e os policiais de Nova York se viram cercados por levantinos histéricos na noite de 22 para 23 de março. O oeste da Irlanda também estava cheio de boatos e lendas, e um fantástico pintor chamado Ardois-Bonnot exibiu uma obra blasfêmia chamada "Dream Landscape" no salão de primavera de Paris em 1926. E tão numerosos eram os problemas registrados em hospícios que somente um milagre poderia ter impedido a classe médica de notar paralelismos estranhos e chegar a conclusões mistificadas. Em geral, havia um monte de estranhos recortes e, dito isso, neste momento mal posso conceber o racionalismo insensível com o qual os pus de lado. No entanto, fiquei convencido de que o jovem Wilcox sabia dos assuntos mais antigos mencionados pelo professor.

II.
O RELATO DO INSPECTOR LEGRASSE

Os assuntos mais antigos, que haviam tornado o sonho e o baixo-relevo do escultor tão significativos para o meu tio, formavam o tema da segunda metade de seu longo manuscrito. Uma vez antes, parece, o professor Angell tinha visto os contornos infernais daquela monstruosidade sem nome, indagado sobre os hieróglifos desconhecidos, e ouvido as sinistras sílabas que só podem ser traduzidas como "Cthulhu", e tudo isso em uma conexão tão assustadora e horrível, que não é de admirar que ele perseguisse o jovem Wilcox com perguntas e demandas por mais informações.

A experiência anterior ocorrera em 1908, dezessete anos antes, quando a American Archaeological Society realizou seu congresso anual em St. Louis. O professor Angell, por sua autoridade e suas realizações, teve um papel proeminente em todas as deliberações e foi um dos primeiros a ser abordado pelos vários estranhos que aproveitaram o local para fazer perguntas e sugerir problemas a fim de que especialistas pudessem solucioná-los.

O chefe desses forasteiros, foco de interesse de todo o congresso, era um homem de meia-idade e aparência comum que viajara desde Nova Orleans para obter informações especiais que não podiam ser obtidas de nenhuma fonte local. Seu nome era John Raymond Legrasse, e era inspetor da polícia. Viajava com ele o assunto de sua visita: uma estatueta de pedra grotesca, repulsiva e aparentemente muito antiga, cuja origem ele não conseguia determinar. Não pense que o inspetor Legrasse tinha o menor interesse em arqueologia. Pelo contrário, seu desejo de esclarecimento foi motivado por considerações puramente profissionais. A estatueta, o ídolo, o fetiche ou o que quer que fosse havia sido capturado alguns meses antes nos pântanos arborizados ao sul de Nova Orleans durante uma operação policial em um suposto ritual vodu, e tão singulares e hediondos eram os ritos ligados a ela, que a polícia não podia deixar de perceber que havia encontrado um culto maligno totalmente desconhecido e infinitamente mais diabólico do que o mais obscuro dos círculos vodus africanos. De sua origem, além dos contos erráticos e inacreditáveis extorquidos dos membros capturados, absolutamente nada poderia ser descoberto, daí a ansiedade da polícia por qualquer conhecimento que pudesse ajudá-los a entender o símbolo assustador e, por meio dele, rastrear o culto até sua fonte.

O inspetor Legrasse não estava preparado para o que viria por conta de seu relato. Uma única visão do objeto tinha sido o suficiente para fazer com que os homens da ciência se reunissem num estado de excitação tensa, e eles não perderam tempo em se aglomerar em torno dele para contemplar a figura diminuta cuja total estranheza e ar de antiguidade genuinamente abissal insinuavam tão poderosamente panoramas desconhecidos e antigos. Nenhuma escola de escultura reconhecida tinha criado esse objeto terrível, mas séculos e até milhares de anos pareciam registrados em sua superfície opaca e esverdeada de pedra indefinível.

O objeto, que passava devagar pelas mãos de cada homem para que pudesse ser feito um estudo atento e cuidadoso, tinha entre sete e oito polegadas de altura e um acabamento artístico requintado. Representava um monstro de contornos vagamente antropoides, mas com uma cabeça parecida com um polvo, cujo rosto era uma massa de antenas, de corpo escamoso e aspecto emborrachado, garras prodigiosas nas patas traseiras e dianteiras, além de asas longas e estreitas nas costas. Essa coisa, que parecia instintiva e com uma malignidade assustadora e sobrenatural, tinha uma corpulência um tanto inchada e se agachava maldosamente sobre um bloco ou pedestal retangular coberto de caracteres indecifráveis. As pontas das asas tocavam a parte de trás do bloco e o corpo ocupava o centro, enquanto as garras compridas e curvadas das patas traseiras agarravam-se à borda da frente e se estendiam por um quarto do caminho em direção ao pedestal. A cabeça do cefalópode estava inclinada para a frente, de modo que as extremidades dos tentáculos faciais roçavam o dorso das enormes patas dianteiras que seguravam os joelhos elevados. O aspecto do todo era anormalmente real, ainda mais temeroso, porque sua fonte era totalmente desconhecida. Sua idade vasta, impressionante e incalculável era inconfundível; contudo, nenhum elo mostrava qualquer tipo de arte que remetesse à juventude da civilização – ou mesmo a qualquer outro momento histórico. O próprio material de que era feito era um mistério, pois a pedra lisa, preto-esverdeada, com suas manchas e estrias douradas ou iridescentes não se assemelhava a nada familiar na geologia ou na mineralogia. Os caracteres ao longo da base eram igualmente desconcertantes; e nenhum membro presente, apesar de representar metade do conhecimento especializado mundial neste campo, poderia ter a menor noção até mesmo de seu parentesco linguístico mais remoto. Os hieróglifos, assim como o tema e o material, pertenciam a algo horrivelmente remoto e distinto da humanidade como a conhecemos; algo assustadoramente sugestivo de ciclos de vida antigos e profanos nos quais nosso mundo e nossas concepções não se aplicam.

E, no entanto, quando os participantes do congresso balançaram a cabeça e confessaram a derrota diante do problema do inspetor, havia um homem no local com um toque de familiaridade bizarro com aquela forma e escrita monstruosas, e, naquele momento, contou o pouco que sabia com alguma timidez. Essa pessoa era o falecido William Channing Webb, professor de antropologia na Universidade de Princeton, um explorador de pouca importância. O professor Webb fora contratado, quarenta e oito anos antes, em uma excursão pela Groenlândia e Islândia, em busca de algumas inscrições rúnicas que ele não conseguiu encontrar e, ainda no alto da costa ocidental da Groenlândia, havia encontrado uma tribo singular ou culto de esquimós degenerados cuja religião, uma forma curiosa de culto ao diabo, o deixou petrificado e gelado com sua deliberada sede de sangue e horror. Era uma fé de que outros esquimós pouco sabiam, e que eles mencionaram com calafrios, dizendo que era proveniente de éons muitíssimo antigos, quando o mundo nem mesmo havia sido criado. Além de ritos inomináveis e sacrifícios humanos, havia certos rituais estranhos dirigidos a um supremo demônio e ancestral, chamado *tornasuk*; e o professor Webb fez uma transcrição fonética de um velho *angekok*, ou velho bruxo-sacerdote, expressando os sons em alfabeto romano da melhor maneira possível. Mas agora era de primordial importância o fetiche que esse culto adorava, e em torno do qual dançavam quando a aurora surgia sobre os penhascos de gelo. Era, segundo declarou o professor, um baixo-relevo muito grosseiro de pedra, que compreendia uma imagem medonha e uma inscrição enigmática. E, até onde ele sabia, era um paralelo mal-acabado em todos os aspectos essenciais do artefato discutido naquele congresso.

Esses dados, recebidos com suspense e assombro pelos membros do congresso reunidos, revelaram-se duplamente incitantes para o inspetor Legrasse, e ele começou imediatamente a fazer perguntas ao informante. Tendo copiado em papel um rito oral feito pelos adoradores que seus homens haviam prendido no pântano, ele suplicou ao professor que se lembrasse, com o máximo de detalhes possível, das sílabas ditas pelos diabólicos esquimós. Seguiu-se então uma comparação exaustiva de detalhes e um momento de verdadeiro silêncio quando ambos, o detetive e o cientista, concordaram com uma frase comum a dois rituais diabólicos geograficamente muito distantes. O que, em substância, tanto os bruxos esquimós quanto os sacerdotes do pântano da Louisiana tinham cantado para seus ídolos afins era algo muito parecido com o que segue (as divisões das palavras sendo adivinhadas a partir de rupturas comuns na frase quando cantadas em voz alta):

"Ph'nglui mglw'nafh Cthulhu R'lyeh wgah'nagl fhtagn."

Legrasse havia se adiantado em relação ao Professor Webb, pois vários de seus prisioneiros mestiços haviam repetido para ele o que celebrantes mais velhos haviam lhes transmitido. A tradução desse trecho era alguma coisa como:

"Na casa em R'lyeh, o defunto Cthulhu aguarda sonhando."

E, nesse momento, em resposta a uma demanda geral e urgente, o inspetor Legrasse relatou com detalhes sua experiência com os adoradores do pântano, contando uma história à qual meu tio atribuía um profundo significado. A narrativa parecia um sonho louco dos criadores de mitos e dos teosofistas, e revelava um surpreendente grau de imaginação cósmica entre mestiços e párias que se poderia menos esperar possuí-la.

Em 1º de novembro de 1907, chegou à polícia de Nova Orleans um chamado urgente para ir até os pântanos e às lagoas ao sul. Os posseiros que ali habitavam, em sua maioria primitivos, mas bons descendentes dos homens de Lafitte, estavam sob terror absoluto por conta de alguma coisa desconhecida que lhes havia surgido durante a noite. Tratava-se de algum tipo de magia vodu, mas o vodu de um tipo mais terrível do que eles jamais haviam conhecido, e algumas de suas mulheres e crianças haviam desaparecido desde que os tambores malévolos haviam começado sua incessante batida no interior das florestas negras assombradas, onde nenhum habitante se aventurava chegar. Houve gritos insanos e urros angustiantes, cantos arrepiantes e chamas demoníacas dançantes; e o mensageiro assustado acrescentou que os moradores não aguentavam mais aquilo.

Assim, um grupo de vinte policiais, que encheu duas carruagens e uma viatura, partira no final da tarde tendo o posseiro trêmulo como guia. Eles desceram ao fim do trecho de estrada transitável e, por quilômetros, andaram em silêncio pela terrível floresta de ciprestes onde a luz do sol nunca chegava. Raízes horrorosas e laços de enforcamento malignos feitos de musgo espanhol os assediavam e, de vez em quando, uma pilha de pedras úmidas ou fragmentos de uma parede apodrecida intensificavam a insinuação de alguma habitação mórbida, uma depressão que cada árvore malformada e cada mancha embolorada de fungos se combinavam para criar. Por fim, o povoado de posseiros, um amontoado miserável de cabanas, surgiu adiante, e os moradores histéricos correram na direção do grupo balançando suas lanternas. A batida abafada de tambor agora estava levemente audível muito, muito à frente, e um grito estridente surgia em intervalos infrequentes quando o vento mudava. Um clarão avermelhado também parecia filtrar-se através da vegetação rasteira e pálida além das avenidas intermináveis da noite da floresta. Relutantes até mesmo em ficarem sozinhos novamente, cada um dos posseiros intimidados se recusou a avançar mais um centímetro na direção da cena de adoração profana, então o inspetor Legrasse e seus dezenove colegas mergulharam rumo às arcadas negras de horror em que nenhum deles jamais havia pisado antes.

A região agora invadida pela polícia tinha reputação tradicionalmente malévola, substancialmente desconhecida e inexplorada pelos homens brancos. Havia lendas sobre um lago oculto jamais vislumbrado pelos mortais, em que habitava uma enorme coisa branca, sem forma e cheia de pólipos, com olhos luminosos, e os invasores sussurravam que demônios com asas de morcego voavam de cavernas subterrâneas para adorá-la à meia-noite. Eles disseram que a coisa já estava lá antes de D'Iberville, antes de La Salle, antes dos índios e antes mesmo das bestas e pássaros das florestas. Era um pesadelo, e vê-lo era como morrer. Mas tudo isso fazia os homens sonharem e, assim, eles se afastavam. A orgia vodu estava, de fato, na periferia daquela abominável área, mas aquela localização já era ruim o suficiente; daí, talvez, o próprio lugar da adoração tenha aterrorizado os posseiros mais do que os sons e os incidentes chocantes.

Apenas a poesia ou a loucura podiam fazer justiça aos pedidos ouvidos pelos homens de Legrasse enquanto atravessavam o pântano negro em direção ao clarão vermelho e aos sons de tambores abafados. Existem qualidades vocais peculiares aos homens e qualidades vocais peculiares às bestas, e é terrível ouvir uma saindo da boca da outra. A fúria animal e a libertinagem orgiástica aqui se elevavam a alturas sinistras por meio de uivos e gritos extasiados que rasgavam e reverberavam através daqueles bosques iluminados como tempestades pestilentas das profundezas do inferno. De vez em quando, os uivos cessavam e, a partir do que parecia um coro de vozes roucas e bem treinadas, surgia na canção aquela frase hedionda ou talvez um feitiço:

"Ph'nglui mglw'nafh Cthulhu R'lyeh wgah'nagl fhtagn."

Então os homens, tendo atingido um ponto onde havia menos árvores, subitamente puderam observar o espetáculo em si. Quatro deles cambalearam, um desmaiou e dois foram acometidos por um grito frenético que a louca cacofonia da orgia, felizmente, amorteceu. Legrasse jogou água do pântano no rosto do homem desmaiado e todos ficaram tremendo e quase hipnotizados de horror.

Em uma clareira natural do pântano, havia uma ilha gramada de talvez um acre, livre de árvores e razoavelmente seca. Dela saía a horda mais indescritível de anormalidade humana que somente um Sime ou um Angarola poderiam pintar. Sem roupas, esses seres híbridos zurravam, berravam e se contorciam circulando uma monstruosa fogueira, no centro da qual, revelado por ocasionais rachaduras na cortina de chamas, havia um grande monólito de granito com uns oito pés de altura, em cima do qual, incongruente com sua pequena estatura, descansava a nociva estatueta esculpida. De um amplo círculo de dez estruturas montadas em intervalos regulares com o monólito cravado de chamas como centro suspenso, de cabeça para baixo, pendiam os corpos estranhamente desfigurados dos posseiros indefesos que haviam desaparecido. Era de dentro desse círculo que a roda de adoradores saltava e rugia, da direita para a esquerda, no interminável Bacanal entre o círculo dos corpos e o círculo de fogo.

Pode ter sido apenas imaginação e podem ter sido apenas ecos que induziram um dos homens, um espanhol impressionado, a imaginar que ele ouvira respostas antifônicas ao ritual de algum ponto distante e não iluminado, mais profundamente dentro daquele bosque cheio de antigas lendas e horror. Mais tarde, conheci e questionei esse homem, Joseph D. Galvez, e ele provou ter imaginação fértil. De fato, ele chegou ao ponto de sugerir o leve bater de grandes asas, um vislumbre de olhos brilhantes e um enorme volume branco além das árvores mais remotas – mas suponho que ele estivesse ouvindo muita superstição dos nativos.

Na verdade, a pausa horrorizada dos homens foi de duração comparativamente breve. O dever veio em primeiro lugar e, embora houvesse quase cem celebrantes na multidão, a polícia recorreu a suas armas de fogo e mergulhou decididamente no meio daquele caos nauseante. Por cinco minutos, o ruído e o caos resultantes foram além de qualquer descrição. Houve golpes selvagens, tiros disparados e fugas, mas, no fim, Legrasse conseguiu contar cerca de quarenta e sete prisioneiros soturnos, aos quais ele forçou a se vestir com pressa e se alinhar entre duas filas de policiais. Cinco dos adoradores estavam mortos e dois foram levados gravemente feridos em macas improvisadas por seus companheiros de crime. A imagem do monólito, é claro, foi cuidadosamente removida e levada de volta por Legrasse.

Examinados na delegacia após uma viagem intensa e cansativa, todos os prisioneiros provaram ser homens de um tipo muito baixo, mestiços e mentalmente perturbados. A maioria eram marinheiros, e um punhado de negros e mulatos, em grande parte índios ocidentais ou portugueses de Brava, em Cabo Verde, davam uma cor de vodu para o culto heterogêneo. Mas antes que muitas perguntas fossem feitas, ficou claro que algo muito mais profundo e antigo do que o fetichismo negro estava envolvido.

Degradadas e ignorantes como eram, as criaturas possuíam surpreendente coerência com a ideia central de sua fé repugnante.

Eles adoravam, assim diziam, os Grandes Anciões que viveram muito antes de existirem homens e que vieram do céu para o novo mundo recém-criado. Aqueles Anciões já haviam desaparecido, dentro da terra e no fundo do mar, mas seus corpos mortos contaram seus segredos em sonhos para os primeiros homens, que formaram um culto que nunca cessou. Era esse culto que os prisioneiros seguiam, e disseram que eles sempre existiram e sempre existirão, escondidos em lugares distantes e escuros em todo o mundo até o tempo em que o alto sacerdote Cthulhu saísse de sua casa escura na poderosa cidade submersa de R'lyehs para dominar a Terra novamente. Algum dia ele faria o chamado, quando as estrelas estivessem na posição correta, e o culto secreto estaria sempre esperando para libertá-lo.

Enquanto isso, nada mais deveria ser dito. Havia um segredo que nem sob tortura era revelado. A humanidade não estava absolutamente sozinha entre os seres conscientes da Terra, pois formas surgiam da escuridão para visitar os poucos fiéis. Mas estes não eram os Grandes Anciões. Nenhum homem jamais viu os Anciões. O ídolo esculpido era o grande Cthulhu, mas ninguém poderia dizer se os outros eram ou não exatamente como ele. Ninguém mais sabia ler os antigos escritos agora, mas os fatos eram contados de boca em boca. Os cânticos rituais não eram segredo – ele nunca era dito em voz alta, mas apenas sussurrado. O cântico significava apenas isso: "Em sua casa em R'lyeh, o falecido Cthulhu aguarda sonhando".

Apenas dois dos prisioneiros foram considerados sãos o suficiente para serem enforcados, e os demais foram enviados para várias instituições. Todos negaram fazer parte dos assassinatos rituais e afirmaram que a morte tinha ocorrido por conta de Alados Negros que tinham vindo de sua imemorável assembleia na floresta assombrada. No entanto, jamais houve um relato coerente sobre esses aliados misteriosos. O que a polícia conseguiu descobrir sobre eles veio principalmente de um mestiço muito idoso chamado Castro, que alegou ter navegado por portos estranhos e conversado com líderes imortais do culto nas montanhas da China.

O velho Castro lembrou-se de pedaços de lendas medonhas que acabaram com as especulações dos teosofistas e fizeram o homem e o mundo parecerem recentes e momentâneos. Houve éons em que outras Coisas reinaram sobre a Terra, e elas foram responsáveis pela construção de grandes cidades. Ele afirmou que o chinês imortal havia lhe dito que os restos Delas ainda podiam ser encontrados como pedras ciclópicas em ilhas no Pacífico. Todas essas Coisas morreram muito antes de os homens chegarem à Terra, mas havia artes que poderiam fazê-los reviver quando as estrelas voltassem às posições certas no ciclo da eternidade. Elas, de fato, vieram das estrelas e trouxeram Suas imagens com Elas.

Esses Grandes Anciões, continuou Castro, não eram feitos de carne e osso. Eles tinham forma – a imagem em forma de estrela não provava isso? –, mas ela não era feita de matéria. Quando as estrelas estavam na posição correta, podiam mergulhar de mundo em mundo pelos céus, mas, quando as estrelas estavam na posição errada, não eram capazes de viver. Embora não mais vivessem, nunca morriam. Todos jaziam em casas de pedra na grande cidade de R'lyeh, preservados pelos feitiços do poderoso Cthulhu e aguardando uma ressurreição gloriosa, quando as estrelas e a Terra pudessem mais uma vez estar prontas para Eles. No entanto, naquela época, alguma força externa deveria ajudar a liberar seus corpos. Os feitiços que os preservavam intactos também impediam que eles fizessem um movimento inicial, e eles só podiam ficar acordados no escuro pensando, enquanto milhões de anos iam se passando. Eles sabiam tudo o que estava ocorrendo no universo, mas seu modo de falar era transmitido como pensamento. Mesmo agora eles conversavam em seus túmulos. Quando, após eras infinitas, os primeiros homens chegaram aqui, os Grandes Anciões falaram com os sensatos entre eles por meio de seus sonhos, pois apenas dessa maneira a linguagem deles alcançaria as mentes carnais dos mamíferos.

Então, sussurrou Castro, aqueles primeiros homens formaram o culto aos pequenos ídolos que os Grandes Anciões haviam mostrado, os ídolos trazidos há muito tempo de estrelas escuras. Esse culto nunca morreria até que as estrelas voltassem a ficar em suas posições corretas, e os sacerdotes secretos então tirariam o grande Cthulhu de Seu túmulo para reviver com Seus súditos e retomar Seu domínio sobre a Terra. Era fácil saber qual seria esse tempo, pois a humanidade se tornaria como os Grandes Anciões: livre e selvagem e além do bem e do mal, com leis e moral jogadas de lado e todos os homens gritando, matando seus semelhantes e se divertindo com alegria. Então os Anciões liberados lhes ensinariam novas formas de gritar e matar, deleitar-se e divertir-se, e toda a Terra se inflamaria com um holocausto de êxtase e liberdade. Enquanto isso, o culto, por meio de ritos apropriados, manteria viva a memória daqueles caminhos antigos e profetizaria seu retorno.

Nos tempos mais antigos, os homens escolhidos conversavam com os Anciões sepultados por meio de sonhos, mas então algo aconteceu. A grande cidade de pedra R'lyeh, com seus monólitos e sepulturas, havia afundado sob as ondas; e as águas profundas, cheias do mistério primordial pelo qual nem mesmo o pensamento poderia passar, cortaram a comunicação espectral. Mas a memória nunca morre, e os sumos sacerdotes disseram que a cidade se levantaria novamente quando as estrelas estivessem na posição correta. Então os espíritos negros surgiram da Terra, mofados e sombrios, e cheios de rumores se recolheram em cavernas esquecidas no fundo do mar. Mas deles o velho Castro não ousou dizer muito. Ele cortou sua fala apressadamente, e nenhuma persuasão ou sutileza poderiam convencê-lo do contrário. Também se recusou a mencionar o tamanho dos Anciões. Sobre o local do culto, achava que o centro dele estava em meio aos desertos da Arábia, onde Irem, a Cidade dos Pilares, sonha escondida e intocada. O culto não tinha relação com a bruxaria europeia e era praticamente desconhecido para além de seus membros. Nenhum livro jamais o sugeriu, embora os chineses imortais dissessem que havia dois significados no *Necronomicon* do árabe louco Abdul Alhazred que os iniciados poderiam ler como quisessem, especialmente este dístico muito discutível:

"O que não morreu pode viver eternamente,
E com éons estranhos até a morte pode morrer."

Legrasse, profundamente impressionado e um pouco desnorteado, perguntou em vão sobre as afiliações históricas do culto. Aparentemente,

Castro dissera a verdade quando afirmou que era totalmente secreto. As autoridades da Universidade de Tulane não puderam esclarecer nada sobre o culto ou a imagem, e agora o detetive havia chegado às mais altas autoridades do país e se deparado com nada menos que a história sobre a Groenlândia do professor Webb.

O interesse febril despertado pelo relato de Legrasse no congresso, corroborado pela estatueta, foi ecoado na correspondência subsequente daqueles que lá compareceram, embora tenha havido pouca menção nas publicações formais da sociedade. A cautela é o primeiro cuidado daqueles que estão acostumados a enfrentar o charlatanismo e a impostura ocasionais. Por um tempo, Legrasse emprestou a imagem para o professor Webb, mas, com sua morte, ela foi devolvida e permanece em sua posse, como vi há pouco tempo. É realmente um objeto terrível e inequivocamente semelhante à escultura dos sonhos do jovem Wilcox.

A empolgação de meu tio-avô com a história do escultor não me surpreendeu, pois que pensamentos surgiram ao ouvir, depois de um conhecimento do que Legrasse havia aprendido do culto, de um jovem sensível que sonhara não só com a figura e o exato hieróglifo da imagem encontrada no pântano e da tabuleta do diabo da Groenlândia, mas tinham surgido em seus sonhos precisamente pelo menos três das palavras da fórmula ditas pelos diabolistas esquimós e mestiços louisianos? A prontidão imediata do professor Angell nessa investigação foi eminentemente natural, embora, em particular, eu tenha suspeitado de que o jovem Wilcox tivesse ouvido falar do culto de alguma forma indireta e inventado uma série de sonhos para aumentar e continuar o mistério às custas do meu tio. As narrativas oníricas e os recortes coletados pelo professor foram, evidentemente, uma forte corroboração disso, mas o racionalismo de minha mente e a extravagância de todo o assunto me levaram a adotar o que achava ser as conclusões mais sensatas. Então, depois de estudar cuidadosamente o manuscrito novamente e correlacionar as anotações teosóficas e antropológicas com a narrativa de Legrasse sobre o culto, fiz uma viagem a Providence a fim de encontrar o escultor e repreender-lhe por ter se aproveitado de um homem erudito e idoso.

Wilcox ainda morava sozinho no Edifício Fleur-de-Lys, na rua Thomas, uma imitação vitoriana hedionda da arquitetura bretã do século XVII que ostenta sua fachada de estuque entre as adoráveis casas coloniais na montanha e sob a sombra do mais refinado campanário georgiano dos Estados Unidos. Encontrei-o trabalhando em seus aposentos e imediatamente deduzi, pelo que estava espalhado pelo local, que seu gênio era de fato profundo e autêntico. Ele será visto, creio eu, daqui a algum tempo, como um dos grandes decadentistas, pois cristalizou no barro e um dia há de espelhar no mármore aqueles pesadelos e fantasias que Arthur Machen evoca em prosa, e Clark Ashton Smith torna visível na literatura e na pintura.

Escurecido e frágil, além de apresentar aspecto um tanto desleixado, Wilcox se virou languidamente quando bati na porta e me perguntou o que estava acontecendo sem se levantar. Quando eu lhe disse quem eu era, ele demonstrou algum interesse, pois meu tio despertou sua curiosidade ao sondar-lhe sobre seus estranhos sonhos, mas nunca explicou o motivo do estudo. Eu não me estendi a esse respeito, mas busquei com alguma sutileza trazê-lo para o meu lado. Em pouco tempo, convenci-me de sua absoluta sinceridade, pois ele falava dos sonhos de uma maneira inconfundível. Os sonhos e seus resíduos inconscientes haviam influenciado sua arte profundamente, e ele me mostrou uma estátua mórbida cujos contornos quase me fizeram tremer com a potência de sua negra sugestão. Ele não conseguia se lembrar de ter visto o original dessa coisa, exceto em seu próprio sonho com o baixo-relevo, mas os contornos se formaram de modo imperceptível sob suas mãos. Era, sem dúvida, a forma gigante que vira em seu delírio. Ele realmente não sabia nada sobre culto secreto, exceto pelo catecismo implacável de meu tio, e mais uma vez me esforcei para pensar em alguma maneira pela qual ele poderia ter recebido aquelas estranhas impressões.

Ele falou de seus sonhos de uma maneira estranhamente poética, fazendo-me enxergar com terrível vivacidade a úmida cidade ciclópica feita de pedras verdes cuja geometria, disse ele estranhamente, estava toda errada – e ouvir com assustada expectativa o chamado incessante, em parte mental, que vinha do subterrâneo: "Cthulhu fhtagn",

"Cthulhu fhtagn". Essas palavras faziam parte daquele ritual medonho que falava da vigília onírica de Cthulhu morto em seu jazigo de pedra em R'lyeh, e me senti profundamente comovido apesar de minhas crenças racionais. Certamente, Wilcox ouvira falar do culto casualmente e logo o esquecera em meio às suas muitas leituras e sua imaginação igualmente esquisitas. Mais tarde, em virtude de sua pura impressividade, encontrou expressão subconsciente nos sonhos, no baixo-relevo e na terrível estátua que agora vejo, de modo que sua impostura sobre meu tio tinha sido muito inocente. Aquele jovem era de um tipo ao mesmo tempo levemente afetado e levemente mal-educado, do qual eu nunca poderia gostar, mas agora eu estava disposto o suficiente para admitir tanto sua genialidade quanto sua honestidade. Eu me despedi dele amigavelmente e lhe desejei todo o sucesso que seu talento lhe reservava.

A questão do culto continuava a me fascinar, e às vezes eu me imaginava famoso por minhas pesquisas sobre sua origem e suas conexões. Visitei Nova Orleans, conversei com Legrasse e outros membros do antigo grupo de busca, vi a imagem assustadora e até mesmo conversei com os prisioneiros mestiços que conseguiram sobreviver. O velho Castro, infelizmente, estava morto há alguns anos. O que eu ouvia agora em primeira mão, embora não passasse de uma confirmação detalhada do que meu tio escrevera, novamente me animou, pois tinha certeza de que estava no caminho de uma religião muito real, muito secreta e muito antiga, cuja descoberta me tornaria um antropólogo importante. Minha atitude ainda era de materialismo absoluto, como eu gostaria que ainda fosse, e desconsiderei com perversidade quase inexplicável a coincidência entre as anotações sobre os sonhos e os estranhos recortes coletados pelo professor Angell.

Uma coisa de que comecei a suspeitar, e que agora temo saber, é que a morte do meu tio estava longe de ser natural. Ele caiu em uma rua estreita que levava a uma antiga zona portuária repleta de mestiços estrangeiros, depois de um encontrão descuidado com um marinheiro negro. Não me esqueci do sangue misturado e das atividades marítimas entre os membros do culto em Louisiana, e não ficaria surpreso ao saber de métodos secretos e agulhas venenosas tão implacáveis e tão antigas quanto os ritos e crenças ocultos. Legrasse e seus homens, é verdade, foram deixados em paz, mas, na Noruega, um certo marinheiro que viu determinadas coisas está morto. Será que as investigações mais profundas de meu tio depois de encontrar os dados do escultor chegaram a ouvidos sinistros? Acho que o professor Angell morreu porque sabia demais, ou porque, provavelmente, estava prestes a saber demais. Talvez o mesmo aconteça comigo, pois também sei de muita coisa agora.

III.
A LOUCURA DO MAR

Se os céus alguma vez quiserem me proporcionar uma bênção, eles me trarão um apagamento total dos resultados de um mero acaso que fixou meu olhar em um certo pedaço de papel na prateleira da estante. Não era nada que eu perceberia naturalmente no decorrer de meu dia a dia, pois era um número antigo de um jornal australiano, o *Sydney Bulletin*, de 18 de abril de 1925. Ele escapara até mesmo do departamento de recortes, que na época coletou material avidamente para a pesquisa do meu tio.

Eu havia abandonado minhas investigações sobre o que o professor Angell chamava de "Culto a Cthulhu" e estava visitando um amigo em Paterson, Nova Jersey, que era curador de um museu local e mineralogista de destaque. Um dia, examinando os espécimes colocados nas prateleiras de armazenamento em uma sala dos fundos do museu, meu olhar foi capturado por uma foto estranha em um dos papéis velhos sob as pedras. Era o *Sydney Bulletin* que mencionei anteriormente, pois meu amigo tinha grandes contatos em todas as partes do mundo concebíveis, e a imagem mostrava uma pedra horrorosa quase idêntica àquela que Legrasse encontrara no pântano.

Limpei ansiosamente a folha para verificar seu precioso conteúdo e examinei o item detalhadamente. Fiquei desapontado ao perceber que o tamanho não era suficiente para um exame mais minucioso. O que sugeria, no entanto, foi de grande significado para minha busca negligenciada, e então agi imediatamente. Junto da imagem, havia o seguinte texto:

MISTERIOSA EMBARCAÇÃO ENCONTRADA NO MAR
O navio Vigilant chega rebocando um iate equipado e indefeso da Nova Zelândia.
Um sobrevivente e um homem morto foram encontrados a bordo.
Relato de batalha desesperada e mortes no mar.
Marinheiro resgatado se recusa a dar
detalhes sobre a estranha experiência.
Ídolo estranho encontrado em sua posse.
Será instaurado um inquérito.

O cargueiro *Vigilant*, da Morrison Co., vindo de Valparaíso, chegou esta manhã ao cais do Porto de Darling, levando a reboque o combalido e desabilitado, mas fortemente equipado, iate *Alert*, de Dunedin, NZ, que foi avistado em 12 de abril na latitude sul 34°21', longitude Oeste 152°17' com um homem vivo e um morto a bordo.

O *Vigilant* deixou Valparaíso em 25 de março e em 2 de abril foi levado consideravelmente ao sul de seu curso normal por conta de tempestades e ondas monstruosas. Em 12 de abril, o navio foi avistado à deriva e, embora aparentemente desertado, continha um sobrevivente em estado semidelirante e um homem que evidentemente estava morto havia mais de uma semana. O homem vivo estava segurando um horrível ídolo de pedra de origem desconhecida, com cerca de trinta centímetros de altura, sobre cuja natureza as autoridades da Universidade de Sidney, a Royal Society e o Museu de College Street, todos professam completa perplexidade, e que o sobrevivente diz ter achado na cabine do iate, em um pequeno santuário esculpido em padrão comum.

Esse homem, depois de recuperar seus sentidos, contou uma história extremamente estranha de pirataria e abate. Seu nome era Gustaf Johansen, um norueguês com alguma inteligência que havia sido segundo imediato da escuna de dois mastros *Emma*, de Auckland, que zarpara de Callao no dia 20 de fevereiro com uma tripulação de onze homens. *Emma*, disse ele, sofreu um atraso por ter sido lançada ao sul de seu curso original pela grande tempestade de 1º de março e, em 22 de março, na latitude sul 49°51' e longitude oeste 128°34', encontrou o *Alert*, composto por uma tripulação esquisita e de aparência maligna, composta por mestiços e canacas. O capitão Collins se recusou a acatar as ordens de recuar, e então a tripulação estranha começou a atirar selvagemente e sem aviso contra a escuna com uma bateria particularmente pesada de canhão que fazia parte do equipamento do iate. Os homens do *Emma* responderam ao combate, disse o sobrevivente, e, embora a escuna começasse a afundar, eles conseguiram se aproximar até o inimigo e abordá-lo, lutando com a tripulação selvagem no convés da navegação e sendo obrigados a matá-los todos, por estarem em número ligeiramente superior e também por conta de sua maneira de lutar particularmente repugnante e desesperada, embora um pouco desajeitada.

Três dos homens do *Emma*, incluindo o capitão Collins e o primeiro imediato Green, foram mortos; e os oito restantes, comandados pelo segundo imediato Johansen, começaram a navegar o iate capturado, indo em sua direção original para ver se existia algum motivo para o seu pedido de volta. No dia seguinte, eles atracaram em uma pequena ilha, apesar de se saber que não existe nenhuma ilha nessa parte do oceano; e seis dos homens de alguma forma morreram em terra, embora Johansen seja estranhamente reticente sobre essa parte de sua história e fale apenas que todos caíram de um abismo rochoso. Mais tarde, ao que parece ele e um companheiro embarcaram no iate e tentaram controlá-lo, mas foram castigados pela tempestade de 2 de abril. Daquele dia até seu resgate no dia 12, o homem pouco se lembra e nem mesmo sabe quando William Briden, seu companheiro, morreu. A morte de Briden não revela nenhuma causa aparente, e foi provavelmente devido à ansiedade que sentia ou à exposição ao sol escaldante. Telegramas de Dunedin relatam que o *Alert* era bastante conhecido como uma embarcação comercial e tinha uma má reputação ao longo da orla. Era de propriedade de um curioso grupo de mestiços cujos encontros frequentes e viagens noturnas à floresta atraíam pouca curiosidade, e partiu com grande rapidez logo depois da tempestade e tremores de terra de 1º de março. Nosso correspondente em Auckland atribuiu ao *Emma* e sua equipe uma excelente reputação, e Johansen foi descrito como um homem sóbrio e digno. O almirantado instituirá uma investigação sobre o assunto a partir de amanhã, na qual serão envidados todos os esforços para induzir Johansen a falar mais sobre o que tem feito até o momento.

Isso era tudo o que a matéria de jornal dizia, além de trazer aquela imagem. Que turbilhão de ideias se iniciou em minha mente! Ali estavam novos tesouros de informações sobre o Culto a Cthulhu, com evidências de que ele tinha interesses estranhos não apenas na terra, mas também no mar. Que motivo levou a tripulação mestiça a ordenar o retorno do *Emma* enquanto navegavam com seu ídolo hediondo? Qual era a ilha desconhecida na qual seis membros da equipe do *Emma* haviam morrido e sobre a qual o segundo imediato Johansen era tão reservado? O que a investigação do vice-almirantado revelou, e o que se sabia do culto nocivo em Dunedin? E, o mais impressionante de tudo, que ligação profunda e mais do que natural entre as datas era essa que dava um significado maligno e agora inegável às várias reviravoltas dos acontecimentos tão cuidadosamente observadas por meu tio?

No dia 1º de março (nosso dia 28 de fevereiro, de acordo com Linha Internacional de Data), chegaram o terremoto e a tempestade. De Dunedin, o *Alert* e sua equipe barulhenta se lançaram ansiosamente como se tivessem sido imperiosamente convocados para algo e, do outro lado da terra, poetas e artistas começaram a sonhar com uma estranha e úmida cidade ciclópica, enquanto um jovem escultor moldava, a partir de seu sonho, a forma do temido Cthulhu. Em 23 de março, a tripulação do *Emma* desembarcou em uma ilha desconhecida e deixou seis homens mortos; e nessa data os sonhos de um homem sensível assumiram uma vivacidade acentuada e obscureceram-se com o medo inspirado pela perseguição maligna de um monstro gigante, enquanto um arquiteto enlouqueceu e um escultor caiu de repente em delírio! E quanto a essa tempestade de 2 de abril – a data em que todos os sonhos da cidade úmida cessaram e Wilcox saiu ileso da escravidão da estranha febre? O que dizer de tudo isso – e das insinuações sobre os Antigos Anciões, nascidos nas estrelas e enterrados no fundo do mar; seu culto fiel e seu domínio sobre os sonhos? Eu estava prestes a descobrir horrores cósmicos que vão além da compreensão dos homens? Se assim for, esses horrores devem ser apenas da mente, pois de alguma maneira o dia 2 de abril havia posto um fim a qualquer ameaça monstruosa que estivesse preparando um cerco às almas de toda a humanidade.

Naquela noite, depois de enviar alguns telegramas apressadamente e me organizar para o dia seguinte, dei adeus a meu anfitrião e peguei um trem para São Francisco. Em menos de um mês eu estava em Dunedin, onde, no entanto, descobri que pouco se conhecia sobre os estranhos adeptos do culto que haviam permanecido nas antigas tabernas portuárias. A ralé do porto era comum demais para que pudesse ser feita alguma menção especial a ela, embora houvesse uma conversa vaga sobre uma viagem que esses mestiços haviam feito, durante a qual se notaram um som abafado de tambores e uma chama vermelha nas colinas distantes. Em Auckland, fiquei sabendo que Johansen havia retornado com seus cabelos completamente brancos, que antes eram loiros, após um interrogatório superficial e inconclusivo em Sydney. Depois disso, vendeu sua casa de campo na rua West e tomou um navio com sua esposa, tendo como destino sua antiga casa em Oslo. Contou aos amigos não mais do que dissera aos oficiais do almirantado sobre sua grande vivência no mar, e tudo o que eles podiam fazer era me dar seu endereço em Oslo.

Depois, fui a Sydney e conversei sem sucesso com marinheiros e membros do tribunal do vice-almirantado. Vi o *Alert*, que tinha sido vendido e agora estava em uso comercial, no Circular Quay em Sydney Cove, mas não descobri nada a respeito do grande vulto sem definição. A imagem agachada, com sua cabeça de cefalópode, corpo de dragão, asas escamosas e pedestal hieroglífico, foi preservada no Museu de Hyde Park, e eu a estudei bem por muito tempo, achando que era um objeto de acabamento extremamente refinado, com o mesmo mistério absoluto, antiguidade terrível e estranheza sobrenatural do material que eu havia notado no espécime menor de Legrasse. Os geólogos, disse-me o curador, acharam aquele um enigma monstruoso, pois juraram que o mundo não possuía outra rocha como aquela. Então pensei, com um arrepio, no que o velho Castro dissera a Legrasse sobre os Grandes Anciões: "Eles vieram das estrelas e trouxeram Suas imagens com Eles".

Abalado por uma revolução mental como eu nunca antes havia sido acometido, resolvi visitar o segundo imediato Johansen em Oslo. Ao chegar em Londres, fui reembarcado imediatamente para a capital norueguesa, e em um dia de outono aportei nos ancoradouros à sombra de Egeberg. Descobri que o endereço de Johansen ficava na antiga cidade do rei Harald Hardrada, que manteve vivo o nome de Oslo durante todos os séculos em que a cidade maior passou disfarçada de "Christiania". Fiz uma breve viagem de táxi e, com o coração palpitante, bati à porta de uma construção antiga e elegante, com a frente rebocada. Uma mulher de rosto triste, vestida de preto, respondeu à minha convocação e fiquei decepcionado quando ela me disse, com um inglês hesitante, que Gustaf Johansen estava morto.

Ele não havia sobrevivido ao seu retorno, disse sua esposa, porque os feitos no mar em 1925 haviam acabado com ele. Ele não lhe contara mais do que dissera ao público, mas deixara um longo manuscrito – sobre "questões técnicas", como ele dizia – escrito em inglês, evidentemente para salvaguardá-la do perigo de uma leitura casual. Durante um passeio por uma rua estreita perto do porto de Gotemburgo, um monte de papéis jogado de uma janela de um sótão o derrubara no chão. Dois marinheiros de Lascar o ajudaram imediatamente a ficar de pé, mas, antes que a ambulância pudesse chegar, ele já estava morto. Os médicos não encontraram uma causa adequada para sua morte e fizeram apenas duas anotações: problemas cardíacos e constituição enfraquecida.

Agora eu sentia um terror sombrio em minhas entranhas que nunca me deixará até que eu também possa descansar, "acidentalmente" ou não. Após persuadir a viúva de que minha conexão com os "assuntos técnicos" de seu marido era suficiente para me dar o direito ao manuscrito, levei-o e comecei a lê-lo no barco que me levava de volta a Londres. Era algo simples e desconexo – o esforço de um marinheiro ingênuo em um diário criado após os fatos – em que ele se esforçava para recordar, dia após dia, aquela última viagem horrível. Não posso transcrevê-lo textualmente em toda a sua nebulosidade e redundância, mas contarei o suficiente sobre sua essência para mostrar por que o som da água contra as laterais da embarcação se tornou tão insuportável para mim a ponto de eu precisar tampar meus ouvidos com algodão.

Johansen, graças a Deus, não sabia de tudo, mesmo após ver a cidade e a Coisa, mas nunca mais voltarei a dormir calmamente quando pensar nos horrores que se escondem incessantemente por trás da vida no tempo e no espaço, e dessas blasfêmias malditas de antigas estrelas que sonham no fundo do mar, conhecidas e adoradas por um culto infernal ansioso para soltá-las no mundo sempre que outro terremoto levantar sua monstruosa cidade de pedra novamente ao contato com o ar e a luz do Sol.

A viagem de Johansen começara exatamente como ele relatara ao vice-almirantado. O *Emma*, em lastro, havia zarpado de Auckland no dia 20 de fevereiro, e havia sentido toda a força daquela tempestade por conta de um terremoto que deve ter levantado do fundo do mar os horrores que povoavam os sonhos dos homens. Mais uma vez sob controle, o navio estava fazendo um bom progresso quando foi confrontado pelo *Alert* em 22 de março, e eu pude sentir o pesar do imediato quando ele escreveu sobre o bombardeio do navio e seu subsequente naufrágio. Ele falava dos mestiços demoníacos do *Alert* com horror significativo. Havia alguma qualidade peculiarmente abominável sobre eles que fazia com que sua destruição parecesse quase um dever, e Johansen mostrou surpresa em relação à acusação de crueldade contra sua tripulação durante o inquérito judicial. Então, levados pela curiosidade em seu iate capturado sob o comando de Johansen, os homens avistaram um grande pilar de pedra saindo do mar e, na latitude sul 47°9', longitude oeste 126°43', achou uma linha costeira de lama e gosma misturadas, com pedras ciclópicas recobertas por nada menos do que poderia ser a substância tangível que cobriria o supremo terror da Terra – o cadáver da pavorosa cidade de R'lyeh, que foi construída incontáveis éons antes da história pelas formas vastas e abomináveis vindas de estrelas sombrias. Lá estavam o grande Cthulhu e suas hordas, escondidos em túmulos viscosos e enviando finalmente, após eras incalculáveis, os pensamentos que espalhavam medo nos sonhos de homens sensíveis e faziam clamores imperiosos aos fiéis para que seguissem uma jornada de libertação e restauração. Johansen não suspeitava de tudo disso, mas Deus sabe que ele viu o bastante!

Suponho que apenas um único topo de montanha, a horrenda cidadela coroada de monólitos em que o grande Cthulhu foi enterrado, emergiu das águas. Quando penso na extensão de tudo o que pode estar pairando lá embaixo, quase desejo me matar imediatamente. Johansen e seus homens ficaram impressionados com a majestade cósmica da Babilônia gotejante onde habitavam demônios mais antigos, e devem ter adivinhado, sem orientação alguma, que aquilo não podia ser de qualquer planeta sadio. A perplexidade ante o tamanho inacreditável dos blocos de pedra esverdeados, pela altura estonteante do grande monólito esculpido e a identidade estupefaciente das colossais estátuas e baixos-relevos com a estranha imagem encontrada no santuário do *Alert* é obviamente visível em cada linha da descrição assustada do imediato.

Mesmo sem saber o que era o futurismo, Johansen alcançou algo muito próximo disso quando falou da cidade, pois, em vez de descrever qualquer estrutura ou construção definida, ele apenas deu suas impressões gerais de grandes ângulos e superfícies de pedra, grandes demais para pertencer a qualquer coisa própria ou adequada a essa terra, em um panorama impiedoso cheio de horríveis imagens e hieróglifos. Menciono o que disse sobre as angulações porque sugere algo que Wilcox me contou sobre seus terríveis sonhos. Ele dissera que a geometria do lugar que via em seus sonhos era anormal, não euclidiana e sugeria esferas e dimensões à parte das nossas. Agora, um marinheiro iletrado sentia a mesma coisa enquanto fitava a terrível realidade.

Johansen e seus homens atracaram em uma encosta de lama naquela monstruosa Acrópole e subiram por enormes blocos de pedra escorregadios que não poderiam ser obra de um mortal. O próprio sol, no céu, parecia distorcido quando visto através do miasma polarizante que saía dessa perversão encharcada de mar, e a ameaça e o suspense deformantes espreitavam maliciosamente naqueles ângulos loucos de rocha entalhada, onde um segundo olhar mostraria uma superfície côncava onde antes se via uma superfície convexa.

Algo muito parecido com o medo havia chegado a todos os exploradores antes mesmo de encontrarem qualquer coisa além de pedra, lodo e ervas daninhas. Cada um teria fugido se não receasse o desprezo dos outros, e então procuraram, sem muito entusiasmo (e em vão, como se provou) por algum souvenir que pudesse ser levado embora.

Foi Rodriguez, o português, que subiu no sopé do monólito e gritou que o encontrara. O restante o seguiu e olhou com curiosidade para a imensa porta esculpida com o agora familiar baixo-relevo de dragão e cabeça de lula. Johansen disse que era como uma grande porta de galpão; e todos sentiam que se tratava de uma porta por causa do lintel ornamentado, do umbral e das jambas em volta, embora não conseguissem decidir se era plana como um alçapão ou inclinada como uma porta de um porão. Como Wilcox teria dito, a geometria do lugar estava toda errada. Não se podia ter certeza de que o mar e o solo eram horizontais, portanto, a posição relativa de tudo o mais parecia fantasmagoricamente variável.

Briden empurrou a pedra em várias direções, sem ter resultado. Então Donovan passou a mão delicadamente ao redor das bordas, pressionando cada ponto separadamente enquanto prosseguia. Ele subia interminavelmente pela grotesca muralha de pedra – isto é, a pessoa chamaria isso de escalada se a porta não estivesse afinal na horizontal – e os homens se perguntavam como qualquer porta no universo poderia ser tão vasta. Então, muito suave e lentamente, o grande painel – de cerca de quatro mil metros quadrados – começou a ceder em sua parte superior, e eles viram que ficara equilibrado. Donovan deslizou ou de alguma forma se jogou para baixo ou ao longo da jamba e se juntou aos seus companheiros, e todos observaram a estranha recessão do portal monstruosamente esculpido. Nessa fantasia de distorção prismática, a porta se movia anormalmente na diagonal, de modo que todas as leis da física e da perspectiva pareciam equivocadas.

A abertura era negra, com uma escuridão quase palpável. Essa tenebridade era de fato uma qualidade positiva, pois ela obscurecia as paredes internas, e de fato explodiu como fumaça para fora do local onde havia passado éons aprisionada, escurecendo visivelmente o Sol enquanto se esgueirava para o céu encolhido e minguante em asas membranosas agitadas. O odor proveniente das profundidades recém-abertas era intolerável e, por fim, Hawkins pensou ter ouvido um som desagradável e notável lá embaixo. Todos escutaram e continuaram ouvindo o som quando Ele chegou pesadamente e, babando, mostrou sua gelatinosa imensidão verde através da porta negra no ar exterior contaminado daquela cidade envenenada de loucura.

A caligrafia do pobre Johansen quase desapareceu quando ele escreveu sobre esse assunto. Dos seis homens que nunca chegaram ao navio, ele acha que dois morreram de puro medo naquele instante amaldiçoado. A Coisa era indescritível – não há língua que possa mostrar tais abismos de loucura imemorial e estridente, tais contradições de toda a matéria, força e ordem cósmica. Uma montanha que caminhava ou se arrastava pelo chão. Deus! Qual foi a maravilha que, do outro lado da Terra, fez um grande arquiteto enlouquecer e o pobre Wilcox delirar de febre naquele instante telepático? A Coisa dos ídolos, a semente verde e pegajosa das estrelas, despertou para reivindicar seu reinado. As estrelas estavam na posição correta novamente, e o que um antigo culto não conseguiu fazer de propósito, um bando de marinheiros inocentes fez por acaso. Depois de milhares de anos, o grande Cthulhu estava solto de novo no mundo e ávido por prazer.

Três homens foram arrastados por suas garras flácidas antes que alguém se virasse. Que descansem em paz, se é que existe alguma paz no universo. Eles eram Donovan, Guerrera e Ångstrom. Parker escorregou enquanto os outros três corriam freneticamente por sobre intermináveis planos de rochas incrustadas de algas, tentando chegar até o barco, e Johansen jura que foi engolido por um ângulo de pedra esculpida que não deveria estar ali; um ângulo agudo, mas que se comportava como se fosse obtuso. Assim, somente Briden e Johansen chegaram ao barco e subiram desesperadamente no *Alert*, enquanto a monstruosidade montanhosa se debatia sobre as pedras escorregadias e se agitava à beira do mar.

Como o navio ainda tinha vapor, apesar de toda a tripulação se encontrar em terra, foram necessários alguns instantes de trabalho febril, subindo e descendo entre o timão e os motores, para colocar o *Alert* em movimento. Lentamente, em meio aos horrores distorcidos daquela cena indescritível, a embarcação começou a agitar as águas letais, enquanto na pedra esculpida daquele costão alienígena. A Coisa titânica das estrelas babava e urrava como Polifemo fez ao amaldiçoar o navio em fuga de Ulisses. Depois, mais ousado que o célebre Ciclope, o grande Cthulhu deslizou com sua gosma na direção da água e começou a perseguir a embarcação com vastas braçadas de energia cósmica. Briden olhou para trás e enlouqueceu, soltando gargalhadas estridentes até que a morte o levasse numa noite na cabine, enquanto Johansen vagava delirando pelo navio.

Mas Johansen não havia desistido ainda. Sabendo que a Coisa certamente poderia ultrapassar o *Alert* até que o vapor estivesse totalmente a pleno, ele fez uma desesperada aposta e, ajustando o motor para a velocidade máxima, correu como um raio no convés e inverteu a roda do leme. Formou-se então um poderoso turbilhão de espuma nas águas salgadas e, à medida que o vapor subia a níveis cada vez mais altos, o bravo norueguês direcionou seu navio para colidir com a criatura gelatinosa que estava acima da espuma impura como a popa de um galeão demoníaco. A horrível cabeça de lula, com os tentáculos que se contorciam, quase chegou ao gurupés da robusta embarcação, mas Johansen continuou navegando implacavelmente. Houve um estouro como se fosse uma bexiga explodindo, um material viscoso como um peixe-lua cortado ao meio, um fedor de mil tumbas abertas e um som que nem mesmo um cronista conseguiria transpor para o papel. Por um instante, o navio foi sufocado por uma nuvem verde acre e cegante, e logo não havia mais do que uma borbulha peçonhenta à popa, onde (Deus no céu!) os pedaços dispersos daquele rebento inominável estavam se reorganizando para voltar à sua odiosa forma original, enquanto sua distância aumentava a cada segundo à medida que o *Alert* ganhava ímpeto crescente.

Isso foi tudo. Depois, Johansen apenas meditou sobre o ídolo na cabine e cuidou de alguns assuntos relacionados a provisões para ele e o maníaco que ria ao seu lado. Ele não tentou navegar logo após essa primeira fuga ousada, pois a reação havia retirado algo de sua alma. Então veio a tempestade de 2 de abril e uma nebulosidade pairou sobre sua consciência. Houve uma sensação de turbilhonamento espectral através de golfos líquidos do infinito, de passeios vertiginosos por meio de universos cambaleantes na cauda de um cometa e de mergulhos histéricos do precipício à Lua e da Lua de volta ao precipício, todos animados por um coro dos deuses anciões distorcidos e pelos demônios com asas de morcego zombeteiros que habitam o Tártaro.

Desse sonho veio o resgate – o *Vigilant*, o tribunal do vice-almirantado, as ruas de Dunedin e a longa viagem de volta para a antiga casa no Egeberg. Ele não podia dizer nada – pensariam que ele estava louco. Ele escreveria sobre o que sabia antes de morrer, mas sua esposa não poderia saber de nada. A morte lhe seria uma bênção caso ela pudesse apagar aquelas lembranças.

Esse foi o documento que li e o coloquei na caixa de lata ao lado do baixo-relevo e dos papéis do professor Angell. Este será meu registro – este teste de minha própria sanidade, onde está reunido o que eu espero que nunca mais seja reunido novamente. Eu vi tudo o que o universo tem em termos de horror, e desde esse dia até mesmo os céus da primavera e as flores do verão sempre serão um veneno para mim. Não acho que minha vida será longa. Assim como a vida de meu tio e como a do pobre Johansen, assim será comigo. Eu sei de coisas demais e o culto ainda vive.

Cthulhu ainda vive também, suponho, naquele abismo de pedra que o protegeu desde que o Sol era jovem. Sua maldita cidade está afundada mais uma vez, pois o *Vigilant* navegou sobre o local após a tempestade de abril, mas seus mensageiros na Terra ainda berram, se agitam e matam em volta de monólitos coroados por ídolos em lugares solitários. Ele deve ter ficado preso quando afundou junto de seu abismo negro, ou então o mundo estaria agora gritando de medo e frenesi. Quem sabe o final desta história? O que subiu pode afundar e o que afundou pode voltar. A repulsa espera e sonha nas profundezas, e a decadência se espalha sobre as cidades desprotegidas dos homens. Será chegada a hora – mas não devo e não posso pensar nisso! Rezo para que, se eu não sobreviver a este manuscrito, meus executores possam colocar a cautela antes da audácia e tenham cuidado para que outros olhos nunca mais possam encontrá-lo.

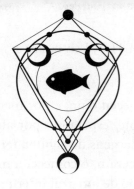

DAGON

    Escrevo sob uma tensão mental considerável, já que esta noite não mais serei. Sem dinheiro, e com o estoque da droga que torna minha vida suportável quase no fim, não suporto mais esta tortura; e vou me jogar, pela janela do sótão, caindo sobre esta triste rua esquálida. Não pense, por conta de minha escravidão em relação à morfina, que sou fraco ou degenerado. Quando estiver lendo estas páginas rabiscadas às pressas, você poderá descobrir, embora talvez nunca compreenda totalmente, por que anseio pelo esquecimento ou pela morte.

    Aconteceu em mar aberto, em um dos trechos menos frequentados do vasto Oceano Pacífico, quando uma das grandes guerras estava em seu início, e as forças marítimas da Alemanha ainda não haviam se afundado completamente em sua posterior degradação, de modo que nossa embarcação se tornou um prêmio legítimo, enquanto nós, da tripulação, fomos tratados com toda a justiça e consideração que nos eram devidas como prisioneiros navais. Tão liberal, de fato, era a disciplina de nossos captores, que, cinco dias após sermos levados, consegui escapar sozinho em um pequeno barco, levando água e provisões para um bom período.

    Quando finalmente me encontrei à deriva e livre, não tinha a menor ideia do que me cercava. Como eu nunca havia sido um navegador muito experiente, só poderia imaginar vagamente, por conta do Sol e das estrelas, que eu me localizava um pouco ao Sul do Equador. Eu não tinha ideia de minha longitude, e não havia nenhuma ilha ou costa à vista. O tempo permaneceu bom, e por incontáveis dias vaguei sem rumo sob o Sol escaldante, esperando por algum navio de passagem ou para ser lançado às margens de alguma terra habitável. Mas nem o navio nem a terra apareceram, e comecei a me desesperar em meio à solidão da imensa vastidão de um azul interminável.

A mudança aconteceu enquanto eu dormia. Talvez eu nunca venha a saber os detalhes, pois, embora agitado e cheio de sonhos, tive um sono contínuo. Quando acordei pela última vez, descobri ter sido tragado por um lamacento e infernal lodo negro que se estendia à minha volta em monótonas ondulações até onde meus olhos alcançavam e onde meu barco estava enterrado a certa distância.

Embora se possa imaginar que minha primeira sensação seria de espanto diante de uma transformação tão prodigiosa e inesperada de cenário, fiquei, na verdade, mais horrorizado do que surpreso, pois havia no ar e no solo apodrecido algo sinistro que me arrepiou até o âmago. A região estava podre por conta das carcaças de peixe em decomposição e de outras coisas difíceis de descrever que pude ver se projetando da lama desagradável presente naquela planície interminável. Talvez não seja possível transmitir em poucas palavras a indizível repugnância que habitava no silêncio absoluto e na vasta imensidão. Não havia nada que pudesse ser ouvido e nada que pudesse ser visto, a não ser um longo caminho de lodo negro; contudo, eram a própria perfeição da quietude e a homogeneidade da paisagem que me oprimiam com um medo nauseante.

O Sol ardia em um céu desprovido de nuvens que me parecia quase negro em sua impiedade, como se refletisse o pântano escuro embaixo de meus pés. Conforme eu me arrastava para dentro do barco encalhado, percebi que apenas uma teoria poderia explicar minha posição. Por conta de um tipo de erupção vulcânica sem precedentes, uma parte do leito oceânico deve ter sido lançada à superfície, expondo regiões que por incontáveis milhões de anos haviam se escondido sob profundidades aquáticas imensuráveis. Tão grande era a extensão da nova terra que emergira sob mim, que eu não conseguia detectar o menor ruído de ondulação do oceano que surgisse, por mais que me esforçasse. Não havia nem mesmo aves marinhas para devorar o que estivesse morto ali.

Durante várias horas, sentei-me e fiquei pensando e ruminando no barco, que estava caído de lado e oferecia uma leve sombra quando o Sol se movia pelos céus. À medida que o dia avançava, o solo perdia um pouco de sua viscosidade e parecia que ele secaria o suficiente para que eu pudesse seguir viagem em pouco tempo. Naquela noite dormi pouco e, no dia seguinte, preparei um farnel com comida e água, a fim de me preparar para uma viagem terrestre em busca do mar desaparecido e de um possível resgate.

Na terceira manhã, encontrei o solo seco o suficiente para caminhar por cima dele com facilidade. O odor dos peixes era enlouquecedor, mas eu estava preocupado com coisas mais graves para me importar com coisas tão pequenas, e parti corajosamente rumo a um objetivo desconhecido. Durante todo o dia eu segui firmemente para o Oeste, guiado por um monte distante mais alto que qualquer outro tipo de elevação no deserto. Acampei naquela noite e, no dia seguinte, continuei viajando em direção ao monte, embora esse objeto parecesse quase tão distante do que quando o avistei pela primeira vez. Na quarta noite, alcancei a base do monte, que se revelou muito mais alta do que aparentava a distância; um vale interposto, que o deixava mais nítido em relação à superfície geral. Como estava muito cansado para subir, dormi à sombra da colina.

Não sei por que meus sonhos foram tão agitados naquela noite, mas, antes que a fantasmagórica lua minguante se elevasse muito acima da planície oriental, eu já havia despertado com uma transpiração fria e estava decidido a não mais dormir. As visões que eu havia experimentado eram muito fortes para que eu pudesse suportá-las novamente. E foi sob o brilho da lua que percebi como eu havia sido imprudente ao viajar durante o dia. Sem o ardor do sol que se punha naquele instante, minha jornada teria me custado bem menos energia; de fato, agora me sentia bastante capaz de subir o monte que me intimidara ao pôr do sol. Peguei meu farnel e comecei a subir em direção ao cume do monte.

Eu já disse que a monotonia permanente da planície ondulante era uma fonte de vago horror para mim, mas acredito que meu horror foi maior quando ganhei o cume do monte e olhei para o outro lado, avistando um imensurável vale cujos recessos escuros a Lua ainda não havia se erguido o suficiente para iluminar. Eu me senti no limiar do mundo, espiando, por cima da borda, um caos insondável de escuridão eterna. Em meio a meu terror, tive curiosas reminiscências do Paraíso Perdido, e da escalada hedionda de Satã pelos reinos desiguais das trevas.

Quando a Lua se ergueu mais alto no céu, comecei a perceber que as encostas do vale não eram tão íngremes quanto eu imaginara. As saliências e os afloramentos de rochas facilitavam bastante a descida, e, depois de alguns metros abaixo, o declive se tornava muito gradual. Instigado por um impulso que definitivamente não consigo analisar, desci com dificuldade pelas rochas e permaneci em uma suave encosta que havia abaixo, contemplando as profundezas estígias, onde nenhuma luz havia penetrado ainda.

De repente, minha atenção foi capturada por um grande e singular objeto presente na vertente oposta que se erguia abruptamente cerca de noventa metros à minha frente; um objeto que brilhava de maneira pálida diante dos recém-nascidos raios da lua ascendente. Inicialmente imaginei que era apenas um pedaço gigantesco de pedra, mas eu estava pouco consciente de que seu contorno e sua posição não eram apenas o resultado de um trabalho da natureza. Um exame minucioso me encheu de sensações que não posso expressar, pois, apesar de sua enorme magnitude e de sua posição num abismo que ficara escondido no fundo do mar desde que o mundo era jovem, percebi, sem sombra de dúvida, que o estranho objeto era um monólito bem formado, cuja presença maciça havia conhecido o acabamento e talvez a adoração de criaturas vivas e pensantes.

Atordoado e assustado, porém sentindo uma certa emoção proveniente do deleite comum a cientistas ou arqueólogos, examinei o ambiente mais de perto. A lua, agora perto do zênite, brilhava intensa e misteriosamente acima dos grandiosos penhascos que ladeavam o abismo, e revelava um grande curso de água sinuoso, até se perder de vista em ambas as direções, que quase lambia meus pés enquanto eu me encontrava ali parado. Do outro lado do abismo, as pequenas ondas banhavam a base do ciclópico monólito; em cuja superfície eu podia agora distinguir inscrições e entalhes. A escrita se encontrava em um sistema de hieróglifos desconhecido por mim e diferente de tudo o que eu já vira nos livros, consistindo, em sua maior parte, de símbolos aquáticos convencionalizados como peixes, enguias, polvos, crustáceos, moluscos, baleias e afins. Vários personagens obviamente representavam objetos marinhos desconhecidos para o mundo moderno, mas cujas formas em decomposição eu havia observado na planície erguida do oceano.

No entanto, os entalhes decorativos foram o que mais me fascinaram. Claramente visíveis em toda a água, por conta de seu enorme tamanho, havia uma série de baixos-relevos que causariam inveja a um Doré. Creio que essas imagens deveriam representar pessoas – ou, pelo menos, um certo tipo delas, embora as criaturas fossem apresentadas como peixes se divertindo nas águas de alguma gruta marinha ou venerando santuários monolíticos que também pareciam estar submersos. De seus rostos e formas não me atrevo a falar em detalhes, pois sua mera recordação me faz querer desmaiar. Grotescos além da imaginação de um Poe ou de um Bulwer, eles eram, em geral, incrivelmente humanos, apesar das mãos e dos pés com membranas, lábios largos e flácidos, olhos esbugalhados e vítreos, e outras características ainda menos agradáveis de se lembrar. Curiosamente, eles pareciam ter sido esculpidos de forma desproporcional em relação ao seu pano de fundo, pois uma das criaturas foi representada no momento em que matava uma baleia um pouco maior que ela. Observei seu grotesco e estranho tamanho, mas rapidamente achei que eles eram apenas os deuses imaginários de alguma tribo primitiva pescadora ou navegante, alguma tribo cujo último descendente perecera eras antes que o primeiro ancestral do homem de Piltdown ou de Neandertal tivesse nascido. Impressionado com esse vislumbre inesperado de um passado além da imaginação do antropólogo mais ousado, fiquei ali refletindo enquanto a lua lançava reflexos estranhos no canal calmo diante de mim.

Então de repente eu a vi. Fazendo apenas um ligeiro movimento para marcar sua ascensão à superfície, a coisa deslizou à vista sobre as águas escuras. Vasta, semelhante a Polifemo e repugnante, ela disparou como um fantástico monstro de um pesadelo para o monólito, sobre o qual lançou seus gigantescos braços escamosos enquanto abaixava sua horrenda cabeça e dava vazão a certos sons ritmados. Achei que estava enlouquecendo.

Da minha subida frenética pela encosta e pelo penhasco, e da minha jornada delirante de volta ao barco encalhado, lembro-me pouco. Acredito que cantei muito e ri estranhamente quando não conseguia cantar. Tenho lembranças vagas de uma grande tempestade algum tempo depois que cheguei ao barco. De qualquer forma, sei que ouvi trovões e outros ruídos que a natureza pronuncia apenas em seus modos mais terríveis.

Quando saí das trevas, estava em um hospital de São Francisco, para onde fui trazido pelo capitão de um navio americano que encontrara meu barco no meio do oceano. Em meu delírio, eu havia falado muito, mas descobri que minhas palavras receberam pouca atenção. Meus salvadores não sabiam nada sobre qualquer terra no Pacífico, nem julguei necessário insistir em algo que eu sabia que eles não podiam acreditar. Certa vez, procurei um célebre etnólogo e o entretive com perguntas peculiares sobre a antiga lenda filistina de Dagon, o Deus-peixe, mas logo percebi que ele era irremediavelmente convencional e não o pressionei com mais perguntas.

É à noite, especialmente quando a lua está gibosa e minguante, que vejo aquela coisa. Tentei a morfina, mas a droga causou apenas um alívio temporário e me atraiu para suas garras como um escravo sem esperança. Portanto, agora posso terminar com tudo, depois de ter escrito um relato completo para a informação ou a diversão desdenhosa dos meus semelhantes. Muitas vezes me pergunto se tudo não poderia ter sido pura fantasmagoria – uma mera aberração proveniente da febre de quando me deitava e delirava no barco descoberto após minha fuga do navio de guerra alemão. Isso é o que sempre me pergunto, mas todas as vezes vem até mim uma visão horrivelmente vívida em resposta. Não consigo pensar no fundo do mar sem estremecer com as coisas sem nome que podem, nesse exato momento, estar rastejando e se esponjando em seu leito escorregadio, adorando seus antigos ídolos de pedra e esculpindo suas próprias imagens detestáveis em obeliscos submarinos de granito encharcado de água. Sonho com um dia em que eles possam se erguer acima das ondas para arrastar até o fundo do mar, com suas garras fétidas, os remanescentes de nossa frágil humanidade já exausta pela guerra; o dia em que a terra afundará e o fundo do oceano escuro vai se erguer em meio a um pandemônio universal.

O fim está próximo. Ouço um barulho na porta, como se houvesse um imenso corpo escorregadio arrastando-se nela. Ela não me encontrará. Meu Deus, aquela mão! A janela! A janela!

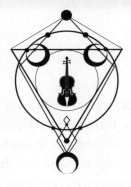

A MÚSICA DE ERICH ZANN

Apesar de ter examinado os mapas da cidade com grande cuidado, nunca mais encontrei a Rue d'Auseil. E não examinei apenas mapas modernos, pois sei que os nomes dos lugares mudam. Pelo contrário, mergulhei profundamente em todas as antiguidades do lugar; e explorei pessoalmente todas as regiões, de qualquer nome, que pudessem corresponder à rua que eu conhecia como Rue d'Auseil. Mas, apesar de tudo o que fiz, continua sendo um fato humilhante não conseguir encontrar a casa, a rua ou mesmo a localidade onde, durante os últimos meses de minha pobre vida como estudante de metafísica na universidade, ouvi a música de Erich Zann.

Minha memória está cada vez pior, mas isso não me admira, pois minha saúde, física e mental, esteve gravemente perturbada durante todo o período em que residi na Rue d'Auseil, e lembro-me de que não levei nenhum de meus poucos conhecidos até lá. Mas o fato de eu não conseguir encontrar o local novamente é algo singular e perplexo, pois ficava a meia hora de caminhada da universidade e se distinguia por peculiaridades que dificilmente poderiam ser esquecidas por qualquer um que estivesse lá. Eu jamais conheci uma pessoa que tenha visto a Rue d'Auseil.

A Rue d'Auseil ficava do outro lado de um rio escuro, ladeado por depósitos de tijolos com janelas de vidro embaçado, sobre o qual havia uma pesada ponte de pedra escura. Tudo era sempre sombrio ao longo daquele rio, como se a fumaça das fábricas vizinhas bloqueasse o Sol perpetuamente. O rio também era fedorento, com os maus cheiros que eu nunca vi em outro lugar, e que um dia poderiam me ajudar a encontrá-lo novamente, já que eu os reconheceria imediatamente. Além da ponte havia ruas estreitas de paralelepípedos com parapeitos; e então vinha a subida, a princípio gradual, mas incrivelmente íngreme quando a Rue d'Auseil começava.

Nunca vi uma rua tão estreita e íngreme como a Rue d'Auseil. Era quase um penhasco, impossível para o trânsito de veículos, e apresentava em vários lugares lances de degraus, e ao final, em seu topo, havia uma parede coberta de hera. Sua pavimentação era irregular, às vezes com lajes de pedra, às vezes paralelepípedos e, às vezes, terra nua com vegetação cinza-esverdeada. As casas eram altas, com telhados pontiagudos, incrivelmente velhas e loucamente inclinadas para trás, para a frente e para os lados. Ocasionalmente, um par de casas opostas, ambas inclinadas para a frente, quase se encontravam dos dois lados da rua formando um arco, que certamente não deixava a luz chegar até o chão abaixo delas. Havia algumas pequenas pontes suspensas que ligavam as casas uma a outra.

Os habitantes daquela rua me impressionaram de maneira peculiar. A princípio, achei que era por todos serem silenciosos e reticentes, mas depois concluí que era pelo fato de todos serem muito velhos. Não sei como vim morar numa rua dessas, mas já não era eu mesmo quando me mudei para lá. Vivi em muitos lugares pobres, sempre despejado por falta de dinheiro, até que finalmente encontrei a casa na Rue d'Auseil, mantida pelo paralítico Blandot. Era a terceira casa do alto da rua e, de longe, a mais alta de todas.

Meu quarto ficava no quinto andar; o único quarto ali habitado, já que a casa estava quase vazia. Na noite em que cheguei, ouvi uma música estranha vinda do sótão pontiagudo sobre minha cabeça e, no dia seguinte, perguntei o que era aquilo ao velho Blandot. Ele me disse que era um velho violista alemão, um homem mudo e estranho que assinava como Erich Zann e que tocava em uma orquestra de teatro barato à noite.

Disse ainda que o desejo de Zann de tocar à noite, após seu retorno do teatro, era a razão pela qual havia escolhido aquele sótão isolado, cuja única janela de empena era o único ponto na rua da qual se podia ver por cima do muro na direção do declive e no panorama além.

Depois disso, passei a ouvir Zann todas as noites e, embora ele me mantivesse acordado, eu ficava sempre assombrado pela estranheza de sua música. Mesmo sabendo pouco da arte, eu ainda estava certo de que nenhuma de suas harmonias tinha alguma relação com a música que eu ouvira antes, e concluí que ele era um compositor de gênio altamente original. Quanto mais o escutava, mais ficava fascinado, até que, depois de uma semana, resolvi conhecê-lo.

Certa noite, quando Zann voltava do trabalho, eu o interceptei no corredor e lhe disse que gostaria de conhecê-lo e de vê-lo tocar. Ele era uma pessoa pequena, magra e curvada, com roupas surradas, olhos azuis, rosto grotesco, parecido com um sátiro, e tinha a cabeça quase careca; e, enquanto eu proferia minhas primeiras palavras a ele, parecia irritado e assustado. Minha camaradagem óbvia, no entanto, finalmente o fez baixar a guarda, e ele, relutante, fez um gesto para que eu o seguisse até as escadas escuras, rangentes e frágeis do sótão. Seu quarto, um dos únicos dois existentes no íngreme sótão, ficava no lado oeste, na direção do muro alto que limitava a extremidade superior da rua. Seu quarto era muito grande, e parecia maior por causa de sua extraordinária nudez e desarrumação. Como mobília, havia apenas uma estreita cama de ferro, um lavatório encardido, uma pequena mesa, uma grande estante de livros, um suporte de partituras de ferro e três cadeiras antiquadas. Havia diversas folhas com notações musicais empilhadas em desordem no chão. As paredes eram de tábuas nuas e provavelmente nunca conheceram gesso, enquanto a abundância de poeira e teias de aranha faziam o lugar parecer mais deserto do que habitado. Evidentemente, o mundo da beleza de Erich Zann jazia em algum cosmo distante da imaginação.

Fazendo-me sinal para sentar, o homem mudo fechou a porta, girou o grande ferrolho de madeira e acendeu uma vela para aumentar a luz da que ele trouxera consigo. Tirou a viola de gamba de seu estojo comido pelas traças e, tomando-o, sentou-se na mais desconfortável das cadeiras. Ele não utilizou o suporte de partituras, mas também não me ofereceu escolha e tocou de memória, encantando-me por mais de uma hora com acordes que eu nunca ouvira antes e que talvez fossem inventados por ele. Descrever sua natureza exata é impossível para alguém não versado em música. Sua música era uma espécie de fuga, com passagens recorrentes da qualidade mais cativante, mas para mim era notável pela ausência de qualquer uma das notas estranhas que eu tinha ouvido do meu quarto abaixo em outras ocasiões.

Eu me lembrava daquelas notas assombrosas, que muitas vezes assobiava e murmurava para mim mesmo, sem muito ritmo; então, quando o músico largou seu arco, perguntei-lhe se poderia tocar algumas delas. Assim que iniciei meu pedido, seu rosto enrugado de sátiro perdeu a placidez entediada que apresentara durante a execução e pareceu mostrar a mesma mistura curiosa de raiva e medo que eu havia notado quando inicialmente o abordei. Por um momento estive inclinado a usar da persuasão, considerando os caprichos da senilidade, e até tentei elevar o humor estranho do meu anfitrião, assobiando alguns dos acordes que eu ouvira na noite anterior. No entanto, não segui esse caminho, pois, quando o músico mudo reconheceu o que eu estava assobiando, seu rosto ficou repentinamente distorcido com uma expressão completamente indescritível, e sua mão direita, alongada e fria, estendeu-se para tampar minha boca e silenciar minha imitação grosseira. Ao fazer isso, demonstrou ainda mais sua excentricidade lançando um olhar assustado para a janela, como se tivesse medo de algum intruso; um olhar duplamente absurdo, já que o sótão era alto e inacessível, acima de todos os telhados adjacentes, sendo aquela janela o único ponto na rua íngreme, como o porteiro havia me dito, a partir do qual se podia ver por cima do muro no cume.

O olhar do velho trouxe à mente a observação de Blandot e, com certo capricho, senti o desejo de contemplar o panorama amplo e vertiginoso dos telhados iluminados pelo luar e das luzes da cidade além do topo da colina, que, de todos os moradores da Rue d'Auseil, só esse músico rabugento poderia ver. Fui até a janela e teria deixado de lado as cortinas indefinidas, quando, com uma raiva assustadora ainda maior do que antes, o inquilino mudo estava novamente em cima de mim, dessa vez acenando com a cabeça em direção à porta enquanto ele, muito nervoso, esforçava-se para me arrastar até lá com as duas mãos. Agora completamente chateado com meu anfitrião, ordenei-lhe que me libertasse e disse-lhe que sairia imediatamente. Ele me soltou e, quando viu meu desgosto e ofensa, sua própria raiva pareceu diminuir. O músico me segurou com força novamente, mas dessa vez de maneira amigável, forçando-me a sentar-me numa cadeira, e então com uma expressão de melancolia a atravessar a mesa abarrotada, onde ele escreveu algumas palavras a lápis no francês forjado de um estrangeiro.

A nota que ele finalmente me entregou foi um apelo por tolerância e perdão. Zann disse que estava velho, solitário e afligido por medos estranhos e distúrbios nervosos ligados à sua música e a outras coisas. Ele gostara de eu ter ouvido sua música, desejava que eu voltasse e pediu que não me importasse com suas excentricidades. Mas ele não conseguia tocar suas estranhas harmonias para outras pessoas, não suportava ouvi-las sendo tocadas por elas e também não suportava que mexessem nas coisas que estavam em seu quarto. Ele não sabia, até termos entabulado nossa conversa no corredor, que eu conseguia ouvi-lo tocar do meu quarto, e agora me perguntava se eu iria combinar com Blandot de ocupar um quarto inferior onde eu não pudesse ouvi-lo durante a noite. Ele iria, conforme escreveu, custear a diferença no aluguel.

Enquanto me sentava decifrando o francês execrável, senti-me mais tolerante com o velho. Ele era vítima do sofrimento físico e nervoso, assim como eu, e meus estudos metafísicos me ensinaram a ser bondoso. No silêncio, um leve som veio da janela – o vento noturno talvez tenha feito os vidros sacudirem – e, por algum motivo, comecei a me assustar como ocorrera anteriormente com Erich Zann. Então, quando terminei de ler, apertei a mão dele e parti como um bom amigo. No dia seguinte, Blandot me deu um quarto mais caro no terceiro andar, entre os apartamentos de um agiota idoso e o quarto de um respeitável estofador. Não havia ninguém no quarto andar.

Não demorou muito para que eu descobrisse que a ânsia de Zann por minha companhia não era tão grande quanto parecia quando ele me persuadiu a me mudar para o quinto andar. Ele não me pediu para visitá-lo e, quando o chamei, ele pareceu desconfortável e tocou desanimadamente. Isso acontecia sempre à noite: ele dormia durante o dia e não recebia quem quer que fosse. Meu apreço por ele não aumentou, embora o quarto do sótão e a música estranha parecessem me causar um estranho fascínio. Eu tinha um desejo inexplicável de olhar por aquela janela, por cima do muro, para o declive invisível e para os telhados e as cumeeiras brilhantes que deveriam haver lá. Certa vez fui até o sótão durante as horas em que ele estava no teatro, mas a porta estava trancada.

A única coisa que eu conseguia escutar era a música noturna do velho mudo. No começo, eu ia na ponta dos pés até o quinto andar, depois tomei coragem para subir a última escada rangente até o sótão. Ali, no corredor estreito, do lado de fora da porta trancada, com o buraco da fechadura coberto, eu ouvia frequentemente sons que me enchiam de um indefinível pavor – o pavor de espantos vagos e dos mistérios ocultos. Não que os sons fossem medonhos, porque não o eram, mas eles mantinham vibrações que sugeriam coisas alheias a este planeta e, em certos intervalos, assumiam uma qualidade sinfônica que eu dificilmente poderia imaginar como produzida por uma única pessoa. Certamente, Erich Zann era um gênio de força selvagem. Com o passar das semanas, a música tornou-se mais violenta, enquanto o velho músico adquiria um crescente desalento e um furtivismo lamentável de contemplar. Ele agora se recusava a me receber sempre e me evitava quando nos encontrávamos na escada.

Então, uma noite, enquanto ouvia à porta, escutei o som de uma viola se transformar em uma babel caótica de sons, um pandemônio que me levaria a duvidar de minha própria sanidade abalada se não tivesse vindo por trás daquela porta trancada uma prova lamentável de que o horror era real – o horrível e inarticulado grito que só um mudo pode pronunciar, e que surge apenas em momentos do mais terrível medo ou angústia. Bati repetidamente na porta, mas não obtive resposta. Depois, esperei no corredor escuro, tremendo de frio e medo, até ouvir o fraco esforço do músico tentando se levantar do chão com a ajuda de uma cadeira. Por acreditar que ele estivesse voltando à consciência depois de um desmaio, bati na porta novamente, ao mesmo tempo em que dizia que era eu quem o estava chamando. Ouvi Zann cambalear até a janela e fechar as rótulas e a guilhotina, depois ir até a porta, que ele abriu para mim. Dessa vez, seu prazer em me ver era real, pois seu rosto distorcido brilhava de alívio enquanto ele puxava meu casaco como uma criança agarra as saias da mãe.

Tremendo pateticamente, o velho me obrigou a sentar em uma cadeira enquanto afundava em outra, ao lado da qual sua viola e seu arco estavam descuidadamente no chão. Ele ficou sentado e imóvel por algum tempo, balançando a cabeça estranhamente, mas dando uma paradoxal impressão de escuta intensa e assustada. Posteriormente, ele pareceu estar satisfeito e, ao mover-se para uma cadeira do outro lado da mesa, escreveu uma breve nota, entregou-a a mim e voltou para a mesa, onde começou a escrever rápida e incessantemente. Nessa nota, ele implorava, misericordiosamente e por causa de minha própria curiosidade, que eu esperasse onde eu estava enquanto ele preparava um relato completo, em alemão, de todas as maravilhas e terrores que o atormentavam. Eu esperei, e o lápis do velho mudo correu pelo papel velozmente.

Foi talvez uma hora depois, enquanto eu ainda esperava e enquanto as folhas febrilmente escritas pelo velho músico continuavam a se acumular, que vi Zann começar a se assustar como se tivesse sido impactado por um horrível sobressalto. Inacreditavelmente, ele estava olhando para a janela com cortinas e, estremecendo, escutava algo. Então eu também ouvi o som, que, embora não fosse horrível, mas sim uma nota musical extremamente baixa e infinitamente distante, sugerindo uma pessoa que tocava em uma das casas vizinhas ou em alguma morada para além do muro alto sobre o qual eu nunca consegui olhar. O efeito sobre Zann foi terrível, pois, ao deixar cair o lápis, subitamente se levantou, agarrou sua viola e começou a rasgar a noite com a música mais selvagem proveniente de seu arco, a não ser através da porta trancada.

Seria inútil descrever Erich Zann tocando naquela noite terrível. Era mais horrível do que qualquer coisa que eu já tinha ouvido, porque agora eu podia ver a expressão do seu rosto, e podia perceber que dessa vez o motivo era um medo total. Ele estava tentando fazer barulho para afastar ou afogar algo; o que, eu não podia imaginar, por mais apavorante que parecesse ser. A execução tornou-se fantástica, delirante e histérica, mas mantiveram-se até o fim as qualidades do supremo gênio que aquele senhor possuía. Eu reconheci os acordes (era uma dança húngara selvagem popular nos teatros), e eu percebi por um momento que esta era a primeira vez que eu ouvia Zann interpretar o trabalho de outro compositor.

Cada vez mais alto e cada vez mais selvagem, cresciam o uivo e o lamento daquela viola desesperada. O músico pingava um suor estranho e se retorcia como um macaco, sempre olhando freneticamente para a janela acortinada. Em seus acordes arrebatados, eu quase podia ver sombras de sátiros e bacantes dançando e girando loucamente através de abissais nuvens, fumaça e relâmpagos. E então pensei ter ouvido uma nota mais estridente e firme que não era proveniente da viola; era uma nota calma, deliberada, intencional e zombeteira que vinha longe, do oeste.

Nesse momento, as rótulas começaram a tremer em meio a um vento noturno uivante que surgira do lado de fora, como se em resposta à louca música que acontecia lá dentro. A viola uivante de Zann agora se superava, emitindo sons que eu nunca imaginei que um instrumento daqueles pudesse emitir. As rótulas sacudiram mais alto, desprenderam-se e começaram a bater contra a janela. Então o vidro se partiu diante dos impactos persistentes, e o vento frio entrou rapidamente no recinto, fazendo oscilarem as velas e farfalharem as folhas de papel onde Zann começara a escrever seu horrível segredo. Olhei para Zann e vi que ele estava em transe. Seus olhos azuis estavam esbugalhados, vidrados e tresloucados, e a execução frenética se tornara uma orgia cega, mecânica e irreconhecível que nenhuma pena poderia sugerir.

Uma rajada súbita, mais forte que as outras, levou o manuscrito até a janela. Corri atrás das folhas em desespero, mas elas se foram antes que eu as alcançasse. Então, lembrei-me do meu velho desejo de olhar por esta janela, a única janela na Rue d'Auseil da qual se podia ver a encosta além do muro e a cidade abaixo. Estava muito escuro, mas as luzes da cidade sempre estavam brilhando, e eu esperava vê-las lá no meio da chuva e do vento. No entanto, quando olhei da mais alta de todas as janelas, enquanto as velas tremulavam e a louca viola uivava com o vento da noite, não vi nenhuma cidade lá embaixo e nenhuma luz amigável brilhava nas ruas familiares, mas apenas a escuridão do espaço ilimitado, um espaço inimaginável vivo, com movimento e música, que não se assemelhava com qualquer coisa na face da Terra. E enquanto eu olhava aterrorizado, o vento apagou ambas as velas daquele antigo sótão, deixando-me em uma escuridão selvagem e impenetrável, com caos e pandemônio diante de mim, e a loucura demoníaca daquela viola atrás de mim.

Cambaleei de volta no escuro, sem meios de acender a luz. Bati contra a mesa, derrubei uma cadeira e, finalmente, fui tateando em direção ao lugar onde a escuridão urrava com a música estridente. Eu poderia ao menos tentar salvar a mim e a Erich Zann, quaisquer que fossem os poderes opostos. Achei que alguma coisa fria havia tocado em mim e gritei, mas meu grito não podia superar o som da monstruosa viola. De repente, no meio da escuridão, o arco da viola me atingiu, e então eu soube que estava perto do músico. Tateei à frente, toquei a parte de trás da cadeira de Zann e então procurei seu ombro e o sacudi para tentar trazê-lo de volta aos sentidos.

Ele não respondeu, e ainda assim a viola continuou zunindo sem parar. Coloquei minha mão na cabeça dele e consegui cessar o movimento mecânico que ela fazia, e disse alto em seu ouvido que ambos devíamos fugir das coisas desconhecidas da noite. Mas ele não me respondeu nem diminuiu o frenesi de sua música inexprimível, enquanto em todo o sótão estranhas correntes de vento pareciam dançar na escuridão babélica. Quando minha mão tocou sua orelha, estremeci, embora não soubesse o motivo; não sabia por que até sentir seu rosto imóvel, gelado, enrijecido e sem fôlego, cujos olhos vítreos se projetavam inutilmente no vazio. E então, por algum milagre, encontrando a porta e a grande trava de madeira, me arrastei rapidamente para longe daquela coisa de olhos vítreos no escuro e do uivo macabro daquela maldita viola cuja fúria aumentou mesmo quando eu me retirava do local.

Pulei, flutuei, voei pelas escadas sem fim da casa escura, corri loucamente pelas ruas estreitas, íngremes e antigas povoadas de degraus e cercadas de casas decadentes, pulei degraus e pedras na direção das ruas mais baixas e do pútrido e profundo rio, ofegante pela grande ponte escura em direção às ruas e bulevares mais amplos e saudáveis conhecidos. Todas essas são impressões terríveis que permanecem comigo. Eu me lembro de que não havia vento, que a Lua estava apagada e que todas as luzes da cidade piscavam.

Apesar das minhas buscas e investigações mais cuidadosas, nunca consegui encontrar a Rua d'Auseil. Mas não lamento, nem por isso, nem pela perda dos abismos inimagináveis das folhas escritas, o que por si só poderia ter explicado a música de Erich Zann.

O HORROR
DE DUNWICH

"Górgonas, Hidras e Quimeras – histórias terríveis de Celeno e as Harpias – podem se reproduzir no imaginário da superstição – mas eles estavam lá antes disso. São transcrições, tipos – os arquétipos estão em nós e são eternos. De que outra forma a recitação daquilo que sabemos ser falso, em vigília, poderia causar-nos temor? Será que naturalmente concebemos o terror de tais objetos por sua capacidade de nos infligir danos corporais? Oh, de maneira nenhuma! Esses terrores são de longa data. Eles datam além do corpo – ou, na ausência do corpo, eles teriam sido os mesmos... Que o tipo de medo aqui tratado seja puramente espiritual, que ganhe força na proporção em que se apresenta destituído de um objeto na Terra, que predomina no período de nossa infância sem pecado, são dificuldades cuja solução pode fornecer um provável entendimento de nossa condição antemundana e, ao menos, um vislumbre da preexistência." – Charles Lamb: "Bruxas e Outros Temores Noturnos"

I.

Quando um viajante no centro-norte de Massachusetts pega a bifurcação errada na junção da estrada de Aylesbury, logo depois da Dean's

Corners, ele se depara com um país solitário e curioso. Ali, a vegetação torna-se mais alta, e os muros de pedra cercados por espinheiros pressionam cada vez mais os sulcos da estrada empoeirada e curva. As árvores dos frequentes cinturões florestais parecem muito grandes, e as ervas silvestres, os arbustos e as gramíneas atingem um tamanho raramente encontrado em regiões habitadas. Ao mesmo tempo, os campos plantados parecem singularmente poucos e estéreis, enquanto as casas esparsas têm um aspecto surpreendentemente uniforme de antiguidade, miséria e decadência. Mesmo sem entender o motivo, o visitante hesita em pedir informações às figuras retorcidas e solitárias vistas de vez em quando em degraus escorregadios ou nas pradarias inclinadas e cheias de pedras. Essas figuras são tão silenciosas e furtivas, que a pessoa chega a sentir-se, de algum modo, confrontada por coisas proibidas, com as quais seria melhor não ter contato. Quando uma elevação na estrada deixa as montanhas à vista sobre as florestas profundas, a sensação de estranheza e desconforto aumenta. Os cumes são muito arredondados e simétricos para dar uma sensação de conforto e naturalidade, e às vezes o céu mostra com nitidez os estranhos círculos de altos pilares de pedra com os quais a maioria deles é coroada.

Desfiladeiros e vales de profundidade enigmática interceptam o caminho, e as pontes de madeira bruta sempre parecem de segurança duvidosa. Quando a estrada desce novamente, há trechos de pântano de que instintivamente não gostamos e, na verdade, quase os tememos à noite, quando bacuraus invisíveis conversam e os vaga-lumes saem em profusão anormal para dançar ao som dos estridentes ritmos de sapos-boi barulhentos. A linha fina e brilhante dos trechos mais altos do Miskatonic sugere a movimentação de uma serpente que se aproxima dos sopés das colinas em forma de cúpula, entre as quais se eleva.

À medida que as colinas se aproximam, é possível ver mais seus lados arborizados do que os cumes com seus topos coroados de pedra. Essas encostas são tão escuras e íngremes que nosso primeiro instinto é manter distância delas, mas não há como escapar. Do outro lado de uma ponte coberta, vê-se uma pequena aldeia amontoada entre o córrego e a encosta vertical da Round Mountain, e ficamos maravilhados com os aglomerados de telhados apodrecidos que indicam um período arquitetônico anterior ao de toda a região vizinha. Não é reconfortante ver, sob um olhar mais atento, que a maioria das casas está deserta e caindo aos pedaços, e que a igreja quebrada agora abriga o único estabelecimento comercial da aldeia. É difícil confiar no túnel tenebroso da ponte, embora não haja como evitá-lo. Depois de atravessá-la, é difícil evitar a impressão de um odor fraco e maligno na rua da aldeia, assim como de mofo e decadência de séculos. É sempre um alívio afastar-se do local e seguir a estrada estreita em torno da base das colinas e atravessar a região plana até chegar à estrada de Aylesbury. Depois, às vezes, descobre-se ter passado por Dunwich.

Pessoas de fora visitam Dunwich o mais raramente possível e, desde que passou por uma temporada de horror, todas as placas apontadas para lá foram retiradas. O cenário, julgado por qualquer padrão estético comum, destaca-se pela beleza; mesmo assim, ainda não há afluxo de artistas ou turistas de verão. Dois séculos atrás, quando se falava de sangue de bruxa, adoração a Satanás e estranhas presenças na floresta, era costume apresentar razões para evitar a localidade. Nesta nossa época sensata; desde que o horror de Dunwich em 1928 fora abafado por aqueles que tinham o bem-estar da cidade e do mundo no coração, as pessoas evitam-no sem saber exatamente por quê. Talvez uma das razões (embora não possa ser aplicada a estranhos com pouca informação) é que os nativos agora são repulsivamente decadentes, tendo ido longe no caminho de retrocesso tão comum em muitos remansos da Nova Inglaterra. Eles acabaram formando uma raça só deles, com os estigmas mentais e físicos de degeneração e endogamia bem definidos. A média de sua inteligência era lamentavelmente baixa, enquanto sua história cheirava a vícios e assassinatos, incestos e atos de violência e perversidade quase inomináveis. A velha aristocracia, representando as duas ou três famílias ricas que vieram de Salem em 1692, manteve-se um pouco acima do nível geral de decadência, embora muitas linhagens tenham afundado tão profundamente em seu sórdido populacho que apenas determinados nomes permanecem como uma chave para a origem que eles desgraçam. Alguns dos Whateley e dos Bishop ainda enviavam seus filhos mais velhos para Harvard e Miskatonic, embora raramente estes retornassem às mansões emboloradas em que nasceram, assim como tantos ancestrais.

Ninguém, mesmo aqueles que sabem dos fatos a respeito do horror recente, pode dizer exatamente qual é o problema com Dunwich, embora lendas antigas falem de ritos profanos e conclaves indígenas, no meio dos quais eles invocavam formas proibidas das sombras das grandes colinas arredondadas, e faziam orações orgiásticas selvagens que eram respondidas por estalos e estrondos vindos do chão. Em 1747, o reverendo Abijah Hoadley, recém-chegado à Igreja Congregacional na vila de Dunwich, pregou um memorável sermão sobre a presença próxima de Satanás e seus diabretes, em que ele disse:

– Deve ser permitido que essas Blasfêmias de um infernal Trem de Daemons sejam assuntos de um conhecimento muito comum para serem negados; as amaldiçoadas Vozes de Azazel e de Buzrael, de Belzebu e Belial, sendo ouvidas agora dos Subterrâneos por uma Contagem de Testemunhas vivas e confiáveis. Eu mesmo, não faz mais do que quinze dias, captei muito claramente um Discurso sobre os Poderes das forças do mal no Monte atrás de minha casa; em que havia sons de Chocalho e Rumores, Gemidos, Gritos e Assobios, como nenhuma Coisas desta Terra poderia ter levantado e que deve ter vindo daquelas Cavernas que somente a Magia Negra pode descobrir, e somente o Diabo destrancou.

O senhor Hoadley desapareceu logo depois de fazer este sermão, mas o texto, impresso em Springfield, ainda existe. Ruídos nas montanhas continuaram a ser relatados ano após ano, e ainda são um enigma para geólogos e fisiógrafos.

Outras tradições falam de odores desagradáveis perto dos círculos de pilares de pedra que coroam as colinas, e de presenças aéreas que podem ser fracamente ouvidas em determinadas horas, a partir de pontos determinados no fundo de enormes vales, enquanto outras ainda tentam explicar o Canteiro do Diabo: uma encosta sombria e destruída na qual nenhuma árvore, arbusto ou grama crescerão algum dia. Os nativos têm um medo mortal dos inúmeros bacurais que aumentam o som nas noites quentes. Diz-se que os pássaros são psicopompos que aguardam a alma dos moribundos e que dão gritos sinistros em sintonia com a respiração ofegante do moribundo. Se eles conseguem capturar a alma em fuga quando ela deixa o corpo, voam instantaneamente para longe, rindo em gargalhadas demoníacas, mas, se falham, gradualmente diminuem seus sons até chegarem a um silêncio de desapontamento.

Essas histórias, é claro, são obsoletas e ridículas, porque vêm de tempos muito antigos. Dunwich é de fato absurdamente velha; mais antiga do que qualquer uma das comunidades dentro de 50 quilômetros. Ao sul da aldeia ainda se pode espiar as paredes do porão e a chaminé da antiga casa dos Bishop, construída antes de 1700, enquanto as ruínas do moinho na queda-d'água, construído em 1806, formam a peça mais moderna da arquitetura vista. A indústria não floresceu aqui, e o movimento fabril do século XIX teve curta duração. Os mais antigos de todos são os grandes círculos com colunas de pedra rústica nas encostas das montanhas, mas em geral são atribuídos mais aos nativos do que aos colonos. Depósitos de crânios e ossos, encontrados dentro desses círculos e ao redor da considerável rocha retangular na Sentinel Hill, sustentam a crença popular de que esses lugares já foram os locais de sepultamento dos Pocumtucks, embora muitos etnologistas, desconsiderando a completa improbabilidade de tal teoria, persistam em acreditar que tais restos mortais sejam de pessoas de origem caucasiana.

II.

Foi no vilarejo de Dunwich, em uma casa rural grande e parcialmente habitada, situada em uma encosta a quatro milhas da aldeia e a uma milha e meia de qualquer outra habitação, que Wilbur Whateley nasceu às cinco da manhã, no segundo domingo de fevereiro de 1913. Essa data foi lembrada porque era a Candelária, que as pessoas em Dunwich curiosamente chamavam por outro nome; e porque houve ruídos nas colinas, e todos os cães do campo latiram persistentemente durante a noite anterior. Menos digno de nota era o fato de que a mãe era uma das decadentes Whateleys, uma mulher albina de 35 anos, um tanto disforme e pouco atraente, que vivia com um pai idoso e meio louco, sobre os quais os mais terríveis contos de feitiçaria haviam sido atribuídos em sua juventude. Lavinia Whateley não tinha marido conhecido, mas, de acordo com os costumes da região, não fez nenhuma tentativa de negar a criança; em relação à paternidade, os moradores do campo poderiam especular sobre o assunto à vontade – e assim o fizeram. Pelo contrário, ela parecia estranhamente orgulhosa da criança de face escura e de aparência de bode, que contrastava fortemente com seu albinismo doentio e seus olhos cor-de-rosa, e murmurava diversas profecias estranhas sobre os poderes extraordinários e o fabuloso futuro do menino.

Lavinia vivia murmurando essas coisas, pois era uma criatura solitária dada a vagar entre tempestades nas colinas e a ler os grandes livros malcheirosos que seu pai herdara durante dois séculos dos Whateley e que estavam caindo aos pedaços rapidamente por conta do tempo e por causa das traças. Ela nunca frequentara a escola, mas se apropriara de forma desordenada de vários fragmentos de conhecimentos antigos ensinados pelo Velho Whateley. A remota fazenda sempre fora temida por causa da reputação do Velho Whateley como praticante de magia negra, e a inexplicável morte violenta da senhora Whateley quando Lavinia tinha 12 anos de idade não ajudara a tornar o lugar popular. Isolada entre influências estranhas, Lavinia gostava de ter selvagens e grandiosos devaneios e ocupações singulares; seu lazer também não era muito prejudicado por cuidados domésticos em uma casa da qual todos os padrões de ordem e limpeza haviam desaparecido há muito tempo.

Houve um grito hediondo que ecoou mais alto que os ruídos das colinas e dos cachorros latindo na noite em que Wilbur nasceu, mas nenhum médico ou parteira conhecido presenciou sua chegada. Os vizinhos não souberam nada sobre ele até uma semana depois, quando o Velho Whateley dirigiu seu trenó pela neve até a vila de Dunwich e discursou incoerentemente para um grupo de desocupados no armazém geral de Osborn. O velho parecia ter passado por alguma mudança; um elemento adicional de furtividade no cérebro nebuloso que sutilmente o transformava de objeto a sujeito de medo, embora não fosse o tipo de homem que costuma ser perturbado por nenhum evento familiar comum. Em meio a tudo isso, ele mostrou uma ponta de orgulho, mais tarde observada em sua filha, e o que ele disse sobre a paternidade da criança foi lembrado por muitos de seus ouvintes anos depois:

– Eu não ligo pro que as pessoa pensa – E se o minino de Lavinny parecisse com o pai dele, ele seria muito diferente d'ocês. As pessoa daqui não são as única pessoa qui existe no mundo. Lavinny leu e viu coisas qui ocês nem imagina. Tenho certeza qui o marido dela é tão bom como qualqué otro qui se pode achá desse lado de Aylesbury; e se ocês conhecesse tanto as colinas como eu, ocês não ia vê em nenhuma igreja um casamento mió que o dela. Escute bem o qui eu vô dizê: um dia ocês ainda vão ouvi o filho da Lavinny gritá o nome do pai do alto da Sentinel Hill!

As únicas pessoas que viram Wilbur durante o primeiro mês de sua vida foram o velho Zechariah Whateley, um dos Whateley que ainda não havia morrido, e a esposa de Earl Sawyer, Mamie Bishop. A visita de Mamie foi feita apenas por curiosidade, e seus relatos subsequentes fizeram jus às suas observações, mas Zechariah veio para entregar um par de vacas Alderney que o Velho Whateley havia comprado de seu filho Curtis. Isso marcou o início de uma compra de gado por parte da pequena família de Wilbur, que só terminou em 1928, quando o horror de Dunwich surgiu e desapareceu; no entanto, em nenhum momento o estábulo dos Whateley, em ruínas, parecia cheio de gado. Chegou um período em que as pessoas estavam tão curiosas a ponto de contar o rebanho que pastava precariamente na encosta íngreme acima da velha casa de fazenda, e nunca conseguiam encontrar mais do que dez ou doze espécimes anêmicos e abatidos. Evidentemente alguma praga ou enfermidade, talvez surgida do pasto insalubre ou dos fungos e madeiras doentes do celeiro imundo, causaram uma grande mortalidade entre os animais de Whateley. Feridas e machucados estranhos, com o aspecto de incisões, pareciam afligir o gado, e alguns viajantes imaginaram, em uma ou duas ocasiões durante os meses anteriores, ter visto feridas semelhantes na garganta do velho barbado e grisalho e de sua filha albina desmazelada e de cabelo ondulado.

Na primavera, após o nascimento de Wilbur, Lavinia retomou os costumeiros passeios pelas colinas, carregando nos braços desproporcionais a criança de rosto escuro. O interesse público nos Whateley diminuiu depois que a maioria das pessoas do campo viu o bebê, e ninguém se incomodou em comentar sobre o rápido desenvolvimento que aquele recém-chegado parecia exibir todos os dias. O crescimento de Wilbur foi de fato fenomenal, pois em três meses ele alcançou um tamanho e poder muscular que normalmente não são encontrados em bebês com menos de 1 ano de idade. Seus movimentos e até mesmo seus sons vocais mostravam um controle e uma deliberação altamente peculiares em uma criança, e ninguém estava realmente despreparado quando, aos 7 meses, começou a andar sem ajuda, com vacilações que outro mês foi suficiente para remover.

Foi um pouco depois desse período, no Halloween, que houve um grande incêndio à meia-noite no topo da Sentinel Hill, onde a antiga pedra retangular ficava em meio ao túmulo de ossos antigos. Uma conversa considerável foi iniciada quando Silas Bishop (dos Bishop íntegros) mencionou ter visto o menino subindo vigorosamente na colina à frente de sua mãe cerca de uma hora antes de o incêndio ser notado. Silas estava cercando uma novilha perdida, mas quase esqueceu sua missão quando espionou as duas figuras à luz fraca de sua lanterna. Eles dispararam quase silenciosamente no meio da vegetação rasteira, e o observador atônito chegou a pensar que estavam totalmente despidos. Depois disso, ele não pôde ter certeza sobre o menino, que poderia estar usando algum tipo de cinto com franjas e um par de calções ou calças escuras. Wilbur nunca mais foi visto vivo e consciente sem estar usando roupas abotoadas, e seu desarranjo e desalinho sempre pareciam enchê-lo de raiva e alarme. Seu contraste com a mãe e o avô esquálidos a esse respeito era considerado notável, até que o horror de 1928 sugeriu razões mais válidas para esse tipo de comportamento.

De acordo com os boatos do mês de janeiro seguinte, o "pirralho escuro de Lavinny" havia começado a falar com apenas 11 meses de idade. Esse fato foi notável tanto por causa de sua diferença em relação aos sotaques comuns da região quanto por apresentar um grau de articulação que seria motivo de orgulho para muitas crianças de 3 ou 4 anos de idade. O menino não era falante, mas, quando o fazia, parecia refletir algum elemento indescritível, inteiramente estranho a Dunwich e seus habitantes. A estranheza não residia no que ele dizia, nem mesmo nas expressões simples que usava, mas parecia vagamente ligada à sua entonação ou aos órgãos internos que produziam os sons falados. O aspecto de seu rosto também era notável por sua maturidade, pois, embora herdasse a falta de queixo de sua mãe e seu avô, seu nariz firme e bem formado unia-se à expressão de seus grandes olhos escuros, quase latinos, para dar-lhe um ar de maturidade e inteligência quase sobrenatural. Ele era, no entanto, excessivamente feio, apesar de sua aparência brilhante. Havia algo quase animalesco, semelhante a um bode, em seus lábios espessos, sua pele amarelada de poros dilatados, seu cabelo ondulado grosseiro e orelhas estranhamente alongadas. As pessoas passaram a odiá-lo ainda com mais força do que odiavam a mãe e o avô, e todas as conjeturas sobre ele foram temperadas com referências aos antigos feitiços do Velho Whateley e a como as colinas uma vez tremeram quando ele gritou o terrível nome de Yog-Sothoth no meio de um círculo de pedras com um grande livro aberto nas mãos diante de si. Os cães detestavam o menino, e ele era sempre obrigado a tomar várias medidas para se defender deles.

III.

Enquanto isso, o Velho Whateley continuou a comprar gado sem aumentar de maneira perceptível o tamanho de seu rebanho. Ele também cortava madeira e começou a consertar as partes não usadas de sua casa: uma construção espaçosa e de teto pontiagudo, cuja extremidade traseira estava totalmente enterrada na encosta rochosa, e cujos três quartos no térreo, no mínimo, tinham sido suficientes para si e para sua filha. O velho devia ter reservas prodigiosas de força que o capacitavam a realizar um trabalho tão duro e, apesar de ainda balbuciar frases estranhas às vezes, sua carpintaria parecia mostrar que sabia fazer cálculos com precisão. Ele começou assim que Wilbur nascera, quando um dos muitos galpões de ferramentas foi posto de repente em ordem, recoberto de ripas e equipado com uma nova fechadura robusta. Agora, ao restaurar a parte superior abandonada da casa, ele mostrava que ainda era um artesão minucioso. Sua mania mostrava-se apenas no fato de ter pregado tábuas em todas as janelas da área recuperada, embora muitos declarassem que era algo estranho incomodar-se com isso. Menos inexplicável era a instalação de outro cômodo no andar de baixo para seu novo neto – uma sala que vários visitantes viram, embora jamais fosse permitido às pessoas acessar o andar de cima do quadro. Esse cômodo teve sua parede coberta por estantes altas e firmes; ao longo das quais ele começou gradualmente a organizar, em ordem aparentemente cuidadosa, todos os livros antigos apodrecidos e partes de livros que durante sua juventude tinham sido empilhados promiscuamente em cantos estranhos de vários cômodos.

– Eu usei bem eles – dizia enquanto tentava consertar, com uma cola preparada no fogão de cozinha enferrujado, uma página de letras pretas rasgada. – Mas o minino vai fazê mió uso deles. O menino deve se acostumá com os livro o mais rápido possíve, porque vai se a única educação que ele vai tê.

Quando Wilbur tinha 1 ano e 7 meses de idade (em setembro de 1914), sua estatura e suas realizações eram quase alarmantes. Ele crescera tanto quanto uma criança de 4 anos e era um falador fluente e incrivelmente inteligente. Corria livremente pelos campos e pelas colinas e acompanhava a mãe em todas as suas andanças. Em casa, ele se debruçava diligentemente sobre as estranhas fotos e mapas dos livros de seu avô, enquanto o Velho Whateley o instruía e o catequizava em longas tardes silenciosas. A essa altura, a reforma da casa havia terminado, e aqueles que a olhavam de fora se perguntavam por que uma das janelas superiores fora transformada em uma sólida porta de tábuas. Era uma janela que ficava na parte da empena que ficava leste, perto da colina; e ninguém poderia imaginar por que uma rampa de madeira havia sido construída a partir do chão. Sobre o período de conclusão do trabalho, as pessoas notaram que a antiga casa de ferramentas, firmemente trancada e sem janelas, desde o nascimento de Wilbur, havia sido abandonada novamente. A porta se abriu sem ninguém notar e, quando Earl Sawyer lá entrou depois de uma visita para falar sobre venda de gado do Velho Whateley, ficou bastante desconcertado com o odor singular dentro do local; ele nunca havia sentido tal fedor, como declarou, em toda a sua vida, exceto perto dos círculos indígenas nas colinas, e esse cheiro horrível não poderia vir de qualquer coisa sã ou que pertencesse a este mundo. Mas as casas e galpões de Dunwich nunca foram notáveis por sua imaculabilidade olfativa.

Nos meses seguintes não ocorreram eventos visíveis, mas todos juraram que havia um aumento lento, porém constante, dos misteriosos ruídos das colinas. Na Noite de Valpurgis de 1915, houve tremores que até mesmo o povo de Aylesbury sentiu, enquanto o Halloween seguinte produziu um estrondo subterrâneo sinistramente sincronizado com explosões de chamas ("bruxarias dos Whateley") no cume da Sentinel Hill. Wilbur crescia estranhamente, de modo que parecia um menino de 10 anos quando entrou em seu quarto ano de vida. Agora, ele lia avidamente por conta própria, mas falava muito menos do que antes. Uma taciturnidade resolvida o absorvia e, pela primeira vez, as pessoas começaram a falar especificamente do rompante olhar do mal em seu rosto com uma expressão de bode. Ele às vezes murmurava um jargão desconhecido e cantava em ritmos bizarros que gelavam o ouvinte com uma sensação de terror inexplicável. A aversão que os cães tinham em relação a ele finalmente se tornara uma grande questão, e ele era obrigado a carregar uma pistola para que pudesse atravessar o campo em segurança. O uso ocasional da arma por parte de Wilbur não aumentou sua popularidade entre os donos de guardiões caninos.

Os poucos que visitavam a casa costumavam encontrar Lavinia sozinha no térreo, enquanto gritos e passos estranhos ressoavam no andar superior. Ela nunca diria o que seu pai e o menino estavam fazendo lá em cima, embora certa vez tenha empalidecido e demonstrado um grau anormal de medo quando um vendedor de peixe ambulante tentou adentrar a porta trancada que levava à escada. O vendedor disse aos desocupados da loja em Dunwich Village que achava ter ouvido os passos de um cavalo no andar de cima. Os desocupados refletiam, pensando na porta, na pista e no gado que desaparecia tão rapidamente. Elas então estremeceram ao relembrar histórias sobre a juventude do Velho Whateley e sobre as coisas estranhas que são chamadas da terra quando um boi é sacrificado em uma época apropriada para certos deuses pagãos. Por algum tempo notou-se que os cães tinham começado a demonstrar raiva e medo em todo o lugar de Whateley tão violentamente quanto odiavam e temiam o jovem Wilbur pessoalmente.

A guerra chegou em 1917, e Squire Sawyer Whateley, como presidente do comitê de recrutamento local, teve um trabalho árduo para encontrar uma cota de homens jovens em Dunwich aptos a serem enviados para um campo de treinamento. O governo, alarmado com esses sinais de decadência regional, enviou vários oficiais e médicos especialistas para investigar a situação e conduzir uma pesquisa que os leitores de jornais da Nova Inglaterra ainda se lembram. A publicidade dada a essa investigação colocou os repórteres no caminho dos Whateley e fez com que o *Boston Globe* e o *Arkham Advertiser* imprimissem histórias vistosas nas manchetes de domingo sobre a precocidade do jovem Wilbur, a magia negra do Velho Whateley, as prateleiras de livros estranhos, o segundo andar trancado da propriedade, a antiga fazenda, a estranheza de toda a região e os ruídos nas colinas. Wilbur tinha 4 anos e meio e parecia um rapaz de 15 anos. Seus lábios e suas bochechas estavam cobertos por uma penugem espessa e sua voz começara a mudar.

Earl Sawyer foi até a casa dos Whateley com repórteres e operadores de câmera, e chamou a atenção deles para o cheiro estranho que agora parecia escorrer dos espaços superiores fechados. Era, ele disse, exatamente como o cheiro que encontrara no galpão de ferramentas abandonado quando a casa finalmente foi consertada; e como os leves odores que ele às vezes pensava ter sentido perto dos círculos de pedra nas montanhas. O povo de Dunwich leu as histórias publicadas e riu de seus erros óbvios. Eles também se perguntavam por que as pessoas que escreviam aquelas matérias faziam tanto caso do fato de que o Velho Whateley sempre pagava por seu gado com barras de ouro extremamente antigas. Os Whateley tinham recebido seus visitantes com um sem disfarçar o desagrado, embora não ousassem dar publicidade adicional a esses meios de comunicação com uma violenta resistência ou se recusando em falar.

IV.

Por uma década, os anais dos Whateley afundam indistintamente em meio à vida geral de uma comunidade mórbida, de pessoas habituadas aos seus próprios modos estranhos e endurecida em relação às suas orgias da Noite de Walpurgis e do Halloween. Duas vezes por ano eles acendiam fogueiras no topo da Sentinel Hill, época em que os rumores nas montanhas se repetiam com violência cada vez maior, enquanto em todas as estações havia movimentos estranhos e portentosos na casa de fazenda solitária. Com o decorrer do tempo, as pessoas professavam ouvir sons no andar superior trancado, mesmo quando toda a família estava no andar de baixo, e se perguntavam quão rapidamente ou quão demoradamente uma vaca ou boi costumavam ser sacrificados. Falou-se de uma queixa à Sociedade para a Prevenção da Crueldade contra os Animais; mas nada aconteceu, já que os habitantes de Dunwich nunca querem chamar a atenção do mundo exterior para si mesmos.

Por volta de 1923, quando Wilbur era um garoto de dez anos cuja mente, voz, estatura e seu rosto barbado lhe davam a impressão de maturidade, um segundo grande cerco de carpintaria foi iniciado na velha casa. Estava tudo dentro do andar superior trancado e, a partir de pedaços de madeira descartada, as pessoas concluíram que o jovem e seu avô derrubaram todas as divisórias e até removeram o assoalho do sótão, deixando apenas um vasto vazio aberto entre o andar de baixo e o telhado pontiagudo. Eles haviam derrubado também a grande chaminé central e encaixado na faixa enferrujada uma frágil chaminé de estanho do lado de fora.

Na primavera após este evento, o Velho Whateley notou o crescente número de bacurais que saía de Cold Spring Glen para chilrear sob sua janela à noite. Ele pareceu considerar a circunstância como algo de grande significado e disse aos desocupados de Osborn que achava que sua hora estava chegando:

– Eles assobia em sintonia com a minha respiração – ele disse – e eu acho que eles tão pronto para buscar minha alma. Eles sabem que tô indo embora, e não querem dexá ela escapá. Ocêis vão sabê, garotos, se eles me pegaro o não. Se me pegá, vão ficá cantano e rino té o raiá do dia. Se não pegá, vão ficá quietinho e tranquilo. Eles e as alma que eles caça por aí tem umas baita briga.

Na noite de Lammas, em 1924, o dr. Houghton, de Aylesbury, foi convocado apressadamente por Wilbur Whateley, que amarrara seu único cavalo na escuridão e telefonara do armazém de Osborn na aldeia. Ele encontrou o Velho Whateley em um estado muito grave, com palpitação e uma respiração estertorante que indicava um fim não muito distante. A filha albina disforme e o neto de barba estranha estavam ao lado da cama, enquanto do abismo vazio acima vinha uma sugestão inquietante de ondas rítmicas, como se fossem ondas em uma praia. O médico, no entanto, ficou perturbado principalmente pelos pássaros noturnos tagarelando do lado de fora; uma legião aparentemente ilimitada de testemunhas que gritavam sua interminável mensagem em repetições sincronizadas diabolicamente conforme os suspiros ofegantes do moribundo. Era estranho e antinatural, "parecida, pensou o dr. Houghton", com todas as pessoas da região em que ele entrara tão relutantemente em resposta ao chamado urgente.

Por volta da uma hora, o Velho Whateley ganhou consciência e sua respiração ofegante foi interrompida para que pudesse dizer algumas palavras ofegantes ao neto:

– Mais espaço, Willy, mais espaço logo. Ocê tá cresceno – mais aquilo cresce mais e mais rápido. Vai tá pronto logo para servi você. Abra os portões para Yog-Sothoth com o longo canto que ocê vai achá na página 751 do livro completo, e então risque um fósforo na prisão. O fogo da terra não pode queimá aquilo.

Ele estava obviamente louco. Depois de uma pausa, durante a qual o bando de bacuraus ajustou seus gritos ao novo ritmo, algumas indicações dos ruídos estranhos das colinas vinham de longe, ele acrescentou mais uma ou duas frases:

– Dê de cumê pr'ele, Willy, e atente pra quantidade; mas não dexe que cresça rápido dimais pro lugar, porque se ele arrombá o esconderijo ou saí pra rua antes de você abri caminho pra Yog-Sothoth, não vai resolvê nada. Só as criatura do além pode fazê aquilo se multiplicá e dá certo... Só as criatura do além, os ancião que quere voltá...

Mas o discurso deu lugar aos suspiros novamente, e Lavinia gritou ao ver como os bacuraus seguiram a mudança. Tudo isso continuou por mais de uma hora, quando veio o estertor final. O dr. Houghton baixou as pálpebras sobre os olhos cinzentos brilhantes do velho enquanto o tumulto de pássaros desaparecia imperceptivelmente até silenciar. Lavinia soluçou, mas Wilbur apenas riu enquanto os ruídos da colina começaram a roncar devagar.

– Não pegaram ele – balbuciou com o vozeirão grave.

A essa altura, Wilbur já era um estudioso com grande erudição na área à qual se dedicava e era discretamente conhecido por manter correspondência com muitos bibliotecários em lugares distantes onde livros raros, proibidos e antigos eram guardados. Ele era cada vez mais odiado e temido em torno de Dunwich por conta de certos desaparecimentos de crianças que o deixavam como suspeito, mas sempre foi capaz de silenciar os questionamentos por meio do medo ou pelo uso dessa reserva de ouro dos velhos tempos que ainda, como na época de seu avô, era enviada regularmente e em grandes quantidades para a compra de gado. Agora, ele tinha um aspecto extremamente maduro, e sua altura, tendo atingido o limite para um adulto normal, parecia inclinada a ir além. Em 1925, num dia em que um acadêmico correspondente da Universidade do Miskatonic partiu pálido e intrigado, ele tinha quase um metro e noventa de altura.

Ao longo dos anos, Wilbur tratou a mãe albina, meio deformada, com crescente desprezo, proibindo-a por fim de ir às colinas com ele na Noite de Valpurgis e no Halloween e, em 1926, a pobre criatura disse a Mamie Bishop que tinha medo dele.

– Ele tem mais mistérios do que eu saberia explicá, Mamie – disse. – E nesses últimos tempo têm acontecido cousas que nem eu sei. Juro por Deus, eu não sei o que ele qué nem o que tá tentano fazê.

Naquele Halloween, os barulhos da colina soaram mais alto do que nunca, e o fogo queimou na Sentinel Hill, como de costume, mas as pessoas prestavam mais atenção aos gritos rítmicos de vastas revoadas de bacuraus anormalmente tardios que pareciam estar reunidos na escura propriedade dos Whateley. Depois da meia-noite, suas notas estridentes irromperam em uma espécie de cachinada demoníaca que preencheu todo o campo, e eles só se acalmaram quando amanheceu. Então desapareceram, voando para o sul, onde deveriam estar se não fosse um mês de atraso. Ninguém poderia ter certeza do que isso significava até acontecimentos posteriores. Nenhum dos camponeses parecia ter morrido, mas a pobre Lavinia Whateley, a albina retorcida, nunca mais foi vista.

No verão de 1927, Wilbur consertou dois galpões no pátio e começou a mover seus livros e objetos para eles. Logo depois, Earl Sawyer disse aos desocupados do armazém de Osborn que estava sendo feito mais trabalho de carpintaria na fazenda dos Whateley. Wilbur estava fechando todas as portas e janelas do térreo e parecia estar tirando partições, como ele e o avô haviam feito no andar de cima, quatro anos antes. Ele estava morando em um dos galpões, e Sawyer achou que ele parecia incomumente preocupado e trêmulo. As pessoas geralmente suspeitavam que ele sabia alguma coisa sobre o desaparecimento de sua mãe, e pouquíssimas delas se aproximavam de sua vizinhança agora. Sua altura aumentara para mais de dois metros, e ele não mostrava sinais de cessar seu desenvolvimento.

V.

O inverno seguinte trouxe um evento não menos estranho do que a primeira viagem de Wilbur para fora da região de Dunwich. A correspondência com a Biblioteca de Harvard, a Biblioteca Nacional da França, em Paris, o Museu Britânico, a Universidade de Buenos Aires e a Biblioteca da Universidade do Miskatonic, em Arkham, não conseguiu garantir o empréstimo de um livro que ele queria desesperadamente; assim, por fim, partiu em pessoa, pobre, sujo, barbudo e com um dialeto grosseiro, para consultar o exemplar que estava em Miskatonic, que era o mais próximo dele geograficamente. Com quase dois metros e meio de altura e carregando uma valise nova e barata do armazém de Osborn, este gárgula escuro e com feições de bode apareceu um dia em Arkham em busca do temido volume guardado à chave na biblioteca da faculdade: o medonho *Necronomicon* do árabe louco Abdul Alhazred, na versão latina de Olaus Wormius, impressa na Espanha no século XVII. Ele nunca tinha visto uma cidade antes, mas não tinha a menor ideia de como encontrar o caminho para a universidade, onde, de fato, ele passou descuidadamente pelo grande cão de guarda de dentes brancos que latia com fúria e inimizade anormais, e puxou freneticamente a correia.

Wilbur tinha consigo a inestimável, porém imperfeita, cópia da versão em inglês do dr. Dee, que seu avô legara a ele, e, ao receber o acesso à cópia em latim, ele imediatamente começou a cotejar os dois textos com o objetivo de descobrir determinada passagem, na página 751 do seu próprio volume defeituoso. A educação lhe obrigava a contar ao bibliotecário; o mesmo erudito Henry Armitage (mestre pela Universidade do Miskatonic, Ph.D. pela Universidade de Princeton, doutor pela Universidade Johns Hopkins) que um dia visitara a fazenda e que agora lhe fazia muitas perguntas com tamanha polidez. Ele admitiu estar procurando um tipo de fórmula ou encantamento contendo o nome assustador Yog-Sothoth, e havia ficado surpreso em encontrar discrepâncias, duplicações e ambiguidades que tornavam sua tarefa longe de ser fácil. Enquanto copiava a fórmula que finalmente escolhera, o dr. Armitage olhou involuntariamente por cima do ombro para as páginas abertas; a da esquerda continha, na versão latina, ameaças monstruosas à paz e à sanidade do mundo.

"Nem se deve pensar", dizia o texto como Armitage mentalmente o traduziu, "que o homem seja o mais velho ou o último dos mestres da Terra, ou que as formas de vida e substância caminham sozinhas. Os Anciões foram, os Anciões são e os Anciões serão. Não nos espaços que conhecemos, mas entre eles. Eles caminham serenos e primitivos, sem dimensões, e nos são invisíveis. Yog-Sothoth conhece o portal.

Yog-Sothoth é o portal. Yog-Sothoth é a chave e o guardião do portal. Passado, presente, futuro, todos são um em Yog-Sothoth. Ele sabe onde os Anciões surgiram da antiguidade, e onde Eles irromperão novamente. Sabe por onde Eles caminharam nos campos da Terra, e por onde Eles ainda caminham, e por que ninguém pode contemplá-los enquanto caminham. Por seu cheiro, os homens às vezes sentem-nos de perto, mas de seu semblante ninguém pode saber, salvo apenas pelas características daqueles que geraram com a humanidade; e há muitos tipos entre essas pessoas, tão variadas entre elas quanto o verdadeiro eidolon humano e a forma sem aspecto nem substância que Eles são. Eles caminham invisíveis e sujos em lugares solitários onde as Palavras foram ditas e os Ritos uivados através das Estações. O vento sussurra com Suas vozes, e a terra murmura com a consciência Deles. Eles derrubam a floresta e esmagam a cidade, mas ambas não sabem o que as está golpeando. Kadath conheceu-os na estação do frio, mas que homem conhece Kadath? O deserto de gelo do sul e as ilhas afundadas do Oceano contêm pedras com seu símbolo gravado, mas quem viu a cidade profundamente congelada ou a torre fechada por muito tempo enfeitada com algas e cracas? O Grande Cthulhu é primo desses seres, mas ele só pode vê-los por meio de uma névoa difusa. Iä! Shub-Niggurath! Como uma imundície, vós os conhecereis. A mão Deles está nas vossas gargantas, e vós não Os vedes; e a sua morada é uma com o Vosso limiar bem guardado. Yog-Sothoth é a chave para o portal, onde as esferas se encontram. O Homem reina agora onde eles reinaram uma vez. Eles logo reinarão onde o homem reina agora. Depois do verão há o inverno, e depois do inverno há o verão. Eles esperam pacientes e poderosos, pois aqui eles reinarão novamente."

O dr. Armitage, associando o que estava lendo àquilo que ouvira falar de Dunwich e das terríveis presenças do lugar, além do que ouvira falar a respeito de Wilbur Whateley e sua aura obscura e hedionda que se estendia de um nascimento duvidoso a uma nuvem de provável matricídio, sentiu uma onda de medo tangível como o frio de um túmulo. O gigante com feições de bode inclinado diante dele parecia uma cria de outro planeta ou dimensão, como algo parcialmente humano e ligado a abismos negros de essência e entidade que se estendem como fantasmas titânicos para além de todas as esferas de força e matéria, espaço e tempo. Pouco depois, Wilbur levantou a cabeça e começou a falar daquela maneira estranha e ressonante que sugeria órgãos produtores de som, ao contrário do que acontecia com os homens normais.

– Sinhô Armitage – disse ele –, priciso levá esse livro pra casa. Tem umas côsa aqui que eu priciso fazê numas condições impossíveis de consegui aqui drento, e seria um pecado dexá a burocracia me impedi. Dexa eu levá o livro e eu juro que ninguém nunca vai ficá sabeno. Nem priciso dizê que vô tomá o maior cuidado. Não fui eu que dexei esse meu livro do dotô Dee no estado que tá...

Ele parou de falar quando viu uma firme negação no rosto do bibliotecário, e suas próprias feições de cabra ficaram astuciosas. Armitage, pronto para lhe dizer que poderia fazer uma cópia das partes de que precisava, pensou de repente nas possíveis consequências e se controlou. Havia muita responsabilidade em dar a esse ser a chave para tais esferas blasfemas. Whateley viu como as coisas estavam e tentou responder calmamente.

– Tudo bem se você se sente desse jeito. Talvez Harvard não seja tão exigente quanto você.

E, sem dizer mais nada, ele se levantou e saiu do prédio, curvando-se para poder passar em cada porta.

– Então tudo bem, se é isso que o sior pensa. Talvez em Harvard os bibliotecário não sejo tão cheio de nove-horas quanto o sior.

E, sem dizer mais nada, ergueu-se e saiu do prédio, sempre se abaixando ao atravessar o vão das portas.

Armitage ouviu o latido selvagem do grande cão de guarda e ficou olhando pela janela o andar de gorila de Whateley enquanto ele cruzava a parte visível do campus. Pensou nos relatos selvagens que ouvira e recordou as antigas histórias dominicais do *Advertiser*, assim como as coisas que ele havia aprendido com os rústicos e moradores de Dunwich durante sua única visita ao local. Coisas invisíveis, que não são deste mundo, ou pelo menos não deste mundo tridimensional, corriam fétidas e horríveis através dos vales da Nova Inglaterra, e penetravam obscenamente nos cumes das montanhas. Ele tinha certeza disso há muito tempo. Agora, ele parecia sentir a presença próxima de alguma parte terrível desse horror intrusivo e vislumbrava um avanço infernal nos domínios do pesadelo ancestral e antes inerte. Ele trancou o *Necronomicon* com um arrepio, mas o quarto ainda tinha um fedor profano e não identificável.

– Como uma imundície, vós os conhecereis – ele afirmou. Sim, o odor era o mesmo que o deixara enauseado na casa dos Whateley menos de três anos antes. Pensou em Wilbur, com sua aparência acabrunhada e ameaçadora, e riu ironicamente dos rumores da aldeia sobre sua paternidade.

– Consaguinidade? – Armitage murmurou meio em voz alta para si mesmo. – Meu Deus, que simplórios! Mostre-lhes O Grande Deus Pan de Arthur Machen e eles pensarão que é um mero escândalo de Dunwich! Mas que tipo de coisa, que influência disforme amaldiçoada dentro ou fora deste mundo tridimensional, era o pai de Wilbur Whateley? Nascido na Candelária, nove meses depois da Noite de Walpurgis de 1912, quando a conversa sobre os estranhos ruídos subterrâneos chegou até Arkham. O que andou nas montanhas naquela Noite de Walpurgis? Como o horror de Roodmas se fixou no mundo em carne e sangue meio-humanos?

Durante as semanas seguintes, o dr. Armitage começou a coletar todos os dados possíveis sobre Wilbur Whateley e as presenças sem forma em torno de Dunwich. Entrou em contato com o dr. Houghton, de Aylesbury, que havia atendido o Velho Whateley da última vez em que estivera doente e encontrou muito a ponderar nas últimas palavras do avô, conforme citado pelo médico. Uma visita a Dunwich Village não revelou muita novidade, mas um exame minucioso do *Necronomicon*, daquelas partes que Wilbur procurara tão avidamente, parecia fornecer novas e terríveis pistas sobre a natureza, os métodos e os desejos do estranho mal que tão vagamente ameaçava este planeta. Conversas com vários estudantes de tradição arcaica em Boston e cartas para muitos outros nos mais variados lugares deram-lhe um crescente espanto que foi passando lentamente por vários graus de alarme até chegar a um estado de medo espiritual realmente agudo. Enquanto o verão se aproximava, ele sentiu vagamente que algo deveria ser feito sobre os terrores ocultos do vale do alto Miskatonic, e sobre o ser monstruoso conhecido pelos humanos como Wilbur Whateley.

VI.

O próprio horror de Dunwich ocorreu entre Lammas e o equinócio de 1928, e o dr. Armitage esteve entre aqueles que testemunharam seu monstruoso prólogo. Ele ouvira falar, entretanto, da grotesca viagem de Whateley a Cambridge e seus frenéticos esforços para pegar o *Necronomicon* emprestado da Biblioteca Widener ou fazer uma cópia dele. Esses esforços foram em vão, uma vez que Armitage emitiu alertas da mais aguda intensidade para todos os bibliotecários responsáveis a respeito do temido volume. Wilbur ficara chocantemente nervoso em Cambridge; ansioso pelo livro, mas quase igualmente ansioso por voltar para casa, como se temesse os resultados de estar longe por muito tempo.

No início de agosto, veio o resultado quase esperado e, nas primeiras horas do dia 3, o dr. Armitage foi despertado repentinamente pelos selvagens e ferozes gritos do cão de guarda no campus da faculdade. Profundos e terríveis, os grunhidos rosnados e meio loucos continuaram, sempre em volume ascendente, mas com pausas terrivelmente significativas. Então, ouviu-se um grito proveniente de uma garganta totalmente diferente, um grito que despertou metade dos que dormiam em Arkham e assombraria seus sonhos para sempre, um grito que poderia vir do fato de não ter nascido neste mundo ou de ser totalmente terrestre.

Armitage, apressando-se em colocar a roupa e correndo pela rua, pelo gramado, até os prédios da faculdade, viu que havia outras pessoas mais à sua frente e ouviu os ecos de um alarme contra ladrões que ainda soava na biblioteca. Uma janela aberta mostrava uma lua negra e vazia. O que havia chegado de fato até ali conseguira sair, pois os latidos e os gritos foram rapidamente se transformando em um rosnado baixo e gemido, que inconfundivelmente vinham de dentro do local. Algum instinto alertou Armitage de que aquilo que estava acontecendo não era algo que olhos fracos devessem ver, então ele afastou a multidão com autoridade enquanto destrancava a porta do vestíbulo. Entre os que estavam no local, ele viu o professor Warrên Rice e o dr. Francis Morgan, homens a quem ele contara algumas de suas conjeturas e dúvidas, e fez sinal para que os dois o acompanhassem para dentro da biblioteca. Os sons internos, com exceção de um ruído atento e monótono do cão, haviam, àquela altura, diminuído bastante, mas Armitage percebera agora, com um sobressalto repentino, que um coro barulhento de bacuraus entre os arbustos tinha começado uma cantoria extremamente rítmica, como se em uníssono com os últimos suspiros de um homem agonizante.

O prédio estava impregnado de um cheiro horrível que o dr. Armitage conhecia muito bem, e os três homens correram pelo corredor até a pequena sala de leitura de genealogia, de onde vinham os gemidos baixos. Por um segundo ninguém se atreveu a acender a luz, então Armitage muniu-se de coragem e ligou o interruptor. Um dos três, não se sabe ao certo qual deles, gritou em voz alta ao ver o que se esparramava diante deles entre mesas desordenadas e cadeiras viradas. O professor Rice declarou ter perdido totalmente a consciência por um instante, embora não tivesse tropeçado ou caído.

A coisa que estava meio dobrada e de lado em uma poça fétida de icor amarelo-esverdeado e muco pegajoso era de quase três metros de altura, e o cão rasgara toda a roupa e um pouco da pele. Não estava completamente morta, mas se contorcia silenciosa e espasmodicamente, enquanto de seu peito se erguia um monstruoso uníssono com os bacuraus cantando do lado de fora. Pedaços de couro de sapato e fragmentos de roupas estavam espalhados pela sala, e perto da janela havia um saco de lona vazio que evidentemente havia sido atirado ali. Perto da mesa central, havia um revólver caído, um cartucho amassado e não descarregado, o que explicaria, mais tarde, porque não havia sido disparado. A coisa em si, no entanto, eliminou todas as outras imagens no local. Seria banal e não totalmente correto dizer que nenhuma pena humana poderia descrevê-la, mas pode-se dizer com propriedade que ela não poderia ser visualizada vividamente por qualquer pessoa cujas ideias de aspecto e contorno estejam intimamente ligadas às formas de vida comuns deste planeta e das três dimensões conhecidas. Era em parte humana, sem dúvida, com as mãos e a cabeça muito parecidas com as dos homens, e feições de bode e com pouco queixo, que era um símbolo dos Whateleys. O torso e as partes inferiores do corpo, no entanto, eram teratologicamente fabulosos, de modo que apenas roupas grossas poderiam alguma vez ter permitido que ele caminhasse sobre a Terra sem ser contestado ou morto.

Acima da cintura, a criatura era semiantropomórfica, embora seu peito, onde as patas do cachorro ainda se mantinham vigilantes, tivesse o couro de um crocodilo ou jacaré, com seu aspecto reticulado. O dorso era salpicado de amarelo e preto, e vagamente sugeria a cobertura escamosa de certas cobras. Abaixo da cintura, porém, havia o pior, pois nessa parte cessara toda a semelhança humana e iniciou-se a pura fantasia. A pele estava recoberta por grossos pelos pretos e, no abdômen, projetava-se uma frágil porção de longos tentáculos cinza-esverdeados, com bocas vermelhas de sucção. Seu arranjo era estranho e parecia seguir as simetrias de alguma geometria cósmica desconhecida na Terra ou no sistema solar. Em cada um dos lados do quadril, em uma espécie de órbita rosada e ciliada, estava o que parecia ser um olho rudimentar; enquanto, em vez de uma cauda, pendia uma espécie de tromba ou tentáculo com marcas anulares roxas, e com muitas evidências de ser uma boca ou garganta não desenvolvida. Seus membros, exceto pela pelagem preta, pareciam mais ou menos com as patas traseiras dos gigantescos sáurios pré-históricos e, por fim, terminavam em patas com veias irregulares que não eram cascos nem garras. Quando a criatura respirava, a cauda e os tentáculos ritmicamente mudavam de cor, como se fosse um fenômeno circulatório ancestral daquela coisa não humana. Nos tentáculos, essa respiração era observável como um escurecimento da coloração esverdeada; enquanto, na cauda, o fenômeno manifestava-se como uma aparência amarelada que se alternava com um branco-esverdeado doentio nos espaços entre os anéis roxos. Não havia nenhum sangue genuíno, apenas o icor amarelo-esverdeado fétido que escorria pelo chão para além do raio do muco pegajoso e deixava uma curiosa descoloração atrás dele.

    Quando a presença dos três homens pareceu despertar a moribunda criatura, ela começou a balbuciar sem virar ou levantar a cabeça. O dr. Armitage não fez nenhum registro escrito de suas falas, mas afirma com confiança que nem uma palavra em inglês foi proferida. A princípio, as sílabas desafiavam toda correlação com qualquer discurso conhecido, mas, por último, surgiram alguns fragmentos desarticulados, evidentemente retirados do *Necronomicon*, aquela monstruosa blasfêmia em busca da qual a criatura havia perecido. Esses fragmentos, como Armitage relembra, eram algo como "N'gai, n'ghaa'ghaa, bugg-shoggog, y'hah; Yog-Sothoth, Yog-Sothoth...". Eles se arrastaram para o nada enquanto os bacuraus gritavam em um crescendo rítmico de antecipação profana.

    A criatura cessou de estar ofegante, e o cachorro levantou a cabeça em um uivo longo e lúgubre. Ocorreu uma mudança sobre o rosto amarelo e com feições de bode da criatura prostrada, e os grandes olhos pretos baixaram de maneira aterrorizante. Do lado de fora da janela, o som estridente dos bacuraus cessou repentinamente e, por cima dos murmúrios da multidão reunida, veio o som de um zumbido de pânico e agitação. Contra a Lua, vastas nuvens de observadores emplumados voavam freneticamente como se estivessem em busca de uma presa.

    De repente, o cachorro levantou-se abruptamente, deu um latido assustado e saltou agitado pela janela em que havia entrado. Um grito ecoou da multidão, e o dr. Armitage gritou para os homens do lado de fora que ninguém deveria entrar até a polícia ou o médico-legista chegarem. Ele estava grato pelo fato de as janelas serem altas demais para permitir qualquer tipo de observação dentro da casa, e puxou as cortinas escuras cuidadosamente sobre cada uma delas. A essa altura, dois policiais haviam chegado, e o dr. Morgan, encontrando-os no vestíbulo, instava-os, por sua própria conta, a adiar a entrada na fétida sala de leitura, até que o examinador chegasse e a criatura prostrada pudesse ser encoberta.

Enquanto isso, mudanças assustadoras estavam ocorrendo no chão. Não é necessário descrever o tipo e a velocidade de encolhimento e desintegração que ocorreu diante dos olhos do dr. Armitage e do professor Rice; mas é permissível dizer que, além da aparência externa do rosto e das mãos, o elemento realmente humano em Wilbur Whateley deve ter sido muito pequeno. Quando o médico-legista chegou, havia apenas uma massa esbranquiçada sobre as tábuas pintadas, e o odor monstruoso quase desaparecera. Aparentemente, Whateley não tinha crânio ou esqueleto ósseo; pelo menos, em qualquer sentido verdadeiro ou estável. Ele tinha tomado algo de seu desconhecido pai.

VII.

No entanto, tudo isso foi apenas o prólogo do horror de Dunwich. Oficiais desnorteados cumpriram as formalidades, detalhes anormais foram devidamente mantidos longe da imprensa e do público, e homens foram enviados para Dunwich e Aylesbury a fim de procurar propriedades e notificar qualquer um que pudesse ser herdeiro do falecido Wilbur Whateley. Eles encontraram o campo em grande agitação, tanto por causa dos rumores crescentes sob as colinas abobadadas, como também por causa do odor incontido e dos sons agitados que ecoavam cada vez mais da grande concha vazia formada pela casa dos Whateley. Earl Sawyer, que cuidava dos cavalos e do gado na ausência de Wilbur, desenvolvera um doloroso quadro agudo de nervosismo. Os oficiais inventaram desculpas para não entrar no lugar abandonado e ficaram contentes em limitar a pesquisa aos aposentos do falecido (os galpões recém-reformados) a uma única visita. Eles arquivaram um ponderoso relatório no tribunal de Aylesbury, e tem sido dito que os litígios relativos ao herdeiro ainda estão em progresso entre os inumeráveis Whateley, decadentes e não decadentes do vale superior do Miskatonic.

Um manuscrito quase interminável em caracteres estranhos, escrito em um enorme livro-razão e julgado uma espécie de diário por causa do espaçamento e das variações de tinta e caligrafia, apresentou um quebra-cabeça desconcertante para aqueles que o encontraram no antigo cômodo que servia como escritório de seu dono. Após uma semana de debates, foi enviado para a Universidade do Miskatonic, com a coleção de livros estranhos do falecido, para estudo e possível tradução, mas até mesmo os melhores linguistas logo perceberam que não era fácil resolver a questão com facilidade. Nenhum vestígio do ouro antigo com o qual Wilbur e o Velho Whateley sempre pagaram suas dívidas foi descoberto até hoje.

Foi na escuridão de 9 de setembro que o horror correu solto pelo vilarejo. Os ruídos das colinas haviam sido muito pronunciados à noite, e os cachorros latiram freneticamente a noite toda. Os madrugadores notaram, no dia 10, um cheiro peculiar no ar. Por volta das sete horas, Luther Brown, o garoto contratado por George Corey, entre Cold Spring Glen e o vilarejo, voltou apressadamente de sua viagem matinal a Ten-Acre Meadow com as vacas. Ele estava quase convulsionado de medo quando tropeçou na cozinha e, no pátio do lado de fora, o rebanho não menos amedrontado estava patinando e mugindo, seguindo o menino de volta com o mesmo pânico que compartilhavam com ele. Entre arquejos, Luther tentou balbuciar sua história para a senhora Corey:

– Lá encima do vale! Sinhora Corey, alguma côsa andô por lá! Tem um chêro de trovão, e todas os arbusto e as arverzinha foro arrancado como se uma casa tivesse andado por cima de tudo. E isso nem é o pior. Tem umas pegada no chão. Siora Corey, são umas pegada gigante, do tamanho dum barril, fundas como se um elefante tivesse pisado lá, mas parece que a côsa tinha bem mais do que quatro pata! Olhei pra uma ou duas antes de saí correno, e vi que encima delas tinha umas linha saindo do mesmo lugar, como se o chão tivesse sido batido com umas enorme folha de palmera, duas ou três vez maior do que uma folha normal, e o cheiro era horrívio, que nem perto da casa velha do Bruxo Whateley...

O garoto vacilou nesse ponto e pareceu tremer de novo com o susto que o mandara de volta para casa. A senhora Corey, incapaz de extrair mais informações do rapaz, começou a telefonar para os vizinhos. Assim teve início o pânico que anunciava os grandes terrores. Quando ela recebeu Sally Sawyer, governanta de Seth Bishop, o vizinho mais próximo dos Whateley, ela começou a ouvir em vez de falar, pois o menino de Sally, Chauncey, que dormia mal, subira o morro em direção aos Whateley e voltara aterrorizado depois de dar uma olhada no local e no pasto onde as vacas do senhor Bishop tinham passado a noite toda.

– É verdade, sinhora Corey – disse a voz trêmula de Sally pelo telefone. – O Chancey, ele votô contando tudo e não consiguia respirá! Disse que a casa velha dos Whateley tá toda no chão, com as tábua espaiada como se alguém com uma dinamite tivesse exprodido lá drento; só restô o assoaio, que tá todo coberto por um tipo de piche com chêro horrívio que fica pingano das borda pro chão onde as talba das parede foro exprodida. E parece que tem umas marca horrivis no pátio, também, umas marca redonda enorme, maior do que um barril, cheia da mesma cosa pegajosa que tá drento da casa exprodida. O Chancey disse que elas segue na direção do pasto, onde um pedaço maior que um celeiro tá afundado, e os muro de pedra foro tudo pro chão. E ele disse, sinhora Corey, ele disse que mesmo assustado ele foi vê como tava as vaca do Seth; e encontrô elas no alto do pasto perto do Cantero do Diabo num estado horrive. A metade simplismente sumiu, e a otra metade tava com sangue seco e umas ferida igual às que tinha o gado do Whateley quando o pirralho moreno da Lavinny nasceu. O Seth, agora ele saiu pra vê como tão os bicho, mas aposto que não vai chegá muito perto da casa do Bruxo Whateley! O Chancey não tomô o cuidado de vê pra onde ia os rasto da grama amassada depois que saiu do pasto, mas ele acha que o caminho apontava na direção da estrada da vila.

E o garoto continuou:

– Escute o que eu tô dizeno, sinhora Corey, tem alguma côsa solta que não devia tá, e eu acho que aquele Wilbur Whateley, que teve o fim que merecia, tá por trás do surgimento dessa côsa. Ele mesmo não era humano. Eu sempre digo isso pra todo mundo; e acho que ele e o Velho Whateley deve de tê criado naquela casa pregada com as talbas uma otra côsa menos humana ainda. Sempre existiro essas côsa invisívio em Dunwich – essas côsa viva que não são humana e não fazem bem pra gente humana. "O graoun" era uma noite de conversa fiada, em direção à manhã em que Cha'ncey herdou os pássaros tão espalhafatosos em Col' Spring Glen que não conseguia dormir normalmente. Então ele pensou que tinha outro resquício em direção ao Bruxo Whateley, um corte mais gentil ou rasgão de madeira, como se uma caixa grande estivesse sendo aberta. Com isso e isso, ele não dormiu nada até o nascer do sol, e "assim que ele acordou esta manhã", mas ele precisa ir até Whateley e ver qual é o problema. Ele vê o suficiente, eu digo, Mis' Corey! Isso não significa nada de bom, e eu acho que todos os homens devem criar uma festa e fazer alguma "côsa". Eu sei algo horrível sobre isso, e sinto que meu tempo está próximo, embora apenas Gawd saiba o que é. Aqueles barulho na terra duraro a noite toda, e de manhã, o Cha'ncey, ele escutô os bacurau cantá tão alto em Col' Spring Glen que não conseguiu durmi a noite toda. Depois ele imaginô tê ovido um otro som mais fraco vino da casa do Bruxo Whateley, madera seno quebrada ou rachada, como se uma caxa tivesse seno aberta em algum lugar lá longe. Ora, com tudo isso ele não consiguiu durmi antes do dia raiá, e assim que levantô hoje de manhã precisô ir até a casa do Whateley pra vê qual era o problema. Ele viu o suficente, sinhora Corey! Essa côsa não tá bem-intencionada, e eu acho que os home devio se juntá num grupo e fazê algo. Sei que alguma côsa terrível tá solta e sinto que minha hora tá chegano, mas só Deus sabe o que é. O Luther viu pra donde ia essas trilha enorme? Não? Bom, sinhora Corey, se elas tavo pro lado do vale e inda não chegaro até a casa da sinora, acho que essa côsa deve de tê ido pra drento do vale. Pelo menos era pra lá que os rasto tava apontano. Eu sempre disse que Col' Spring Glen não é um lugar sadio nem decente. Os bacurau e os vaga-lume de lá nunca agiro como se fosse as criatura de Deus, e eu sempre ovi umas história sobre côsas estranhas que corre por aquela região num lugar entre a queda d'água e Bear's Den.

Naquele meio-dia, três quartos dos homens e meninos de Dunwich estavam se reunindo nas estradas e nos prados entre as recém-construídas ruínas dos Whateley e Cold Spring Glen, examinando com horror as pegadas enormes e monstruosas, as vacas mutiladas dos Bishop, os ruídos estranhos e nauseantes da casa e a vegetação malcuidada e emaranhada dos campos e das estradas. O que quer que houvesse se soltado sobre o mundo decaiu certamente naquela grande e sinistra ravina, pois todas as árvores nas margens estavam dobradas e quebradas, e uma grande avenida tinha sido entalhada na vegetação rasteira do precipício. Era como se uma casa, lançada por uma avalanche, tivesse deslizado pelo declive quase vertical. Não veio nenhum som lá de baixo, apenas um odor distante e indefinível, e não é de admirar que os homens preferissem ficar na borda argumentando em vez de descer e barrar o horror desconhecido e ciclópico em seu próprio covil. Três cachorros que estavam com o grupo latiram furiosamente no início, mas pareciam intimidados e relutantes quando chegaram perto do vale. Alguém telefonou para a imprensa, para o *Aylesbury Transcript*, mas o editor, acostumado com os relatos selvagens de Dunwich, não fez mais do que escrever um parágrafo bem-humorado sobre o assunto, um item logo depois reproduzido pela Associated Press.

Naquela noite, todos foram para seus lares, e todas as casas e galpões estavam barricados o mais fortemente possível. Não é preciso dizer que nenhum gado permaneceu em pasto aberto. Por volta das duas da madrugada, um odor horrível e o latido selvagem dos cães acordaram toda a casa de Elmer Frye, na extremidade leste de Cold Spring Glen, e todos concordaram que podiam ouvir uma espécie de som abafado que vinha de algum lugar do lado de fora. A senhora Frye propôs telefonar para os vizinhos, e Elmer estava prestes a ligar quando o ruído de madeira lascada explodiu. Aparentemente, veio do galpão e foi rapidamente seguido por gritos hediondos e um barulho de passos por entre o gado. Os cães babavam e agachavam-se perto dos pés das pessoas daquela família entorpecida pelo medo. A senhora Frye acendeu uma lanterna pela força do hábito, mas sabia que ir até o quintal escuro significaria a morte. As crianças e as mulheres choramingavam, mas não conseguiam gritar por algum instigante e obscuro instinto de defesa que lhes dizia que suas vidas dependiam do silêncio que fizessem. Por fim, o barulho do gado diminuiu até chegar a um gemido lamentável, e em seguida houve um grande estalo, um estrondo e uma crepitação. Os Frye, amontoados na sala de estar, não ousaram mover-se até que os últimos ecos morressem em Cold Spring Glen. Então, em meio aos tristes gemidos do estábulo e do canto demoníaco dos bacuraus no vale, Selina Frye cambaleou até o telefone e espalhou as notícias que conseguiu dar sobre a segunda fase do horror.

No dia seguinte, todas as pessoas do campo encontravam-se em pânico e intimidadas; grupos tímidos e sem comunicação iam e vinham onde a coisa diabólica havia ocorrido. Dois trechos gigantescos de destruição estendiam-se do vale até a propriedade dos Frye, monstruosas pegadas cobriam os trechos nus do solo e um lado do antigo celeiro vermelho desabara completamente. Do gado, apenas um quarto deles podia ser encontrado e identificado. Alguns animais encontravam-se em fragmentos curiosos, e tudo o que sobreviveu teve que ser sacrificado. Earl Sawyer sugeriu que se pedisse ajuda a Aylesbury ou Arkham, mas outros afirmavam que isso de nada adiantaria. O velho Zebulon Whateley, de uma linhagem que pairava a meio caminho entre a integridade e a decadência, fazia sugestões sombrias sobre ritos que deviam ser praticados nos topos das colinas. Ele veio de uma família na qual a tradição corria forte, e suas lembranças dos cantos nos grandes círculos de pedra não estavam totalmente conectadas com Wilbur e seu avô.

A escuridão caiu sobre um vilarejo passivo demais para organizar uma defesa eficiente. Em alguns casos, famílias intimamente ligadas se uniam e assistiam a tudo na penumbra sob o mesmo teto, mas, em geral, havia apenas uma repetição da barricada da noite anterior, e um inútil e ineficaz gesto de carregar mosquetes e montar forcados com cuidado. Nada, no entanto, ocorreu, exceto alguns ruídos das colinas, e, quando chegou o dia, muitos esperavam que o novo horror tivesse ido embora tão rapidamente quanto havia chegado. Algumas almas ousadas propuseram uma expedição ofensiva no vale, embora não se atrevessem a dar um exemplo real à maioria ainda relutante.

Quando chegou a noite novamente, repetiram a barricada, embora houvesse menos aglomeração de famílias. De manhã, ambas as famílias, Frye e Bishop, relataram que os cães ficaram agitados, havia sons vagos e um odor vindo de longe, enquanto os primeiros exploradores notaram com horror um novo conjunto de marcas monstruosas na estrada que contornava a Sentinel Hill. Assim como antes, os lados da estrada mostravam prejuízos indicativos do volume incrivelmente estupendo do horror, enquanto a formação das marcas parecia representar uma passagem em duas direções, como se a montanha em movimento tivesse vindo de Cold Spring Glen e retornado a ele pelo mesmo caminho. Na base da colina, uma faixa de troncos esmagados de nove metros de altura subia abruptamente, e os exploradores engasgaram quando viram que, mesmo nos lugares mais perpendiculares, não havia um desvio sequer na trilha inexorável. Qualquer que fosse o horror, poderia escalar um penhasco pedregoso de quase completa verticalidade e, quando os exploradores subiram para o cume da colina por rotas mais seguras, viram que a trilha terminava (ou melhor, invertia-se) naquele mesmo ponto.

Era ali que os Whateley costumavam acender suas fogueiras infernais e entoar seus rituais diabólicos na pedra retangular na Noite de Walpurgis e no Halloween. Agora, aquela mesma pedra forma o centro de um vasto espaço açoitado pelo horror montanhoso, enquanto sobre sua superfície levemente côncava havia um depósito grosso e fétido da mesma viscosidade de aderência observada no chão da casa arruinada de Whateley quando o horror de lá escapou. Os homens se entreolharam e começaram a murmurar. Então eles desceram a colina. Aparentemente, o horror desceu por uma rota quase igual à de sua ascensão. Especular era inútil. Razão, lógica e ideias normais em relação à motivação tornaram-se confusas. Apenas o velho Zebulon, que não estava com o grupo, poderia ter feito justiça à situação ou sugerido uma explicação plausível.

A noite de quinta-feira começou como as outras, mas terminou menos feliz. Os bacurais no vale gritaram com uma persistência tão incomum, que muitos não conseguiram dormir e, por volta das três da manhã, todos os telefones do grupo tocaram tremulamente. Aqueles que tiraram o telefone do gancho ouviram uma voz louca de susto gritar: "Ajudem, oh, meu Deus!...". E alguns acharam que um som estridente seguiu essa exclamação. Não havia mais nada. Ninguém ousou fazer nada, e ninguém sabia, até de manhã, de onde tinha vindo a chamada. Então todos os que receberam a ligação começaram a conversar e descobriram que apenas os Frye não atenderam. A verdade apareceu uma hora depois, quando um grupo de homens armados reuniu-se às pressas em direção à moradia dos Frye, na cabeceira do vale. Viu-se algo horrível, mas dificilmente seria uma surpresa. Havia mais rastros e pegadas monstruosos, mas não havia mais nenhuma casa. Ela desabara como uma casca de ovo e, entre as ruínas, nada de vivo ou morto poderia ser encontrado. Havia apenas um odor e uma viscosidade pegajosa. Os Elmer Frye haviam sido dizimados de Dunwich.

VIII.

Nesse ínterim, uma fase do horror mais silenciosa, porém ainda mais espiritualmente dolorosa, vinha se desenrolando, obscura, por trás da porta fechada de um aposento forrado de prateleiras de livros em Arkham. O curioso registro manuscrito ou diário de Wilbur Whateley, entregue à Universidade do Miskatonic para tradução, causou muita preocupação e desconcerto entre os especialistas em idiomas antigos e modernos; seu próprio alfabeto, apesar de uma semelhança geral com o árabe fortemente enigmático usado na Mesopotâmia, era absolutamente desconhecido para qualquer autoridade disponível no assunto. A conclusão final dos linguistas era de que o texto representava um alfabeto artificial, dando o efeito de uma cifra, embora nenhum dos métodos usuais de solução criptográfica parecesse fornecer qualquer pista, mesmo quando aplicado com base em todas as línguas que o autor pudesse ter usado. Os livros antigos retirados dos aposentos de Whateley, embora muito interessantes e em vários casos prometendo abrir novas e terríveis linhas de pesquisa entre filósofos e homens da ciência, não ajudaram em nada nessa questão. Um deles, um tomo pesado com um fecho de ferro, estava escrito em outro alfabeto desconhecido, este de um tipo muito diferente, assemelhando-se ao sânscrito mais do que qualquer outra coisa. O antigo livro-razão foi finalmente entregue ao dr. Armitage, tanto por conta de seu interesse peculiar por assuntos ligados aos Whateley, quanto por seu amplo conhecimento linguístico e habilidade nas fórmulas místicas da Antiguidade e da Idade Média.

Armitage suspeitava de que o alfabeto poderia ser algo esotérico usado por certos cultos proibidos em tempos remotos e que herdaram muitas formas e tradições dos magos sarracenos. Essa questão, no entanto, ele não considerou vital, já que seria desnecessário conhecer a origem dos símbolos se, como ele suspeitava, eles fossem usados como uma cifra em uma língua moderna. Ele estava convicto de que, considerando a grande quantidade de texto envolvido, o escritor dificilmente teria desejado usar outra língua que não a sua, a não ser, talvez, em determinadas fórmulas especiais e encantamentos. Consequentemente, ele atacou o manuscrito com a suposição preliminar de que a maior parte dele estaria em inglês.

O dr. Armitage sabia, pelas repetidas falhas de seus colegas, que o enigma era profundo e complexo, e que nenhuma solução simples poderia merecer um julgamento. Durante todo o final de agosto, ele aprendeu tudo o que podia sobre criptografia, aproveitando os recursos mais completos de sua própria biblioteca e vasculhando noite após noite entre os arcanos da *Polygraphia* de Tritêmio, do *De Furtivis Literarum Notis*, de Giambattista Porta, do *Trait. des Chiffres* de De Vigenère, do *Cryptomenysis Patefact* de Falconer, dos tratados do século XVIII de Davy e Thicknesse, e de autoridades razoavelmente modernas como Blair, von Marten e o *Kryptographik* de Klüber. Ele intercalava estudo dos livros e ataques ao próprio manuscrito e, com o tempo, convenceu-se de que estava lidando com o mais sutil e engenhoso criptograma, no qual diversas listas separadas de caracteres são organizadas como a tabela de multiplicação, e a mensagem construída com palavras-chave arbitrárias e conhecidas apenas por iniciados. As autoridades mais antigas no assunto pareciam mais úteis do que as mais recentes, e Armitage concluiu que o código do manuscrito era muito antigo e sem dúvida deveria ter passado por uma longa lista de exploradores místicos. Várias vezes ele parecia estar bem perto da solução, apenas para ser afastado dela por algum obstáculo imprevisto. Então, quando setembro se aproximava, suas dúvidas começaram a desanuviar. Certas letras, como as usadas em determinadas partes do manuscrito, surgiram de maneira clara e inequívoca; e ficou óbvio que o texto de fato estava escrito em inglês.

Na noite de 2 de setembro, a última grande barreira foi eliminada e o dr. Armitage leu pela primeira vez uma passagem contínua dos anais de Wilbur Whateley. Na verdade, era um diário, como todos haviam pensado, e fora redigido em um estilo que mostrava claramente a erudição oculta e a ignorância em geral do ser estranho que o escreveu. Quase toda a primeira passagem longa que Armitage decifrou, uma entrada datada de 26 de novembro de 1916, revelou-se altamente surpreendente e inquietante. Foi escrita, lembrou ele, por uma criança de 3 anos e meio que parecia um rapaz de 12 ou 13 anos.

"Hoje aprendi o Aklo para o Sabaoth", continuou, "o que não gostei, pois podia ser respondido da colina, e não do ar. Que no andar de cima mais à frente de mim do que eu pensava que seria, e não é como ter muito cérebro da terra. Disparou com Jack, o collie de Elam Hutchins, quando ele foi me morder, e Elam disse que me mataria se ele fosse drogado. Eu acho que ele não vai. O vovô me manteve dizendo a fórmula do Dho na noite passada, e eu acho que vi o centro da cidade nos dois polos magnéticos. Eu irei para esses polos quando a terra estiver limpa, se eu não conseguir romper com a fórmula Dho-Hna quando eu a comprometer. Aqueles do ar me disseram no Sabbat que levarão anos até que eu possa limpar a terra, e eu acho que vovô estará morto então, então terei que aprender todos os ângulos dos aviões e todas as fórmulas entre o Yr e o Nhhngr. Os de fora ajudarão, mas não podem tomar corpo sem sangue humano. Parece que no andar de cima vai ter o elenco certo. Eu posso ver um pouco quando eu faço o sinal Voorish ou sopro o pó de Ibn Ghazi, e está próximo a eles em Véspera de Maio na Colina. O outro rosto pode desgastar alguns. Eu me pergunto como ficarei quando a terra for dizimada e não houver seres humanos nela. Aquele que veio com o Aklo Sabaoth disse que eu posso ser transfigurado, e há muito do lado de fora para se trabalhar".

A manhã encontrou o dr. Armitage suando frio de terror e em um frenesi de concentração. Ele não havia largado o manuscrito a noite toda e estava sentado à sua mesa sob a luz elétrica, virando página após página, apertando as mãos o mais rápido que conseguia, a fim de decifrar o texto enigmático. Ele telefonara nervosamente para a esposa avisando que não estaria em casa e, quando ela lhe trouxe um café da manhã, ele mal conseguia se servir. Ele havia lido o dia todo, de vez em quando se detendo enlouquecedoramente em determinados trechos, quando uma reaplicação da chave complexa do pictograma tornou-se necessária. Seu almoço e seu jantar foram trazidos até ele, mas comeu pouco. No meio da noite seguinte, ele cochilou em sua cadeira, mas logo acordou de um emaranhado de pesadelos quase tão medonho quanto as verdades e ameaças à existência humana que ele havia descoberto.

Na manhã de 4 de setembro, o professor Rice e o doutor Morgan insistiram em vê-lo por um tempo e partiram tremendo, com a pele acinzentada. Naquela noite, ele foi para a cama, mas teve um sono quebrado. Na quarta-feira – no dia seguinte –, ele retornou ao manuscrito e começou a tomar notas copiosas tanto das seções atuais quanto daquelas que já havia decifrado. Na madrugada daquela noite, dormiu um pouco em uma poltrona em seu escritório, mas estava trabalhando no manuscrito novamente antes do amanhecer. Algum tempo antes do meio-dia, seu médico, o doutor Hartwell, ligou pedindo para vê-lo e insistiu que ele parasse de trabalhar. Ele se recusou a fazê-lo, insinuando que era da maior importância para ele completar a leitura do diário e dar uma explicação plausível em seu devido tempo.

Naquela noite, assim que o crepúsculo caiu, ele terminou sua terrível leitura e afundou-se exausto na cadeira. Sua esposa, ao trazer o jantar, encontrou-o meio que em um estado de coma, mas ele estava consciente o suficiente para alertá-la com um grito agudo quando viu seus olhos vagarem na direção das anotações que ele havia feito. Levantando-se fracamente, ele juntou os papéis rabiscados e os selou em um grande envelope, que ele imediatamente colocou no bolso interno do casaco. Ele tinha força suficiente para chegar em casa, mas estava tão claramente necessitando de ajuda médica que o doutor Hartwell foi convocado imediatamente. Enquanto o médico o colocava na cama, ele só conseguia murmurar repetidas vezes: – Mas o que, em nome de Deus, podemos fazer?

O dr. Armitage dormiu, mas ficou parcialmente delirante no dia seguinte. Não deu explicações a Hartwell, mas, em seus momentos mais calmos, falou da necessidade imperativa de uma longa conferência com Rice e Morgan. Seus devaneios mais estranhos foram realmente surpreendentes, incluindo apelos frenéticos de que algo na casa de tábuas fosse destruído, e referências fantásticas a algum plano para a extirpação de toda a raça humana e toda a vida animal e vegetal da Terra por alguma terrível raça anciã de seres de outra dimensão. Ele gritava que o mundo estava em perigo, já que as Coisas Ancestrais desejavam desnudá-lo e arrastá-lo do Sistema Solar e do cosmos material para algum outro plano ou fase da entidade de onde havia se afastado, vigintilhões de éons atrás. Em outras ocasiões, ele pedia o temido *Necronomicon* e o *Daemonolatreia* de Remigius, nos quais ele parecia esperançoso em encontrar alguma fórmula para verificar o perigo que conjurava.

– Parem-nos, parem-nos! – ele gritava. – Aqueles Whateley quiseram deixá-los entrar, e o pior ainda está por vir! Diga ao Rice e ao Morgan que devemos fazer algo; é um tiro no escuro, mas sei como fazer o pó... Ele não tem sido alimentado desde o segundo dia de agosto, quando Wilbur veio aqui morrer, e nesse ritmo...

Mas Armitage tinha um físico sadio, apesar de seus 73 anos e curou-se naquela noite sem ter febre. Acordou tarde na sexta-feira, com a cabeça lúcida, embora sóbrio em virtude de um medo imenso e um tremendo senso de responsabilidade. No sábado à tarde, ele se sentiu capaz de ir até a biblioteca e convocar Rice e Morgan para uma conferência, e o resto daquele dia e da noite os três homens torturaram seus cérebros com as mais selvagens especulações e debates desesperados. Volumes de livros estranhos e terríveis foram retirados das prateleiras e de locais seguros de armazenamento; e diagramas e fórmulas foram copiados com pressa febril e em abundância espantosa. Não havia ceticismo. Todos os três tinham visto o corpo de Wilbur Whateley deitado no chão de uma sala daquele mesmo prédio, e depois disso nenhum deles podia se sentir inclinado a tratar o diário apenas como o delírio de um louco.

As opiniões estavam divididas quanto a notificar a Polícia do Estado de Massachusetts, e a parte que se negava a fazê-lo venceu no fim. Havia coisas envolvidas neste caso em que simplesmente não se podia acreditar caso não se tivesse visto uma amostra, como de fato ficou claro durante certas investigações subsequentes. Tarde da noite, a reunião se desfez sem que tivessem chegado a um plano definido, mas durante todo o domingo Armitage esteve ocupado comparando fórmulas e misturando produtos químicos obtidos no laboratório da faculdade. Quanto mais ele refletia sobre o diário infernal, mais ficava inclinado a duvidar da eficácia de qualquer agente material para eliminar a entidade que Wilbur Whateley havia deixado para trás: a entidade ameaçadora da vida na Terra que, sem que ele soubesse, iria eclodir em poucas horas e se tornar o memorável horror de Dunwich.

A segunda-feira fora uma repetição do domingo com o dr. Armitage, pois a tarefa exigia uma infinidade de pesquisas e experiências. Outras consultas ao monstruoso diário trouxeram várias mudanças de planos, e ele sabia que, mesmo no final, ainda haveria uma grande incerteza. Na terça-feira, ele tinha um plano de ação definido e tentaria uma viagem até Dunwich em uma semana. Então, na quarta-feira, veio o grande choque. Um pequeno artigo da Associated Press estava secretamente guardado em um canto do *Arkham Advertiser*, dizendo que o uísque contrabandeado de Dunwich havia criado um monstro. Armitage, meio atordoado, só conseguiu telefonar para Rice e Morgan. Eles conversaram no meio da noite e, no dia seguinte, fizeram um turbilhão de preparativos. Armitage sabia que estava lidando com poderes terríveis, mas percebeu que não havia outra maneira de anular o envolvimento mais profundo e maligno que outros haviam feito antes dele.

IX.

Na manhã de sexta-feira, Armitage, Rice e Morgan partiram de carro para Dunwich, chegando à aldeia por volta da uma da tarde. O dia estava agradável, mas, mesmo sob a luz mais intensa do Sol, uma espécie de medo silencioso e fenomenal pairava sobre as colinas estranhamente abobadadas e os desfiladeiros profundos e sombrios da região atingida. De vez em quando, no topo de uma montanha, podia-se vislumbrar um círculo de pedras desbotadas contra o céu. Do ar de espanto silencioso no armazém de Osborn, eles sabiam que algo hediondo havia acontecido e logo souberam da aniquilação da casa e da família Elmer Frye. Andaram por Dunwich durante toda a tarde, questionando os nativos a respeito de tudo o que ocorrera e vendo o terror local com seus próprios olhos: as ruínas da propriedade dos Frye com seus traços persistentes da viscosidade pegajosa, os rastros blasfemos no pátio dos Frye, o gado ferido dos Bishop e as enormes extensões de vegetação destruída em vários lugares. A trilha para cima e para baixo da Sentinel Hill tinha um significado quase cataclísmico para Armitage, e ele olhou longamente para a sinistra pedra semelhante a um altar no cume da colina.

Por fim, os visitantes, informados de que um grupo da Polícia Estadual havia chegado de Aylesbury naquela manhã em resposta aos primeiros relatos telefônicos sobre a tragédia dos Frye, decidiram procurar os oficiais e comparar suas anotações, na medida do possível. No entanto, não conseguiram concluir seu intento, já que não encontraram nem sinal dos policiais. Havia cinco deles em um carro, mas agora ele estava vazio perto das ruínas no pátio dos Frye. Os nativos, todos os quais haviam conversado com os policiais, pareciam a princípio tão perplexos quanto Armitage e seus companheiros. Então o velho Sam Hutchins pensou em alguma coisa e ficou pálido, cutucando Fred Farr e apontando para o buraco úmido e profundo que se abria por perto.

– Oh, Deus! – exclamou. – Falei pra eles não descere o vale, e nunca achei que alguém fosse fazê isso com as marca e aquele chero e os bacurau gritano lá embaixo na escuridão do meio-dia...

Um arrepio percorreu nativos e visitantes, e todas as orelhas pareciam tensas, como se estivessem fazendo parte de uma espécie de escuta inconsciente e instintiva. Armitage, que agora já havia realmente encarado o horror e sua destruição monstruosa, tremeu com a responsabilidade que sentia ser dele. A noite logo cairia, e foi então que a blasfêmia montanhosa arrastou-se pela trilha. *Negotium perambulans in tenebris*[1]... O velho bibliotecário ensaiou as fórmulas que havia memorizado e segurou o papel que continha a alternativa que ele ainda não havia memorizado. Ele viu que sua lanterna elétrica estava funcionando. Rice, ao lado dele, tirou de uma valise um pulverizador de metal do tipo usado no combate a insetos, enquanto Morgan pegou o rifle de grande porte no qual ele confiava, apesar dos avisos de seu colega de que nenhuma arma material seria de grande ajuda.

Armitage, tendo lido o hediondo diário, sabia dolorosamente bem que tipo de manifestação esperar, mas ele não piorou o susto que o povo de Dunwich tomaria dando dicas ou pistas. Ele esperava que pudesse vencer este horror sem qualquer revelação para o mundo sobre a coisa monstruosa que havia escapado. Quando as sombras aumentaram, os nativos começaram a dispersar-se para suas casas, na ansiedade de se protegerem dentro delas, apesar da evidência atual de que todas as fechaduras e os ferrolhos humanos eram inúteis diante de uma força que era capaz de dobrar árvores e esmagar casas quando quisesse. Eles balançaram a cabeça ao ver o plano dos visitantes de ficar de guarda nas ruínas da casa dos Frye perto do vale e, quando saíram, tinham pouca expectativa de ver os vigilantes novamente um dia.

Havia rumores sob as colinas naquela noite, e os bacurais cantavam ameaçadoramente. De vez em quando um vento varria Cold Spring Glen, trazendo um toque de inefável odor ao pesado ar da noite. Todos os três observadores já haviam sentido aquele odor fétido anteriormente, quando viram a morte de uma coisa que havia passado quinze anos e meio como um ser humano. Mas o terror esperado não apareceu. O que quer que estivesse lá embaixo no vale estava ganhando tempo, e Armitage disse a seus colegas que tentar atacá-lo no escuro seria o mesmo que cometer suicídio.

A manhã chegou pálida, e os sons noturnos cessaram. Fazia um dia cinzento e sombrio, com um chuvisco de vez em quando, e as nuvens mais pesadas pareciam acumular-se além das colinas a noroeste. A população de Arkham estava indecisa sobre o que fazer. Buscando

---

[1] Significa "daquilo (ser, coisa, dificuldade) que vagueia nas trevas". (N.R.)

abrigo das chuvas cada vez mais torrenciais sob uma das poucas construções não destruídas dos Frye, eles se perguntavam se era sábio esperar ou se seria melhor adotar um estilo agressivo e descer para o vale em busca de sua presa monstruosa e sem nome. O aguaceiro cresceu em peso, e trovões soaram em horizontes distantes. Relâmpagos cintilavam no céu e, em seguida, um raio partiu-se em dois, como se descesse até o próprio vale amaldiçoado. O céu ficou muito escuro e os observadores esperavam que a tempestade se mostrasse intensa, porém curta, para que depois o tempo clareasse.

Ainda estava horrivelmente escuro quando, pouco mais de uma hora depois, uma confusão de vozes babélicas soou na estrada. Logo surgiu um grupo assustado com mais de uma dúzia de homens, que corriam, gritavam e até choramingavam histericamente. Alguém na liderança começou a soluçar algumas palavras, e os homens de Arkham tiveram um sobressalto violento quando essas palavras assumiram uma forma coerente.

– Meu Deus, meu Deus! – exclamou a voz. – Aquela côsa tá andano de novo, e dessa vez à luz do dia! Tá solta, solta e agora mesmo ta vino na nossa direção, e só Deus sabe quando vai nos alcançá!

O interlocutor arquejou e ficou em silêncio, mas outra pessoa prosseguiu com a mensagem.

– Uma meia hora atrás o telefone do Zeb Whateley tocô e era a sinhora Corey, esposa do George, que mora perto do cruzamento. Ela disse que o garoto contratado, o Luthero tava trazeno o gado pra longe da tempestade depois daquele relampeio todo quando viu as arves se entortano na cabecera do vale, no outro lado, e sintiu o mesmo chero horrívio que sintiu quando encontrô aquelas marca na manhã da segunda-feira. E ela contô que ele disse que também oviu um zunido mais alto do que as arve e os arbusto podia fazê, e de repente as arve da estrada começaro a se curvá pro lado e ele oviu umas pancada e um mexido terrívio na lama. Mas escuta bem, o Luther não viu nada, só as arve e os arbusto se entortano. Depois mais pra frente onde o riacho do Bishop passa por baixo da estrada ele oviu uns estalo e uns rangido terrívio na ponte e disse que o som era de madera rachano e quebrano. E todo esse tempo ele não viu nada, só as arve e os arbusto se entortano. E quando o zunido se afastô pela estrada em direção à casa do Bruxo Whateley e da Sentinel Hill, o Luther, ele teve a corage de subi até o lugar onde tinha ovido os baruio pela primera vez e de olhá pro chão. Tava tudo água e lama, e o céu tava escuro, e a chuva tava apagano as trilha rápido, mas na boca do vale, onde as arve tinha se movido, ele inda consiguiu vê algumas daquelas pegada medonha do tamanho dum barril igual que ele tinha visto na segunda.

Neste ponto, o primeiro interlocutor animado interrompeu.

– Mas agora o problema não é esse, isso foi só o começo. O Zeb aqui tava chamano as pessoa e todo mundo tava escutano quando tocô o telefone e era o Seth Bishop. A Sally, a criada dele, tava quase teno um troço; ela tinha acabado de vê as arve se entortá na bera da estrada, e disse que tava ovino um som pastoso, que nem a respiração e os passo dum elefante ino na direção da casa. Aí ela se levantô e de repente sintiu um chero medonho, e disse que o Chancey começô a gritá que era o mesmo chêro que tinha sintido nas ruína da casa dos Whateley na manhã de segunda. E os cachorro tava tudo latindo e ganindo. E depois ela soltô um grito medonho e disse que o celêro na bêra da estrada tinha acabado de desmoroná, só que o vento da tempestade não tinha força suficiente pra fazê isso. Todo mundo fico escutano, e deu pra ovi várias pessoa assustada na linha. E de repente a Sally, ela gritô de novo e disse que a cerca da frente tinha se espatifado, mas não se via nenhum sinal do que podia tê feito aquilo. Aí todo mundo na linha pôde escutá o Chancey e o velho Seth Bishop gritano também, e a Sally começou a dizê que alguma côsa pesada tinha acertado a casa; não um raio nem nada paricido, mas alguma côsa pesada que tava bateno sem pará na frente da casa, mesmo que não desse pra vê nada pelas janela. E aí...aí...

O desespero no rosto dos habitantes foi ficando cada vez mais profundo. Armitage, abalado, nem conseguia pedir à pessoa que continuasse a falar.

– Aí... A Sally, ela gritô, "Socorro, a casa tá caindo...", e na linha a gente pôde ovi o estrondo dum disabamento e uma grande gritaria... que nem na casa do Elmer Frye, só que pior...

O homem fez uma pausa e outra pessoa na multidão falou:

– Isso é tudo, não se oviu mais nenhum pio no telefone depois disso. Ficô tudo quieto. Nós que ovimo tudo entramo nos camião Ford e nas carreta e juntamo o maior número de home forte que a gente encontrou na casa dos Corey e viemo pra cá vê o que os sinhores acha melhor a gente fazê. Mas eu acho que esse é o julgamento do Senhor pras nossa maldade, que nenhuma criatura mortal é capaz de detê.

Armitage viu que era chegada de tomar a frente e falou decisivamente para o grupo hesitante de pessoas rústicas assustadas:

– Devemos segui-lo, rapazes. – Ele tentou o máximo possível fazer de sua voz reconfortante. – Acredito que há uma chance de colocá-lo fora de ação. Vocês, homens, sabem que aqueles Whateley eram bruxos; bem, isso é uma coisa de feitiçaria, e devem lidar com ele da mesma maneira. Eu vi o diário de Wilbur Whateley e estudei alguns dos estranhos livros antigos que ele costumava ler; acho que sei o tipo certo de feitiço que deve ser recitado para fazer a coisa desaparecer. É claro que não se pode ter certeza, mas sempre há uma chance. Ele é invisível, como eu pensava, mas há um pó neste pulverizador de longa distância que pode fazê-lo ficar visível por um segundo. Vamos tentar usá-lo mais tarde. É uma coisa assustadora demais para poder seguir viva, mas não é tão ruim quanto o que Wilbur teria nos deixado se vivesse por mais tempo. Vocês nunca saberão do que o mundo escapou. Agora só precisamos lutar contra essa coisa e não podemos deixá-la se multiplicar. Isso pode, no entanto, causar muitos danos, então não devemos hesitar em livrar a comunidade desse ser. Devemos segui-lo, e precisamos começar indo até o local que acaba de ser destruído. Vamos deixar alguém liderar o caminho. Eu não conheço muito bem as estradas daqui, mas acho que há um atalho entre os lotes. O que acham?

Os homens ficaram agitados por um momento, e então Earl Sawyer falou baixinho, apontando com um dedo sujo na chuva constante.

– Eu acho que o sinhô pode chegá até a casa do Seth Bishop mais dipressa cortano caminho pelos pasto mais baixo aqui, passano o riacho e subino pela mina do Carrier e o pátio de lenha mais na frente. Assim o sinhô vai saí na estrada bem perto das terra do Seth; é só caminhá mais um poco pro otro lado.

Armitage, acompanhado de Rice e Morgan, começou a andar na direção indicada, e a maioria dos nativos seguiu devagar. O céu estava ficando mais claro e havia sinais de que a tempestade se dissipara. Quando Armitage, inadvertidamente, pegou o caminho errado, Joe Osborn avisou-o e começou a caminhar na frente para mostrar a direção certa. A coragem e a confiança iam aumentando, embora o crepúsculo da colina cheia de árvores quase perpendiculares que ficava no fim do atalho e em meio a fantásticas árvores antigas a que tinham de se agarrar como se subissem uma escada com a ajuda de corrimãos colocasse essas qualidades em cheque.

Finalmente, chegaram a uma estrada lamacenta quando o Sol nascia. Estavam um pouco além da propriedade de Seth Bishop, mas árvores tortas e rastros terrivelmente inconfundíveis mostravam o que havia se passado ali. Apenas alguns momentos foram necessários para examinar as ruínas ao redor da curva. Era o mesmo incidente ocorrido na casa dos Frye, e nada de morto ou vivo foi encontrado nas ruínas desmoronadas que antes tinham sido a casa e o galpão dos Bishop. Ninguém quis ficar em meio ao odor e à viscosidade, por isso todos se voltaram instintivamente para a fila de pegadas horrendas que levavam à casa destruída dos Whateley e às encostas coroadas pelo altar da Sentinel Hill.

Quando os homens passaram pelo local onde Wilbur Whateley morara, estremeceram visivelmente e pareciam novamente misturar hesitação e zelo. Não era brincadeira rastrear algo tão grande quanto uma casa e que ainda por cima não se podia ver, mas que tinha toda a malevolência terrível de um daemon. Em frente à base da Sentinel Hill, a trilha afastava-se da estrada e havia novas árvores dobradas e arbustos amassados visíveis ao longo da larga faixa que marcava a antiga rota de ida e volta do monstro até o cume.

Armitage usou um telescópio de bolso de alcance considerável e observou o lado verde e íngreme da colina. Depois entregou o instrumento a Morgan, cuja visão era mais aguçada. Depois de um momento de observação, Morgan deu um brusco grito, passando o objeto para Earl Sawyer e indicando um certo ponto na encosta com o dedo. Sawyer, desajeitado como a maioria das pessoas que não estão acostumadas a utilizar tais artefatos, se atrapalhou um pouco, mas finalmente ajustou as lentes com a ajuda de Armitage. Quando fez isso, seu grito foi menos contido do que o de Morgan.

– Deus Todo-poderoso, a grama e os arbustos estão em movimento! Está subindo devagar e rastejando-se até o topo agora, só Deus sabe para quê!

Então o vírus do pânico pareceu se espalhar entre os exploradores. Uma coisa era perseguir a entidade sem nome, mas outra bem diferente era encontrá-la. Usar de magia poderia ser algo bom; porém, e se não fosse? Vozes dentro da cabeça de Armitage começaram a questioná-lo se realmente sabia algo sobre aquela coisa, e nenhuma resposta parecia satisfazê-lo. Todos pareciam sentir-se próximos às fases proibidas da natureza e do ser, totalmente fora da experiência sensata da humanidade.

X.

No final, os três homens de Arkham (o velho dr. Armitage, de barba branca, o professor Rice, de cabelos grisalhos e entroncado, e o jovem e esbelto dr. Morgan) subiram a montanha sozinhos. Depois de muitas instruções pacientes sobre o foco e o uso, eles deixaram o telescópio com o grupo assustado que permaneceu na estrada e, enquanto subiam, eram vigiados de perto por aqueles entre os quais o telescópio passava. A subida era difícil, e Armitage precisou de ajuda mais de uma vez. Bem acima do grupo, uma grande faixa tremeu quando a criatura infernal passou novamente a mover-se como um caracol. Ficou óbvio, então, que os perseguidores estavam se aproximando.

Curtis Whateley, da linhagem íntegra, estava segurando o telescópio quando o grupo de Arkham se desviou radicalmente da trilha. Ele disse à multidão que os homens estavam evidentemente tentando chegar a um pico secundário que dava para a trilha em um ponto consideravelmente à frente de onde os arbustos se curvavam. Isso, de fato, provou-se verdade, e o grupo foi visto ganhando a pequena elevação pouco tempo depois que a blasfêmia invisível passou.

Então Wesley Corey, que pegara o telescópio, gritou que Armitage estava ajustando o pulverizador que Rice estava segurando e que algo estava prestes a acontecer. A multidão moveu-se desconfortavelmente, esperando que o pulverizador desse ao horror invisível alguma visibilidade. Dois ou três homens fecharam os olhos, mas Curtis Whateley puxou o telescópio para trás e forçou a visão ao máximo. Ele viu que Rice, do ponto de vista que tinha, por cima e por trás da entidade, tinha uma excelente chance de espalhar o potente pó com ótimo resultado.

Aqueles que estavam sem o telescópio viram apenas o lampejo de uma nuvem cinza (do tamanho de um prédio moderadamente grande) perto do topo da montanha. Curtis, que havia segurado o instrumento, soltou-o com um grito estridente na estrada que continha lama até os tornozelos. Ele cambaleou, e teria caído no chão se dois ou três outros não o segurassem. Tudo o que ele podia fazer era gemer, quase que de maneira inaudível:

– Oh, oh, meu Deus... aquilo... aquilo...

Houve um pandemônio de perguntas, e apenas Henry Wheeler pensou em resgatar o telescópio caído e limpá-lo, pois havia ficado todo sujo de lama. Curtis estava além de toda a coerência, e até respostas isoladas eram demais para ele.

– Maior do que um celêro... todo feito dumas corda se retorceno... com o formato dum ovo de galinha maior do que qualqué otra côsa, com várias dúzia de perna, como barris que se fechô a cada passo... nada de sólido; todo molenga que nem geleia, feito dumas corda que se agito bem junto umas das otra... com uns olhos enorme e esbugalhado por toda parte... dez ou vinte boca ou tromba saino de toda parte nos lado, do tamanho duma chaminé cada boca, e todas se mexeno e se abrino e fechano... todo cinza, com uns anel roxo ou azul... e meu Deus do céu, aquela cara feia por cima...!

Essa memória final, o que quer que fosse, provou ser demais para o pobre Curtis; e ele desmoronou completamente antes que pudesse dizer mais alguma coisa. Fred Farr e Will Hutchins levaram-no para a beira da estrada e o deitaram na grama úmida. Henry Wheeler, tremendo, virou o telescópio resgatado na montanha para ver o que podia ser feito. Através das lentes podia-se discernir três figuras minúsculas, aparentemente correndo em direção ao cume tão rápido quanto a inclinação íngreme permitia. Apenas isso; nada mais. Então todo mundo notou um ruído estranhamente inoportuno no vale profundo que ficava atrás, e até na vegetação rasteira da própria Sentinel Hill. Era o canto de inúmeros bacuraus e, em seu grito estridente, parecia haver uma nota de expectativa tensa e maligna.

Earl Sawyer pegou o telescópio e informou que as três figuras estavam no topo da colina, praticamente no nível do altar de pedra, mas a uma distância considerável. Uma figura, ele disse, parecia levantar as mãos acima da cabeça a intervalos rítmicos e, quando Sawyer mencionou essa circunstância, a multidão pareceu ouvir um som meio musical distante, como se um canto alto estivesse acompanhando os gestos. A estranha silhueta naquele pico remoto deve ter sido um enorme espetáculo grotesco e impressionante, mas nenhum observador estava de bom humor para fazer qualquer tipo de apreciação estética.

– Achu que ele tá dizeno u feitiçu – sussurrou Wheeler quando puxou o telescópio de volta para si. Os bacuraus cantavam descontroladamente, em um ritmo irregular singularmente curioso, muito diferente do que acompanhava o ritual visível.

De repente, o Sol pareceu diminuir sem a intervenção de qualquer nuvem que pudesse ser vista no céu. Foi um fenômeno muito peculiar e claramente observado por todos. Um som estrondoso parecia fermentar sob as colinas, misturado com um barulho estranho vindo do céu. Um relâmpago cintilou no ar, e a multidão em dúvida procurou em vão pelos presságios da tempestade. O canto do povo de Arkham agora se tornara inconfundível, e Wheeler viu através do telescópio que todos estavam levantando os braços em uma espécie de encantamento rítmico. De alguma propriedade distante vieram os latidos frenéticos de cães.

A mudança na qualidade da luz do dia aumentou, e a multidão olhou maravilhada para o horizonte. Uma escuridão purpúrea, nascida de nada mais que um aprofundamento espectral no azul do céu, pressionava as colinas retumbantes. Então o relâmpago brilhou de novo, um pouco mais do que antes, e a multidão imaginou que havia certa nebulosidade ao redor do altar de pedra no alto. Ninguém, no entanto, estava usando o telescópio naquele instante. Os bacuraus continuaram com a pulsação irregular, e os homens de Dunwich se prepararam com tensão contra uma ameaça imponderável com a qual a atmosfera parecia sobrecarregada.

Sem aviso, vieram aqueles sons vocais profundos, rachados e estridentes que nunca deixariam a memória do grupo que os ouviu. Eles não nasceram de qualquer garganta humana, pois os órgãos humanos não podem produzir tais perversões acústicas. Em vez disso, alguém diria que eles vieram de uma cova, se a fonte deles não fosse tão inconfundivelmente do altar de pedra no pico da montanha. É quase um erro chamar aquilo de sons, já que muito de seu timbre horripilante e infragrave falava a lugares sombrios da consciência e do terror do que aos ouvidos. No entanto, é preciso fazê-lo, já que sua forma era indiscutivelmente, embora de forma vaga, a de palavras semiarticuladas. Eles eram barulhentos (como os estrondos e o trovão acima dos quais ecoavam) e, ainda assim, não vinham de nenhum ser visível. E, como a imaginação poderia sugerir uma fonte conjectural no mundo dos seres invisíveis, a multidão amontoada na base da montanha se amontoava ainda mais e estremecia como se esperasse por um golpe.

– Ynaiih... ygnaiih... thflthkh'ngha... Yog-Sothoth... – dizia a horrível voz rouca que parecia vir do espaço. – Y'bthnk... h'ehye, n'grkdl'lh...

O impulso de falar pareceu vacilar nesse momento, como se alguma luta psíquica assustadora estivesse acontecendo. Henry Wheeler olhou para o telescópio, mas viu apenas a silhueta das três figuras humanas grotescas no pico, todas movendo furiosamente seus braços em gestos estranhos enquanto o encantamento aproximava-se de seu auge. De quais abismos escuros de Aqueronte, de quais profundidades inexploradas de consciência extracósmica obscura e latente vinham aqueles guinchos de trovão semiarticulados? Pouco depois, começaram a reunir força e coerência renovadas à medida que cresciam em total e absoluto frenesi.

– Eh-ya-ya-ya-yahaah – e'yayayayaaaa... ngh'aaaaa... ngh'aaaa... h'yuh... h'yuh... SOCORRO! SOCORRO!... pp- pp- pp- PAI! PAI! YOG-SOTHOTH!...

Isso foi tudo. O grupo pálido na estrada, ainda se recuperando das sílabas indiscutivelmente em inglês que haviam soado como um trovão no vazio frenético ao lado daquele impressionante altar de pedra, nunca mais as ouviria. Em vez disso, eles se sobressaltaram por conta do terrível estrondo que parecia rasgar as colinas; o repentino e cataclísmico estrépido, cuja fonte, seja ela da terra ou do céu, nenhum ouvinte jamais foi capaz de identificar. Um único relâmpago partiu do zênite púrpura para o altar de pedra, e uma grande onda de força inenarrável e odor indescritível desceu da colina para todo o campo. Árvores, grama e vegetação rasteira eram fustigadas; e a multidão assustada na base da montanha, enfraquecida pelo cheiro letal que parecia prestes a asfixiá-los, quase foi atirada de seus pés. Cachorros uivavam a distância, a grama verde e a folhagem murchavam curiosamente até atingir um amarelo-cinza doentio, e sobre o campo e a floresta espalhavam-se os corpos de bacuraus mortos.

O odor sumiu rapidamente, mas a vegetação nunca mais voltou ao normal. Até hoje, há algo estranho e profano em relação ao crescimento da vegetação em torno dessa colina assustadora. Curtis Whateley ainda estava recuperando a consciência quando os homens de Arkham desceram lentamente a montanha sob os raios de uma luz do Sol mais brilhante e imaculada. Eles estavam sérios e quietos, e pareciam abalados por lembranças e reflexos ainda mais terríveis do que aqueles que haviam reduzido o grupo de nativos a um estado de tremor acanhado. Em resposta a uma confusão de perguntas, eles apenas balançaram a cabeça e reafirmaram um fato de importância vital.

– A coisa se foi para sempre – disse Armitage. – Ela foi dividida em pedaços a partir do que originalmente foi feita e nunca poderá existir novamente. Era uma impossibilidade em um mundo normal. Apenas uma pequena fração de seu ser era composta por algo que conhecemos. Parecia-se com seu pai, e em boa parte voltou para ele em algum plano ou dimensão vagos, fora de nosso universo material; algum abismo vago, do qual apenas os rituais mais malditos da blasfêmia humana poderiam tê-lo chamado por um momento nas colinas.

    Houve um breve silêncio e, naquela pausa, os sentidos dispersos do pobre Curtis Whateley começaram a voltar, de modo que ele colocou as mãos na cabeça com um gemido. A memória pareceu se recompor de onde parou, e o horror da visão que o prostrara invadiu-o novamente.

    – Oh, oh, meu Deus, aquele rosto, aquele rosto pela metade... Aquele rosto com os olhos vermelhos e um cabelo albino enrugado, um sem queixo, como o Whateleys... Era um tipo de polvo, centopeia, como uma aranha, mas ele tinha o rosto de um homem em cima disso, e parecia o do Bruxo Whateley, só que eram metros e metros...

    Ele fez uma pausa exausta, enquanto todo o grupo de nativos olhava perplexo, não totalmente cristalizado em um novo terror. Apenas o velho Zebulon Whateley, que vagamente se lembrava de coisas antigas, mas que até então estivera em silêncio, falou em voz alta.

    – Há quinze anos – ele divagou –, escutei o véi Whateley dizê qui, um dia, nós ia ouvi o filho de Lavinny chamando u nomi du pai no topo da Sentinel Hill...

    Mas Joe Osborn o interrompeu para questionar os homens de Arkham novamente:

    – O que foi isso, e como o jovem Bruxo Whateley chamou isto de "o ar de onde vem"?

    Armitage escolheu suas palavras com muito cuidado:

    – Foi, bem, foi principalmente uma espécie de força que não pertence à nossa dimensão no espaço; um tipo de força que age e cresce e se molda por outras leis que não as do nosso tipo de natureza. Não temos motivo pra invocar essas coisas de longe, e somente pessoas e cultos muito maus tentam fazer isso. O próprio Wilbur Whateley tinha um pouco disso em si, o suficiente para transformá-lo em um demônio precoce, e culminar com a visão terrível de sua morte. Vou queimar seu diário amaldiçoado e, se vocês forem sábios, vão dinamitar aquele altar de pedra lá em cima, e derrubarão todos os anéis de pedras eretas nas outras colinas. São essas coisas que trouxeram para cá os seres dos quais os Whateley tanto gostavam, seres invocados a fim de eliminar a raça humana e arrastar a Terra para algum lugar sem nome e algum propósito sem nome. Mas quanto a essa coisa que acabamos de enviar de volta, os Whateley a criaram para desempenhar um papel terrível nos feitos que estavam por vir. Cresceu rápido e ficou enorme pela mesma razão que Wilbur cresceu rápido e ficou grande, mas ficou ainda maior por conter mais elementos de estranheza em si. Você não precisa perguntar como Wilbur o invocou do nada. Porque ele não o invocou. Ele era seu irmão gêmeo, mas que se parecia mais o pai do que ele.

A SOMBRA FORA DO TEMPO

I.

Depois de vinte e dois anos de pesadelo e terror, salvos apenas por uma convicção desesperada na fonte mítica de certas impressões, não estou disposto a garantir a verdade daquilo que acho que encontrei na Austrália Ocidental na noite de 17 para 18 de julho de 1935. Há razões para esperar que minha experiência tenha sido total ou parcialmente uma alucinação; para a qual, de fato, muitas causas existiram. E, no entanto, seu realismo era tão horrível que às vezes me parecia impossível encontrar esperança. Se a coisa aconteceu, então o homem deve estar preparado para aceitar noções do cosmo e de seu próprio lugar no vórtice fervilhante do tempo, cuja simples menção é paralisante. Ele também deve ser colocado em guarda contra um perigo específico que esta à espreita, embora nunca vá conseguir engolir toda a raça humana, mas que pode impor horrores monstruosos e inacreditáveis a determinados membros aventureiros dela. É por essa última razão que insisto, com toda a força do meu ser, que todas as tentativas de desenterrar os fragmentos dessa alvenaria desconhecida e primordial que minha expedição começou a investigar sejam abandonadas.

Supondo que eu estivesse são e acordado, minha experiência naquela noite foi como algo que nunca tinha acontecido com ninguém antes. Além disso, era uma confirmação assustadora de tudo o que eu procurara descartar como mito e sonho. Felizmente, não há provas dela, pois, no meu medo, perdi o objeto impressionante que, se real e trazido daquele abismo nocivo, seria uma prova irrefutável. Quando me deparei com o horror, estava sozinho; e até agora não contei a ninguém sobre o assunto. Eu nunca poderia impedir que os outros cavassem em sua direção, mas o acaso e as areias transitórias até agora os impediram de encontrá-lo. Agora preciso formular um relato definitivo, não apenas para o meu próprio equilíbrio mental, mas para advertir aqueles que o levem a sério.

Estas páginas, cujas partes iniciais serão familiares a leitores próximos da imprensa em geral e da imprensa científica, estão escritas na cabine do navio que está me levando para casa. Serão dadas a meu filho, o professor Wingate Peaslee, da Universidade do Miskatonic: o único membro da minha família que se aproximou de mim após minha estranha amnésia, que aconteceu há muito tempo, e o homem mais bem-informado sobre os fatos específicos do meu caso. De todas as pessoas vivas, ele é a menos provável a ridicularizar o que contarei sobre aquela noite fatídica. Eu não lhe disse nada oralmente antes de partir, porque acho que é melhor que ele tenha a revelação escrita. Ler e reler o que escrevi permitirá que ele tenha uma imagem mais convincente do que minha língua confusa poderia transmitir. Ele pode fazer o que quiser com este relato; mostrando-o, com os comentários adequados, a todos aqueles que possam usá-lo para fazer o bem. É para o bem de leitores que não estão familiarizados com as fases anteriores do meu caso que prefiro a revelação em si com um resumo bastante amplo da situação anterior.

Meu nome é Nathaniel Wingate Peaslee, e aqueles que se lembram dos relatos de jornal de uma geração atrás (ou as cartas e artigos em revistas de psicologia de seis ou sete anos atrás) saberão quem e o que eu sou. A imprensa foi preenchida com os detalhes da minha estranha amnésia de 1908 a 1913, e muito foi dito sobre as tradições de horror, loucura e feitiçaria que se escondem atrás da antiga cidade de Massachusetts, que ainda é a cidade em que resido. No entanto, eu gostaria de informar que não há nada de louco ou sinistro na minha hereditariedade e em minha infância. Este é um fato muito importante em vista da sombra que veio de repente de fontes externas. Pode ser que séculos de reflexão sombria tivessem dado à arruinada Arkham, assombrada por sussurros, uma vulnerabilidade peculiar em relação a essas sombras; embora isso pareça duvidoso à luz desses outros casos que mais tarde vim a estudar. Contudo, o ponto principal é que meus próprios ancestrais e antecedentes são completamente normais. O que veio, veio de outro lugar; onde, até agora, hesito em afirmar categoricamente.

Sou o filho de Jonathan e Hannah (Wingate) Peaslee, ambos de antigas famílias de Haverhill. Nasci e fui criado em Haverhill, na antiga casa da Boardman Street, perto da Golden Hill. Não fui para Arkham até entrar na Universidade do Miskatonic aos 18 anos de idade. Isso foi em 1889. Depois da minha graduação, estudei economia em Harvard e voltei a Miskatonic, em 1895, como professor de Economia Política. Por treze anos, minha vida transcorreu de maneira tranquila e feliz. Casei-me com Alice Keezar, de Haverhill, em 1896, e meus três filhos, Robert K., Wingate e Hannah, nasceram em 1898, 1900 e 1903, respectivamente. Em 1898, tornei-me professor associado e, em 1902, professor catedrático. Em nenhum momento tive o menor interesse em ocultismo ou paranormalidade.

Foi na quinta-feira, 14 de maio de 1908, que veio a amnésia estranha. A coisa foi repentina, embora mais tarde eu tenha percebido que certas visões breves e cintilantes algumas horas antes (visões caóticas que me perturbaram muito porque não tinham precedentes) devem ter formado sintomas premonitórios. Minha cabeça estava doendo e eu tinha um sentimento singular, totalmente novo para mim, de que outra pessoa estava tentando se apossar de meus pensamentos.

O colapso ocorreu por volta das dez e vinte, enquanto eu estava dando uma aula de Economia Política VI, história e tendências atuais da economia, para os calouros e alguns segundanistas. Comecei a ver formas estranhas diante dos meus olhos e a sentir que estava em um lugar grotesco, além da sala de aula. Meus pensamentos e minha fala começaram a se distanciar do assunto, e os alunos viram que algo estava gravemente errado. Então, eu caí inconsciente em minha cadeira, em um estupor do qual ninguém poderia me tirar. Minhas faculdades legítimas voltaram a ver a luz do dia de nosso mundo normal depois de cinco anos, quatro meses e treze dias.

É claro que tudo o que sei a respeito fiquei sabendo por outras pessoas. Não demonstrei nenhum sinal de consciência por dezesseis horas e meia, embora tivesse sido levado para minha casa na rua Crane, no número 27, e recebido o melhor atendimento médico. Às três da manhã de 15 de maio, meus olhos se abriram e comecei a falar, mas logo os médicos e minha família ficaram completamente assustados com a maneira como eu me expressava e com minha linguagem. Ficou claro que eu não tinha lembrança de quem eu era ou do meu passado, embora por algum motivo eu parecesse ansioso em esconder dos outros essa falta de conhecimento. Meus olhos contemplavam estranhamente as pessoas ao meu redor, e os movimentos dos meus músculos faciais eram totalmente desconhecidos.

Até meu jeito de falar parecia estranho e não familiar. Utilizei minhas cordas vocais desajeitadamente, e minha dicção tinha uma qualidade curiosamente empolada, como se eu tivesse aprendido laboriosamente a língua inglesa a partir de livros. A pronúncia era barbaramente estranha, enquanto o idioma parecia incluir tanto fragmentos de curiosos arcaísmos quanto expressões totalmente incompreensíveis. Das últimas expressões, uma em particular foi bastante lembrada pelo médico mais jovem, vinte anos depois. Pois, naquele período tardio, tal frase começou a ter uma real manifestação (primeiro na Inglaterra e depois nos Estados Unidos) e, embora de muita complexidade e novidade indiscutível, reproduzia nos mínimos detalhes as palavras mistificadoras do estranho paciente de Arkham de 1908.

Minha força física retornou imediatamente, embora eu precisasse de uma grande quantidade de reabilitação para fazer uso de minhas mãos, minhas pernas e meus aparatos corporais em geral. Por causa disso e de outras deficiências inerentes ao lapso mnemônico, fiquei por algum tempo sob cuidados médicos rigorosos. Quando vi que minhas tentativas de ocultar o lapso haviam falhado, admiti isso abertamente e fiquei ansioso por informações de todos os tipos. De fato, pareceu aos médicos que eu havia perdido o interesse em minha personalidade assim que aceitei o caso da amnésia como algo natural. Eles notaram que meus principais esforços eram dominar certos pontos da história, da ciência, da arte, da linguagem e do folclore (alguns deles um tanto abstrusos e alguns bem infantis) que, de uma forma estranha, em muitos casos, permaneceram fora da minha consciência.

Ao mesmo tempo, eles notaram que eu tinha um domínio inexplicável de muitos tipos quase desconhecidos de conhecimento; um domínio que eu parecia querer esconder em vez de exibir. Eu inadvertidamente me referia, com uma garantia casual, a eventos específicos em épocas obscuras fora do alcance da história normalmente aceita, fazendo com que tudo parecesse uma piada quando percebia a surpresa das pessoas. E eu tinha uma maneira de falar do futuro que, por duas ou três vezes, causa medo real. Esses clarões misteriosos logo pararam, embora alguns observadores tenham atribuído esse desaparecimento mais a uma certa cautela furtiva da minha parte do que por uma diminuição do estranho conhecimento por trás deles. De fato, eu parecia anormalmente ávido por absorver a língua, os costumes e as perspectivas da época em que eu vivia, como se eu fosse um viajante estudioso de uma terra distante e estrangeira.

Assim que pude, comecei a frequentar a biblioteca da faculdade a qualquer hora e logo comecei a fazer essas estranhas viagens e cursos especiais em universidades americanas e europeias, que provocaram tantos comentários ao longo dos anos. Não sofria em nenhum momento com a falta de contato com eruditos, pois meu caso me elevara à condição de uma celebridade entre os psicólogos da época. Fui estudado como um exemplo típico de personalidade secundária, mesmo que parecesse confundir os professores de vez em quando com algum sintoma bizarro ou algum traço esquisito de uma cautelosa brincadeira velada.

Tive poucas amizades verdadeiras, no entanto. Algo em meu aspecto e em minha fala parecia provocar medo e aversão em todos que conheci, como se eu fosse um ser infinitamente afastado de tudo o que é normal e saudável. Essa ideia de um horror sombrio e oculto, ligado a abismos incalculáveis e à ideia de algum tipo de distância, era estranhamente generalizada e persistente. Minha própria família não era exceção. Desde o momento em que estranhamente despertei, minha esposa me olhava com extremo horror e aversão, jurando que eu era algum alienígena que usurpava o corpo de seu marido. Em 1910, ela obteve um divórcio legal, e nunca consentiu em me ver, mesmo depois do meu retorno à normalidade, em 1913. Esses sentimentos foram compartilhados por meu filho mais velho e minha filha pequena, e nunca mais os vi desde então.

Apenas meu segundo filho, Wingate, parecia capaz de superar o terror e a repulsa que minha mudança despertou. Ele realmente sentia que eu era um estranho, mas, do alto de seus apenas 8 anos de idade, ele se apegava à fé de que eu retornaria ao normal algum dia. Quando isso realmente aconteceu, ele me procurou, e os tribunais me deram sua guarda. Nos anos seguintes, ele me ajudou com os estudos aos quais me dediquei e hoje, aos 35 anos de idade, é professor de psicologia na Miskatonic. Mas não me admiro com o horror que causei; pois, certamente, a mente, a voz e a expressão facial do ser que despertou em 15 de maio de 1908 não eram mais as de Nathaniel Wingate Peaslee.

Não vou tentar contar muito da minha vida no período de 1908 a 1913, uma vez que os leitores podem colher todos os elementos essenciais externos (como eu mesmo tive que fazer) de arquivos de jornais antigos e revistas científicas. Fui encarregado de minhas próprias finanças e passei a utilizá-las lentamente e com sabedoria em viagens e estudos por vários centros de aprendizagem. Minhas viagens, no entanto, eram singulares ao extremo; envolvendo longas visitas a lugares remotos e desolados. Em 1909, passei um mês no Himalaia e, em 1911, despertei muita atenção por causa de uma viagem de camelo aos desertos desconhecidos da Arábia. O que aconteceu nessas viagens, eu nunca fui capaz de entender. Durante o verão de 1912, fretei um navio e naveguei no Ártico, ao norte de Spitzbergen, para depois mostrar sinais de decepção.

Mais tarde, naquele ano, passei semanas sozinho, além dos limites de explorações anteriores ou subsequentes, nos vastos sistemas de cavernas calcárias do oeste da Virgínia: labirintos sombrios tão complexos, que ninguém foi capaz de seguir meus passos.

Minhas jornadas nas universidades foram marcadas por uma assimilação de conteúdo anormalmente rápida, como se a personalidade secundária tivesse uma inteligência muito superior à minha. Descobri, também, que minha velocidade de leitura e estudo individual era fenomenal. Eu poderia dominar todos os detalhes de um livro apenas virando suas folhas, e minha habilidade de interpretar com rapidez figuras complexas era muito impressionante. Às vezes apareciam notícias quase desagradáveis sobre meu poder de influenciar os pensamentos e os atos dos outros, embora eu parecesse tomar cuidado para minimizar as exibições dessa faculdade.

Outros indecorosos relatos diziam respeito à minha intimidade com líderes de grupos ocultistas e estudiosos suspeitos de conexão com bandos inomináveis e detestáveis de hierofantes do mundo antigo. Esses rumores, embora nunca tenham sido provados na época, foram, sem dúvida, estimulados pelo teor de algumas de minhas leituras; pois a consulta de livros raros em bibliotecas não pode ser feita secretamente. Há uma prova tangível, na forma de notas nas margens dos livros, de que eu tenha lido minuciosamente coisas como os *Cultes des Goules*, de Comte d'Erlette, *De Vermis Mysteriis*, de Ludvig Prinn, o *Unaussprechlichen Kulten* de von Junzt, os fragmentos sobreviventes do enigmático *Livro de Eibon* e o temido *Necronomicon* do árabe louco Abdul Alhazred. Então, também é inegável que uma nova e maligna onda de seitas secretas estabeleceu-se na época da minha estranha mutação.

No verão de 1913, comecei a mostrar sinais de enfado e a sinalizar que em breve passaria por mais uma transformação. Falei sobre devolver lembranças da minha vida anterior, embora a maioria das pessoas não acreditasse nisso, já que todas as minhas lembranças eram casuais e poderiam ter sido apanhadas em meus antigos documentos particulares. Por volta de meados de agosto, voltei a Arkham e reabri minha casa, há muito fechada, na rua Crane. Lá instalei um mecanismo do mais curioso aspecto, construído aos poucos por diferentes fabricantes de aparelhos científicos na Europa e na América, guardado cuidadosamente à vista de qualquer um inteligente o suficiente para analisá-lo. Aqueles que o viram, um operário, uma criada e a nova governanta, dizem que era uma estranha mistura de varas, rodas e espelhos, embora tivesse apenas dois metros de altura, trinta centímetros de largura e trinta centímetros de espessura. O espelho central era circular e convexo. Tudo isso é confirmado por tais fabricantes de peças que podem ser localizados.

Na noite de sexta-feira, 26 de setembro, dispensei a empregada e a governanta até o meio-dia do dia seguinte. As luzes da casa ficaram acesas até tarde, e um homem magro, moreno e curiosamente de aparência estrangeira chegou em um automóvel. As luzes foram vistas pela última vez por volta da uma da manhã. Às duas e quinze da manhã, um policial observou o local na escuridão, mas com o carro do estranho ainda estacionado próximo ao meio-fio. Às quatro horas, o carro já não estava mais lá. Foi às seis horas que uma voz hesitante e estranha pediu ao dr. Wilson que ligasse para minha casa e me acordasse de um desmaio peculiar. Essa ligação (de longa distância) foi mais tarde atribuída a um telefone público na North Station, em Boston, mas nenhum sinal do estrangeiro magro foi encontrado.

Quando o médico chegou à minha casa, encontrou-me inconsciente na sala de estar, em uma poltrona com uma mesa à frente. No tampo da mesa polida havia arranhões onde algum objeto pesado descansara. A estranha máquina havia desaparecido, e nada mais foi ouvido depois disso. Sem dúvida, o estrangeiro moreno e magro o havia pegado. Na grade da biblioteca havia cinzas abundantes evidentemente deixadas pela queima de todos os pedaços de papel que eu havia escrito desde o advento da amnésia. O dr. Wilson achou minha respiração muito peculiar, mas depois de uma injeção hipodérmica ela voltou ao normal.

Às onze e quinze do dia 27 de setembro, eu me mexi vigorosamente, e meu rosto, que até então parecia uma máscara, começou a mostrar sinais de expressão. O dr. Wilson observou que a expressão não era a da minha personalidade secundária, mas parecia muito semelhante ao meu eu normal. Por volta das onze e meia murmurei algumas sílabas muito curiosas; sílabas que pareciam não estar relacionadas com nenhuma fala humana. Eu também parecia lutar contra alguma coisa. Então, pouco depois do meio-dia, quando a criada e a governanta retornaram, comecei a murmurar em inglês:

– ...dos economistas ortodoxos daquele período, Jevons exemplifica a tendência predominante em direção à correlação científica. Sua tentativa de ligar o ciclo comercial de prosperidade e depressão com o ciclo físico das manchas solares talvez seja o ápice de...

Nathaniel Wingate Peaslee tinha voltado; um espírito que ainda estava naquela manhã de quinta-feira de 1908, com toda a turma de economia observando a mesa gasta na plataforma.

II.

Meu retorno à vida normal foi um processo doloroso e difícil. A perda de mais de cinco anos cria mais complicações do que se imagina e, no meu caso, havia inúmeras questões a serem ajustadas. O que ouvi sobre minhas ações desde 1908 surpreendeu e me perturbou, mas tentei ver o assunto da maneira mais filosófica possível. Ao recuperar a custódia do meu segundo filho, Wingate, finalmente me estabeleci com ele na casa da rua Crane e me esforcei para voltar a dar aulas; minha antiga cátedra foi gentilmente oferecida pela universidade novamente.

Comecei a trabalhar em fevereiro de 1914 e dei aulas por apenas um ano. Naquela época, percebi o quanto minha experiência me abalou. Embora perfeitamente são, eu esperava, e sem nenhuma falha em minha personalidade original, eu não tinha a excitação dos velhos tempos. Sonhos vagos e ideias estranhas me assombraram continuamente e, quando a eclosão da Guerra Mundial direcionou minha mente para a história, eu me vi pensando em períodos e eventos da maneira mais estranha possível. Minha concepção de tempo (minha capacidade de distinguir entre consecutividade e simultaneidade) parecia sutilmente desordenada, de modo que comecei a formar noções quiméricas sobre viver em uma era e projetar a consciência por toda a eternidade para ter o conhecimento das eras passadas e futuras.

A guerra me deu estranhas impressões de lembrar algumas de suas consequências distantes, como se eu soubesse como ela acabaria e pudesse vê-la em retrospectiva, à luz de informações futuras. Todas essas quase memórias vinham com muita dor e com a sensação de que alguma barreira psicológica artificial fora colocada contra elas. Quando eu contava, de forma difusa, minhas impressões a outras pessoas, encontrava respostas variadas. Algumas pessoas olhavam desconfortavelmente para mim, mas os homens do departamento de matemática falavam de novos desdobramentos das teorias da relatividade, então discutidas apenas em círculos especializados, que mais tarde se tornariam tão famosas. O dr. Albert Einstein, eles disseram, estava reduzindo rapidamente o tempo para o *status* de uma simples dimensão.

Mas os sonhos e os sentimentos perturbadores venceram, de modo que tive que abandonar meu trabalho em 1915. Certas impressões estavam assumindo uma forma irritante, dando-me a persistente noção de que minha amnésia havia formado algum tipo de troca profana; que a personalidade secundária fora de fato uma força intrusa de regiões desconhecidas e que minha própria personalidade sofrera deslocamento. Assim, fui levado a especulações vagas e assustadoras sobre o paradeiro do meu eu verdadeiro durante os anos em que o outro ficou em meu corpo. O conhecimento curioso e a conduta estranha do falecido inquilino do meu corpo me perturbaram cada vez mais à medida que eu aprendia mais detalhes com pessoas, jornais e revistas. As estranhezas que haviam confundido os outros pareciam harmonizar-se terrivelmente com algum pano de fundo do conhecimento obscuro que se inflamava nos abismos do meu subconsciente. Comecei a procurar febrilmente cada fragmento de informação sobre os estudos e as viagens daquele outro eu durante os anos sombrios.

Nem todos os meus problemas eram tão abstratos assim. Havia os sonhos, e estes pareciam aumentar em vivacidade e concretude. Sabendo como a maioria iria levá-los em conta, raramente os mencionei a outras pessoas além do meu filho ou certos psicólogos de confiança, mas acabei iniciando um estudo científico de outros casos para ver como essas visões típicas e atípicas poderiam se dar entre as vítimas de amnésia. Meus resultados, auxiliados por psicólogos, historiadores, antropólogos e especialistas em saúde mental com grande experiência, e por um estudo que incluiu todos os registros de personalidades duplas, de lendas de possessão demoníacas até a realidade médica atual, mais me incomodaram do que me consolaram.

Logo descobri que meus sonhos não tinham, de fato, contrapartida na esmagadora maioria dos verdadeiros casos de amnésia. Restava, no entanto, um minúsculo número de relatos que durante anos me desconcertou e me chocou pelo paralelismo com a minha própria experiência. Alguns deles eram pedaços de folclore antigo; outros eram histórias de casos dos anais da medicina; um ou dois eram anedotas obscuramente enterradas em histórias comuns. Assim, parecia que, embora o meu tipo especial de aflição fosse prodigiosamente raro, havia ocorrências dele em longos intervalos desde o início da história humana. Alguns séculos podem conter um, dois ou três casos; outros, nenhum, ou pelo menos nenhum cujo registro tenha sobrevivido.

A essência dos relatos era sempre a mesma: uma pessoa de atenção aguda, tomada por uma estranha vida secundária e que levava, durante um período maior ou menor, uma existência totalmente estranha tipificada inicialmente por estranheza vocal e corpórea e, mais tarde, por uma aquisição indiscriminada de dados históricos, científicos, artísticos e antropológicos, uma aquisição realizada com entusiasmo febril e com poder de absorção totalmente anormal. Então, havia um súbito retorno da consciência, atormentada de forma intermitente para sempre com sonhos vagos e insólitos, sugerindo que fragmentos de alguma memória medonha elaboradamente se apagassem. E a estreita semelhança desses pesadelos com os meus (mesmo em alguns dos menores detalhes) não deixava dúvidas em minha mente sobre sua natureza significativamente típica. Um ou dois dos casos tinham uma aura adicional de familiaridade fraca e blasfema, como se eu já tivesse ouvido falar deles por meio de algum canal cósmico mórbido e medonho demais para contemplar. Em três casos, houve menção específica a uma máquina tão desconhecida quanto a minha antes da segunda mudança.

Outro aspecto que me preocupou durante a minha investigação foi a frequência um pouco maior de casos em que um vislumbre breve e indescritível dos pesadelos típicos era concedido a pessoas não acometidas por uma amnésia bem definida. Essas pessoas, em sua maioria, tinham uma mente medíocre ou, pior ainda, eram tão primitivas, que dificilmente poderiam ser pensadas como veículos de grande erudição ou de aquisições mentais sobrenaturais. Por um segundo, elas eram tomadas por uma força alienígena e depois tinham um lapso momentâneo e breve de horrores não humanos.

Houve pelo menos três desses casos nos últimos cinquenta anos; o último há apenas quinze anos. Alguma coisa estivera tateando cegamente através do tempo a partir de algum abismo insuspeito na natureza? Seriam esses casos frágeis experiências monstruosas e sinistras de um tipo e autoria totalmente além da crença sã? Tais eram algumas das especulações sem forma em minhas horas de fraqueza, fantasias encorajadas pelos mitos que meus estudos revelaram. Eu não podia duvidar de que certas lendas persistentes de antiguidade imemorial, aparentemente desconhecidas das vítimas e dos médicos ligados a casos recentes de amnésia, formavam um espantoso e impressionante desdobramento de lapsos de memória como os meus.

Da natureza dos sonhos e das impressões que estavam surgindo com grande clamor, eu ainda temo falar. Eles pareciam ter rudimentos de loucura, e às vezes eu acreditava que estava enlouquecendo de verdade. Havia algum tipo especial de ilusão que afligia aqueles que haviam sofrido lapsos de memória? É possível que os esforços da mente subconsciente para preencher um vazio desconcertante com pseudomemórias possam dar origem a estranhos caprichos imaginativos. Isso, na verdade (embora uma teoria folclórica alternativa finalmente me parecesse mais plausível), era a crença de muitos dos alienistas que me ajudaram em minha busca por casos paralelos e que compartilhavam minha perplexidade com as semelhanças exatas por vezes descobertas. Eles não chamavam a condição de insanidade verdadeira, mas a classificavam entre os distúrbios neuróticos. O meu proceder ao tentar localizá-lo e analisá-lo, em vez de procurar em vão desprezá-lo ou esquecê-lo, foi sinceramente endossado como correto, de acordo com os melhores princípios psicológicos. Eu valorizava especialmente o conselho de médicos que me estudaram enquanto estava possuído por minha outra personalidade.

Meus primeiros distúrbios não eram visuais, mas se referiam aos assuntos mais abstratos que mencionei. Havia também um sentimento de horror profundo e inexplicável a meu próprio respeito. Desenvolvi um medo estranho de ver minha própria forma, como se meus olhos achassem algo completamente estranho e inconcebivelmente repugnante. Ao olhar para baixo e contemplar minha forma humana familiar, com roupas cinzas ou azuis, eu sempre sentia um alívio curioso, embora, para obter esse alívio, eu tivesse que vencer um medo infinito. Eu evitava espelhos o máximo possível e sempre me barbeava no salão.

Demorou muito para eu correlacionar qualquer um desses sentimentos de frustração com as impressões visuais fugazes que começaram a se desenvolver. A primeira dessas correlações tinha a ver com a estranha sensação de uma restrição externa e artificial na minha memória. Senti que os fragmentos de visão que experimentava tinham um significado profundo e terrível, e uma conexão assustadora comigo mesmo, mas que alguma influência intencional me impedia de entender esse significado e essa conexão. Então veio aquela estranheza sobre o elemento do tempo e, com ele, esforços desesperados para colocar os vislumbres fragmentários de sonhos no padrão cronológico e espacial.

Os vislumbres em si eram, a princípio, muito mais estranhos do que assustadores. Eu parecia estar em uma enorme câmara abobadada, cujas imensas colunas de pedra estavam quase perdidas nas sombras acima. Em qualquer época ou lugar que esta cena pudesse acontecer, o princípio do arco era conhecido e usado tão amplamente quanto pelos romanos. Havia janelas redondas colossais e portas altas em arco, e pedestais ou mesas tão altos quanto um quarto comum. Vastas prateleiras de madeira escura cobriam as paredes, segurando o que pareciam ser volumes imensos com estranhos hieróglifos na lombada. As pedras expostas mantinham esculturas curiosas, sempre com desenhos matemáticos curvilíneos, e havia inscrições esculpidas nos mesmos caracteres que os livros enormes traziam. A pedraria de granito escuro era de um tipo megalítico monstruoso, com linhas de blocos convexos que se ajustavam às fileiras de fundo côncavo que repousavam sobre eles. Não havia cadeiras, mas os topos dos vastos pedestais estavam cheios de livros, papéis e o que pareciam ser materiais de escrita: jarros estranhamente figurados de metal arroxeado e hastes com pontas manchadas. Por mais altos que fossem os pedestais, às vezes eu conseguia vê-los de cima. Em alguns deles havia grandes globos de cristal luminoso servindo de lâmpadas e máquinas inexplicáveis formadas por tubos vítreos e hastes de metal. As janelas eram vidradas e treliçadas com barras de aparência robusta. Embora eu não ousasse me aproximar e espiá-los, pude ver de onde estava o topo ondulante de plantas parecidas com samambaias. O chão era de lajes maciças octogonais, mas não havia tapetes e tapeçarias.

Mais tarde, tive visões nas quais eu atravessava corredores de pedra ciclópicos e subia e descia gigantescos planos inclinados da mesma alvenaria monstruosa. Não havia escadas em parte alguma, nem qualquer passagem com menos de nove metros de largura. Algumas das estruturas pelas quais eu flutuava devem ter se erguido no céu por milhares de metros. Havia vários níveis de abóbadas pretas abaixo, e portas de armadilha nunca abertas, lacradas com tiras de metal e que sugeriam sombriamente algum perigo especial. Eu parecia ser um prisioneiro, e o horror pairava sobre tudo o que via. Senti que os hieróglifos curvilíneos zombeteiros nas paredes iriam explodir minha alma com sua mensagem se eu não fosse protegido por uma ignorância misericordiosa.

Ainda mais tarde, meus sonhos incluíam vistas das grandes janelas redondas e telhados titânicos planos, com seus curiosos jardins, ampla área vazia e parapeito de pedra alto e recortado, ao qual o topo dos planos inclinados levava. Havia infindáveis quilômetros de edifícios gigantescos, cada um em seu jardim, que percorriam estradas pavimentadas com sessenta metros de largura. Eles diferiam muito no aspecto, mas poucos tinham menos de cento e cinquenta metros quadrados ou trezentos metros de altura. Muitos pareciam tão ilimitados, que deviam ter uma fachada de milhares de metros, enquanto alguns subiam a altitudes montanhosas nos céus cinzentos e fumegantes. Eles pareciam ser principalmente de pedra ou concreto, e a maioria deles incorporava um tipo de alvenaria estranhamente curvilíneo perceptível no prédio em que eu estava. Os telhados eram planos, cobertos de jardins e tendiam a ter parapeitos recortados. Às vezes havia terraços, níveis mais altos e espaços largos em meio aos jardins. As grandes vias continham indícios de movimento, mas nas visões anteriores não consegui resolver essa impressão detalhadamente.

Em certos lugares, vi enormes torres cilíndricas escuras que se elevavam muito acima de qualquer outra estrutura. Pareciam ter uma natureza totalmente única, e mostravam sinais de idade prodigiosa e dilapidação. Elas foram construídas de um tipo bizarro de alvenaria de basalto de corte quadrado e afilados ligeiramente em direção aos topos arredondados. Em nenhuma delas eram vistos traços de janelas ou outras aberturas, exceto portas enormes. Notei também alguns edifícios mais baixos, todos desmoronando por conta do tempo, que se assemelhavam a essas torres cilíndricas escuras na arquitetura básica. Ao redor de todas essas pilhas aberrantes de alvenaria de corte quadrado pairava uma inexplicável aura de ameaça e medo concentrado, como a que é criada por alçapões fechados.

Os jardins onipresentes eram quase aterrorizantes em sua estranheza, com formas de vegetação bizarras e desconhecidas balançando sobre caminhos largos alinhados com monólitos curiosamente esculpidos. Predominavam plantas anormalmente vastas semelhantes a samambaias; algumas esverdeadas e outras de uma palidez horrível e fungoide. Entre elas, havia grandes coisas espectrais semelhantes a calamites, cujos troncos semelhantes a bambu elevavam-se a alturas fabulosas. Havia formas adornadas, como fabulosas cicadáceas, e grotescos arbustos verde-escuros e árvores de aspecto conífero. As flores eram pequenas, incolores e irreconhecíveis, surgindo em canteiros geométricos e em geral no meio da vegetação. Em alguns dos jardins do terraço e do telhado havia flores maiores e mais vívidas de contornos quase ofensivos e parecendo sugerir procriação artificial. Fungos de tamanho inconcebível, de diversos contornos e cores, salpicavam a cena em padrões que revelavam alguma tradição de horticultura desconhecida, mas bem estabelecida. Nos jardins térreos, maiores, parecia haver alguma tentativa de preservar as irregularidades da natureza, mas nos telhados havia mais seletividade e mais evidências da arte da topiaria.

Os céus estavam quase sempre úmidos e nebulosos, e às vezes eu testemunhava chuvas imponentes. De vez em quando, no entanto, havia vislumbres do Sol (que parecia anormalmente grande) e da Lua, cujas marcas mantinham diferenças que nunca consegui entender. Quando, muito raramente, o céu noturno estava limpo, observei constelações quase irreconhecíveis. Os contornos conhecidos eram por vezes aproximados, mas raramente duplicados e, pela posição dos poucos grupos que pude reconhecer, senti que devia estar no Hemisfério Sul da Terra, perto do Trópico de Capricórnio. O horizonte distante era sempre fumegante e indistinto, mas eu podia ver que grandes selvas de samambaias desconhecidas, calamites, lepidodendráceas e sigilariáceas ficavam do lado de fora da cidade, com sua fantástica frondagem balançando zombeteiramente nos vapores inconstantes. De vez em quando havia sugestões de movimento no céu, mas essas minhas primeiras visões nunca se confirmaram.

No outono de 1914, comecei a ter sonhos pouco frequentes com flutuações estranhas sobre a cidade e as regiões ao redor. Vi estradas intermináveis de florestas que cresciam assustadoramente com troncos manchados, canelados e enfaixados, além de outras cidades tão estranhas quanto a que persistentemente me assombrava. Vi construções monstruosas de pedras pretas ou iridescentes nas clareiras e nos vales onde reinava o crepúsculo perpétuo, e atravessava longas estradas sobre pântanos tão escuros, que eu não conseguia distinguir nada da vegetação úmida e imponente. Certa vez, vi uma área de incontáveis quilômetros de ruínas basálticas envelhecidas, cuja arquitetura tinha sido como a das poucas torres sem janelas e de topo redondo na cidade assombrada. E uma vez vi o mar: uma extensão vaporosa sem limites além dos pilares de pedra colossais de uma enorme cidade de cúpulas e arcos. Grandes sugestões disformes de sombras moviam-se sobre ele, e aqui e ali sua superfície estava aborrecida com jorros anômalos.

III.

Como eu disse, não foi imediatamente que essas visões selvagens começaram a manter sua qualidade aterradora. Certamente, muitas pessoas sonharam coisas intrinsecamente estranhas: coisas compostas de fragmentos não relacionados à vida cotidiana, imagens e leituras, e organizadas em formas fantasticamente novas pelos caprichos descontrolados do sono. Por algum tempo, aceitei as visões como sendo algo natural, embora eu nunca tivesse sido um sonhador extravagante. Muitas das vagas anomalias, argumentei, devem ter vindo de fontes triviais numerosas demais para que possam ser rastreadas, enquanto outras pareciam refletir um conhecimento comum das plantas e outras condições do mundo primitivo de cento e cinquenta milhões de anos atrás: o mundo do período Permiano ou Triássico. No decorrer de alguns meses, no entanto, o elemento do terror figurou com força acumulada. Foi quando os sonhos começaram tão infalivelmente a ter o aspecto de lembranças, e quando minha mente começou a ligá-los a meus crescentes distúrbios abstratos (a sensação de restrição mnemônica), as curiosas impressões a respeito do tempo, a sensação de uma troca repugnante com minha personalidade secundária de 1908-13 e, consideravelmente depois, a inexplicável aversão à minha própria pessoa.

Quando certos detalhes definidos começaram a entrar nos sonhos, o horror aumentou mil vezes; até que, em outubro de 1915, senti que precisava fazer alguma coisa. Foi então que iniciei um estudo intensivo de outros casos de amnésia e visões, sentindo que poderia, assim, objetivar meu problema e afastar-me de seu controle emocional. No entanto, como mencionado anteriormente, o resultado foi, a princípio, quase exatamente o oposto. Fiquei muito incomodado ao descobrir que vários sonhos haviam sido duplicados; especialmente porque algumas das descrições eram muito antigas para admitir qualquer conhecimento geológico, e, portanto, qualquer noção de paisagens primitivas, da parte dos sujeitos. Além disso, vários desses relatos forneceram detalhes e explicações muito horríveis em conexão com as visões de grandes edifícios e jardins selvagens e em relação a outras coisas. As visões e as impressões vagas eram bastante ruins, mas o que foi sugerido ou afirmado por alguns dos outros sonhadores beirou a loucura e a blasfêmia. Pior de tudo, minha própria pseudomemória foi despertada para sonhos mais selvagens e indícios de revelações vindouras. E, no entanto, a maioria dos médicos considerou o curso tomado por mim, em geral, aconselhável.

Estudei psicologia sistematicamente e, sob o estímulo predominante, meu filho Wingate fez o mesmo; seus estudos o levaram eventualmente a lecionar. Em 1917 e 1918, fiz cursos especiais em Miskatonic. Enquanto isso, minha pesquisa de registros médicos, históricos e antropológicos tornou-se incansável e envolvia viagens a bibliotecas distantes e até uma leitura dos hediondos livros de tradições mais antigas e proibidas, pelos quais minha personalidade secundária se interessara tanto. Alguns eram as cópias reais que eu havia consultado em meu estado alterado, e fiquei muito perturbado por certas anotações que fiz nas margens e com as correções ostensivas do texto hediondo em uma escrita e um idioma que de alguma maneira pareciam estranhamente não humanos.

Essas marcações eram feitas principalmente nas respectivas línguas dos vários livros, e quem as havia escrito parecia conhecê-las com proporcional, ainda que obviamente acadêmica, facilidade. Uma nota anexada ao *Unaussprechlichen Kulten* de von Junzt, no entanto, era alarmante. Consistia de certos hieróglifos curvilíneos feitos na mesma tinta das correções alemãs, mas não seguiam nenhum padrão humano reconhecido. E esses hieróglifos eram íntima e inconfundivelmente parecidos com os personagens constantemente encontrados em meus sonhos, cujo significado eu às vezes pensava compreender ou estava prestes a lembrar. Para completar minha grave confusão, meus bibliotecários me asseguraram de que, em vista de exames anteriores e registros de consulta dos volumes em questão, todas essas anotações devem ter sido feitas por mim mesmo em meu estado secundário, apesar do fato de que eu era e ainda sou ignorante em relação a três das línguas envolvidas.

Reunindo os registros espalhados, antigos e modernos, antropológicos e médicos, encontrei uma mistura bastante consistente de mito e alucinação, cujo escopo e selvageria me deixaram completamente confuso. Apenas uma coisa me consolou: o fato de que os mitos eram muito antigos. Que conhecimento perdido poderia ter trazido imagens da paisagem paleozoica ou mesozoica para essas fábulas primitivas, eu não poderia nem imaginar, mas as imagens estavam lá. Assim, existia uma base para a formação de um tipo fixo de ilusão. Os casos de amnésia sem dúvida criaram o padrão geral dos mitos, mas depois os acréscimos fantasiosos dos mitos devem ter reagido aos que sofrem de amnésia e colorido suas pseudomemórias. Eu mesmo tinha lido e ouvido todas as histórias primitivas durante meu lapso de memória, minha busca havia provado isso amplamente. Não era natural, então, que meus sonhos e minhas impressões emocionais subsequentes se tornassem coloridos e moldados pelo que minha memória sutilmente retinha de minha personalidade secundária? Alguns dos mitos tinham conexões significativas com outras lendas nebulosas do mundo pré-humano, especialmente aqueles contos hindus que envolviam abismos estupendos do tempo e faziam parte do folclore dos teosofistas modernos.

O mito primitivo e a ilusão moderna juntaram-se em sua suposição de que a humanidade é apenas uma (talvez a menor) das raças altamente evoluídas e dominantes da longa e desconhecida história do planeta. Os mitos sugeriam que criaturas de uma forma inconcebível haviam levantado torres que iam em direção ao céu e mergulhado em todos os segredos da natureza antes que o primeiro anfíbio ancestral do homem tivesse se arrastado para fora do mar quente trezentos milhões de anos atrás. Algumas dessas criaturas desceram das estrelas; algumas eram tão antigas quanto o próprio cosmo; outras surgiram rapidamente dos germes terrenos tão distantes dos nossos primeiros germes do ciclo de vida quanto esses germes são anteriores a nós mesmos. Falava-se livremente de durações de bilhões de anos e ligações com outras galáxias e universos. De fato, não existia o tempo em seu sentido humanamente aceito.

Contudo, a maioria dos contos e das impressões dizia respeito a uma raça relativamente tardia, de uma forma estranha e complexa que não se assemelhava a nenhuma forma de vida conhecida pela ciência, que vivera até cinquenta milhões de anos antes do advento do homem. Esta havia sido a maior raça de todas, pois somente ela conquistou o segredo do tempo. Aprendera todas as coisas que já foram conhecidas ou seriam conhecidas na Terra, por meio do poder de suas mentes mais apuradas para se projetar no passado e no futuro, mesmo por abismos de milhões de anos, e estudar as tradições de todas as eras. Das realizações dessa raça, surgiram todas as lendas dos profetas, inclusive as da mitologia humana.

Em suas vastas bibliotecas, havia volumes de textos e gravuras contendo todos os anais da história da Terra: histórias e descrições de todas as espécies que já existiram ou viriam a existir, com registros completos de suas artes, suas realizações, suas línguas e suas psicologias. Com esse conhecimento abrangente, a Grande Raça pôde escolher, entre todas as épocas e formas de vida, os pensamentos, as artes e os processos que melhor se adaptassem à sua própria natureza e situação. O conhecimento do passado, assegurado por uma espécie de projeção mental fora dos cinco sentidos já conhecidos, era mais difícil de aprender do que o conhecimento relativo ao futuro.

Nesse último caso, o curso foi mais fácil e mais material. Com uma ajuda mecânica adequada, a mente dessas criaturas projetava-se para frente no tempo, sondando o seu obscuro caminho extrassensorial até se aproximar do período desejado. Então, após os julgamentos preliminares, elas se aproveitariam do melhor representante detectável da mais alta das formas de vida desse período, entrando no cérebro desse organismo e estabelecendo nele suas próprias vibrações enquanto a mente deslocada voltava ao período do deslocador, permanecendo no corpo deste até que um processo reverso fosse estabelecido. A mente projetada no corpo do organismo do futuro passaria por um membro da raça cuja forma exterior utilizasse, aprendendo rapidamente tudo o que fosse possível sobre a época escolhida e suas informações e técnicas.

Enquanto isso, a mente desalojada, lançada de volta à época e ao corpo do ocupante, seria cuidadosamente preservada. Não seria possível prejudicar o corpo que ocupava e ele teria todo o seu conhecimento extraído por inquisidores bem treinados. Muitas vezes, a pessoa poderia responder às perguntas em sua própria língua, quando as buscas anteriores no futuro trouxessem registros dela. Se a mente viesse de um corpo cuja linguagem a Grande Raça não poderia reproduzir fisicamente, construiriam-se máquinas inteligentes, nas quais a fala alienígena poderia ser tocada como um instrumento musical. Os membros da Grande Raça eram imensos cones rugosos de três metros de altura, e com a cabeça e outros órgãos presos a membros distendíveis com trinta centímetros de espessura que se estendiam dos ápices. Eles falavam raspando ou estalando suas enormes patas ou garras presas ao final de dois dos seus quatro membros, e caminhavam pela expansão e contração de uma camada viscosa presa à sua grande base de três metros.

Quando a surpresa e o ressentimento da mente cativa se dissipavam, e quando (supondo-se que a criatura provinha de um corpo muito diferente do da Grande Raça) ela perdera o horror com sua forma temporária desconhecida, era-lhe permitido estudar seu novo ambiente e experimentar um maravilhamento e uma sabedoria próximos de seu usurpador. Com as devidas precauções, e em troca de serviços adequados, era permitido percorrer todo o mundo habitável em grandes aeronaves ou nos imensos veículos com motores atômicos, que percorriam as grandes estradas, e mergulhar livremente nas bibliotecas que continham registros sobre o passado e o futuro do planeta. Isso fez com que muitas mentes cativas se reconciliassem com sua sina, pois eram dotadas de intelectos aguçados para as quais o desvelar dos mistérios ocultos da terra (capítulos fechados de passados inconcebíveis e vórtices vertiginosos do tempo futuro que incluem os anos à frente da época em que viviam) sempre constitui, apesar dos horrores abismais revelados frequentemente, a experiência suprema da vida.

De vez em quando, certas mentes cativas tinham permissão de encontrar outras mentes cativas confiscadas do futuro para trocar ideias com consciências que viviam cem, mil ou um milhão de anos antes ou depois de suas próprias épocas. E todas eram estimuladas a escrever copiosamente, em seu próprio idioma, sobre si próprios e suas respectivas épocas; tais documentos eram depositados nos grandes arquivos centrais.

Pode-se acrescentar que havia um triste tipo especial de mente cativa cujos privilégios eram muito maiores do que os da maioria. Eram os exilados permanentes que estavam morrendo, cujos corpos no futuro haviam sido tomados por membros da Grande Raça, que, diante da morte, procuravam escapar da extinção mental. Esses exílios melancólicos não eram tão comuns quanto se poderia esperar, uma vez que a longevidade da Grande Raça diminuía seu amor à vida, especialmente entre aquelas mentes superiores capazes de se projetar. Dos casos de projeção permanente de mentes anciãs surgiram muitas daquelas mudanças duradouras de personalidade notadas na história recente, incluindo a da humanidade.

Em relação aos casos típicos de exploração, quando a mente deslocada já havia aprendido o que desejava no futuro, a mente exploradora construía um aparelho como aquele que iniciara sua viagem inicial e revertia o processo de projeção. Mais uma vez estaria em seu próprio corpo e em sua própria época, enquanto a mente cativa retornaria àquele corpo do futuro ao qual pertencia. Essa restauração era impossível somente quando um ou outro corpo morria durante a troca. Em tais casos, é claro, a mente exploradora tinha, assim como os fugitivos da morte, uma vida de corpo alienígena no futuro; ou então a mente cativa, como os exilados permanentes moribundos, tinha que terminar seus dias na forma e na época passada da Grande Raça.

Esse destino era menos horrível quando a mente cativa também pertencia à Grande Raça; uma ocorrência não rara, já que em todos os seus períodos essa raça estava intensamente preocupada com seu próprio futuro. O número de exilados permanentes que morreram na Grande Raça era muito pequeno, em grande parte devido às enormes penalidades associadas aos deslocamentos das futuras mentes da Grande Raça pelos moribundos. Por meio da projeção, foram tomadas providências para infligir essas penalidades às mentes infratoras em seus novos corpos futuros e, às vezes, foram efetuadas novas trocas forçadas. Tomou-se conhecimento de vários casos complexos do deslocamento de mentes exploradoras ou já cativas por mentes do passado, porém cuidadosamente retificados. Em todas as épocas desde a descoberta da projeção da mente, uma parcela pequena, mas bem reconhecida da população, consistia de mentes da Grande Raça provenientes de épocas passadas, que faziam visitas por períodos maiores ou menores.

Quando uma mente cativa de origem alienígena retornava ao seu próprio corpo no futuro, ela era expurgada por uma intrincada hipnose mecânica de tudo o que havia aprendido na época da Grande Raça, isso devido a certas consequências problemáticas inerentes ao avanço geral do conhecimento em grandes quantidades. Os poucos casos existentes de transmissão direta causaram, e causariam em tempos futuros conhecidos, grandes desastres. E foi em grande parte por causa de dois casos do tipo (disseram os antigos mitos) que a humanidade aprendeu o que sabia a respeito da Grande Raça. De todas as coisas que sobreviveram física e diretamente daquele mundo distante, restavam apenas certas ruínas de grandes pedras em lugares distantes e no fundo do mar, e partes do texto dos terríveis Manuscritos Pnakóticos.

Assim, a mente que retornava alcançava a sua própria época apenas com as visões mais fracas e fragmentadas do que o momento em que havia sido tomada. Todas as lembranças que poderiam ser erradicadas o seriam, de modo que, na maioria dos casos, apenas um vazio se estendia até o momento da primeira troca. Algumas mentes se lembravam mais do que outras, e a chance de juntar lembranças em raras ocasiões trouxe indícios do passado proibido para as épocas futuras. Provavelmente nunca houve um tempo em que grupos ou cultos não apreciassem secretamente algumas dessas sugestões. No *Necronomicon*, a presença de tal culto entre os seres humanos foi sugerida; um culto que às vezes ajudava as mentes que viajavam pelos aeons desde os tempos da Grande Raça.

Enquanto isso, a Grande Raça tornava-se quase onisciente e se dedicava à tarefa de estabelecer trocas com as mentes de outros planetas e de explorar seus passados e futuros. Procurava também sondar os anos passados e a origem daquela órbita escura e morta em um espaço distante de onde sua própria herança mental havia surgido, pois a mente da Grande Raça era mais velha que sua forma corpórea. Os seres de um mundo antigo agonizante, que alcançou a sabedoria com os últimos segredos, procuravam um novo mundo e espécies que pudessem ter uma vida longa; e enviaram suas mentes em massa para aquela futura raça mais bem-adaptada a abrigá-las: as criaturas em forma de cone que povoaram a Terra há um bilhão de anos. Assim a Grande Raça surgiu, enquanto a miríade de mentes enviadas para o passado foi abandonada para morrer no horror de formas estranhas. Mais tarde, a raça enfrentaria novamente a morte, mas viveria por meio de outra migração avançada de suas melhores mentes para os corpos de outras pessoas que tivessem uma duração física maior à sua frente.

Este era o pano de fundo das lendas e alucinações entrelaçadas. Quando, por volta de 1920, fiz minhas pesquisas de maneira coerente, senti uma ligeira diminuição da tensão que seus estágios iniciais haviam causado. Afinal de contas, e apesar das fantasias provocadas por emoções cegas, a maior parte dos meus fenômenos não poderia ser facilmente explicada? Qualquer oportunidade poderia ter me transformado em estudos sombrios durante a amnésia; e além do mais li as lendas proibidas e encontrei os membros de cultos antigos e malvistos. Isso, claramente, forneceu o material para os sonhos e os sentimentos perturbados que vieram depois de a memória ter retornado. Quanto às notas nas margens dos livros, feitas em hieróglifos de sonhos e línguas desconhecidas para mim, mas deixadas à minha porta por bibliotecários, eu poderia facilmente ter captado um punhado de línguas durante meu estado secundário, enquanto os hieróglifos eram, sem dúvida, cunhados pela minha fantasia de descrições de velhas lendas e depois tecidas em meus sonhos. Tentei verificar certos pontos por meio de conversas com líderes de cultos conhecidos, mas nunca consegui estabelecer as conexões necessárias.

Às vezes, o paralelismo de tantos casos em épocas tão distantes continuava a me preocupar como no começo, mas, em contrapartida, eu pensava que o estimulante folclore era sem dúvidas mais universal no passado do que no presente. Provavelmente todas as outras vítimas, cujos casos eram como o meu, tinham um longo e familiar conhecimento das histórias que eu aprendera apenas quando em meu estado secundário. Quando essas vítimas perderam a memória, associaram-se às criaturas de seus mitos domésticos (os fabulosos invasores que supostamente desalojaram as mentes dos homens) e, assim, embarcavam em busca de conhecimentos que eles acreditavam ser possível levar de volta a um imaginário passado não humano. Então, quando a memória deles retornava, eles revertiam o processo associativo e viam a si mesmos como as antigas mentes cativas, em vez de como os usurpadores. Daí o motivo de sonhos e pseudomemórias seguirem o padrão convencional dos mitos.

Apesar do aparente descalabro dessas explicações, elas finalmente substituíram todas as outras em minha mente; em grande parte por causa da fraqueza de qualquer teoria rival. E um número substancial de eminentes psicólogos e antropólogos concordou gradualmente comigo. Quanto mais eu refletia, mais convincente meu raciocínio parecia; até que no final tive um alicerce realmente eficaz contra as visões e impressões que ainda me assaltavam. Supondo que eu visse coisas estranhas à noite, elas eram apenas o que eu tinha ouvido e lido. Supondo que eu tivesse perspectivas estranhas e pseudomemórias, tudo isso eram também apenas ecos de mitos absorvidos em meu estado secundário. Nada que eu pudesse sonhar, nada que eu pudesse sentir, poderia ter algum significado real.

Fortalecido por essa filosofia, melhorei muito meu equilíbrio nervoso, embora as visões (em vez das impressões abstratas) se tornassem cada vez mais frequentes e mais perturbadoras. Em 1922, senti-me capaz de retomar o trabalho e de colocar em prática meus conhecimentos recentemente adquiridos, aceitando um cargo de professor universitário de psicologia. Minha antiga cátedra de economia política há muito tempo tinha sido adequadamente preenchida; além do que, os métodos de ensino da economia mudaram muito desde o meu auge. Nesse momento, meu filho estava começando sua pós-graduação, que o levou à sua atual cátedra, e por isso trabalhamos muito juntos.

IV.

Continuei, no entanto, a manter um registro cuidadoso dos sonhos que se apossaram de mim tão densa e vividamente. Tais registros, argumentei, eram de valor genuíno como documento psicológico. Os vislumbres ainda pareciam incrivelmente parecidos com memórias, embora eu lutasse contra essa impressão com uma boa margem de sucesso. Ao escrever, tratei os fantasmas como coisas vistas, mas em todos os outros momentos eu os pus de lado como qualquer ilusão noturna. Eu nunca havia mencionado tais assuntos em conversas casuais, embora as menções a elas, filtrando determinados trechos, tenham despertado vários rumores sobre minha saúde mental. É divertido refletir que esses rumores circularam somente entre leigos, sem um único médico ou psicólogo.

De minhas visões depois de 1914, mencionarei aqui apenas algumas, já que relatos e registros mais completos estão à disposição de pesquisadores sérios. É evidente que, com o tempo, as curiosas inibições diminuíram um pouco, pois o alcance de minhas visões aumentou enormemente. Elas, no entanto, nunca se tornaram mais que fragmentos desarticulados, aparentemente sem motivação clara. Dentro dos sonhos, pareciam gradualmente adquirir uma liberdade cada vez maior de perambulação. Flutuei por diversos edifícios estranhos de pedra, indo de um para o outro ao longo de enormes passagens subterrâneas que pareciam formar vias comuns de trânsito. Às vezes eu encontrava aqueles gigantescos alçapões fechados no nível mais baixo, em torno dos quais uma aura de medo e proibição se fixava. Vi imensas piscinas de cerâmica e salas de utensílios curiosos e inexplicáveis de inúmeras espécies. Havia cavernas colossais de maquinário intrincado cujos contornos e propósito eram totalmente estranhos para mim, e cujo som só se manifestou após muitos anos de sonhos. Posso dizer que visão e audição são os únicos sentidos que eu já exercitei no mundo visionário.

O verdadeiro horror começou em maio de 1915, quando vi pela primeira vez aquelas criaturas vivas. Isso foi antes de meus estudos me ensinarem o que esperar dos mitos e dos relatos. Enquanto as barreiras mentais rompiam-se, vi grandes massas de um fino vapor em várias partes das construções e nas ruas abaixo. Elas tornaram-se cada vez mais sólidas e distintas, até que finalmente consegui traçar seus contornos monstruosos com facilidade desconfortável. Pareciam ser enormes cones cintlantes, com cerca de três metros de altura e dez de largura na base, feitos de alguma matéria enrugada, escamosa e semielástica. De seus ápices projetavam-se quatro membros flexíveis e cilíndricos, cada um com trinta centímetros de espessura e uma substância enrugada como a dos próprios cones. Esses membros eram às vezes contraídos até quase sumir e às vezes estendiam-se a qualquer distância até cerca de três metros. Dois deles terminavam em enormes pinças ou garras. No final de um terceiro, havia quatro apêndices vermelhos, semelhantes a trombetas. O quarto terminava em um globo amarelado irregular com cerca de sessenta centímetros de diâmetro e três grandes olhos escuros ao longo de sua circunferência central. Sobre a cabeça, havia quatro hastes cinzentas com apêndices parecidos com flores, enquanto da parte inferior pendiam oito antenas ou tentáculos esverdeados. A grande base do cone central possuía uma substância cinzenta e emborrachada que movia toda a entidade por meio de contração e expansão.

Suas ações, embora inofensivas, me horrorizaram ainda mais do que sua aparência, pois não é saudável observar objetos monstruosos fazendo o que apenas seres humanos podem desempenhar. Essas criaturas moviam-se inteligentemente ao redor das grandes salas, pegando livros das prateleiras e levando-os para as grandes mesas, ou vice-versa, e às vezes escrevendo de forma ágil com uma vara peculiar presa nos tentáculos esverdeados da cabeça. As enormes pinças eram usadas para carregar livros e conversar; o discurso consistia em um tipo de clique e raspagem. As criaturas não tinham roupas, mas usavam sacolas ou mochilas suspensas no topo do tronco cônico. Elas normalmente mantinham a cabeça e seu membro de suporte no nível do topo do cone, embora frequentemente se erguessem ou se abaixassem. Os outros três grandes membros tendiam a permanecer repousando nos lados do cone, contraídos a cerca de um metro e meio, quando não estavam em uso. Pela velocidade com que liam, escreviam e operavam suas máquinas (as que estavam nas mesas pareciam de alguma maneira estar relacionadas ao pensamento), concluí que a inteligência delas era muito maior que a do homem.

Depois passei a vê-las em toda parte, aglomeradas em todas as grandes câmaras e corredores, cuidando de máquinas monstruosas em criptas abobadadas e correndo pelas vastas estradas em gigantescos carros em forma de barco. Deixei de ter medo delas, pois pareciam formar partes extremamente naturais de seu ambiente. Diferenças individuais entre eles começaram a se manifestar, e algumas pareciam estar sob algum tipo de restrição. Essas últimas, embora não apresentassem variação física, tinham uma diversidade de gestos e hábitos que as distinguiam não apenas da maioria, mas em grande parte uma da outra. Elas escreveram muito no que parecia, ao meu olhar turvo, uma vasta variedade de caracteres; jamais usando os típicos hieróglifos curvilíneos da maioria. Algumas, imaginei, usavam o próprio alfabeto que nos é familiar. A maioria trabalhava muito mais devagar do que a massa geral das criaturas.

Durante todo esse tempo, minha participação nos sonhos parecia ser a de uma consciência desencarnada com uma visão mais ampla que o normal, que flutuava livremente, ainda que confinada aos caminhos e às velocidades normais. Somente em agosto de 1915 alguma sugestão de existência corporal começou a me atormentar. Digo isso porque na primeira fase ocorreu uma associação puramente abstrata, embora infinitamente terrível, da minha aversão ao meu próprio corpo anteriormente observada nas cenas das minhas visões. Durante algum tempo, minha preocupação principal durante os sonhos era evitar olhar para mim mesmo, e me lembro do quanto estava grato pela ausência total de grandes espelhos nos estranhos cômodos. Fiquei muito perturbado com o fato de que sempre via as grandes mesas, cuja altura não podia ser inferior a três metros, de um nível não inferior ao de suas superfícies.

E assim a tentação mórbida de olhar para mim mesmo tornou-se cada vez maior, até que uma noite não consegui resistir. No começo, olhar para baixo não revelou nada. Um momento depois, percebi que isso acontecia porque minha cabeça estava no final de um pescoço flexível muito comprido. Ao retrair esse pescoço e olhar bem para baixo, vi a massa escamosa, rugosa e brilhante de um enorme cone de três metros de altura e três metros de largura na base. Foi quando acordei metade de Arkham com meus gritos enquanto mergulhava loucamente no abismo do sono.

Somente depois de semanas de terrível repetição consegui me reconciliar com essas visões de mim mesmo naquela monstruosa forma. Nos sonhos, eu agora me movia corporalmente em meio a outras entidades desconhecidas, lendo livros terríveis das prateleiras intermináveis e escrevendo por horas nas grandes mesas com uma caneta gerenciada pelos tentáculos verdes que pendiam da minha cabeça. Pedaços do que eu li e escrevi permaneceram na minha memória. Havia horríveis anais de outros mundos e outros universos, e de vibrações de vida sem forma fora de todos os universos. Havia registros de estranhas ordens de seres que tinham povoado o mundo em passados esquecidos e terríveis crônicas de inteligências corpóreas e grotescas que as pessoas usariam milhões de anos após a morte do último ser humano. Aprendi sobre os capítulos da história humana de cuja existência nenhum estudioso atual jamais suspeitou. A maioria desses escritos era feita com hieróglifos, que estudei de uma maneira estranha com o auxílio de máquinas, e que evidentemente era uma língua aglutinadora com sistemas de radicais totalmente diferente de qualquer outro encontrado em linguagens humanas. Outros volumes estavam escritos em outras línguas desconhecidas, com o mesmo sistema. Bem poucos estavam em línguas por mim conhecidas. Imagens extremamente inteligentes, aquelas inseridas nos registros e as que formavam coleções separadas, me ajudaram imensamente. E todo o tempo eu parecia estar escrevendo, em inglês, uma história da minha própria época. Ao acordar, lembrei-me apenas de pequenos fragmentos sem sentido sobre as línguas desconhecidas que meu eu onírico aprendera, embora frases inteiras da história ainda permanecessem comigo.

Aprendi, mesmo antes de meu eu desperto ter estudado os casos paralelos ou os antigos mitos dos quais os sonhos sem dúvida surgiram, que as entidades ao meu redor pertenciam à maior raça do mundo, que havia conquistado o tempo e enviado mentes exploradoras para todas as épocas. Eu também sabia que havia sido retirado da minha época enquanto outro usava meu corpo naquela mesma época e que algumas das outras formas estranhas abrigavam mentes igualmente capturadas. Pareciam falar em uma estranha linguagem de cliques, com intelectos exilados de todos os cantos do sistema solar.

Havia uma mente do planeta que conhecemos como Vênus, que viveria em incontáveis épocas vindouras, e outra que vinha de uma Lua distante de Júpiter que vivia seis milhões de anos no passado. Em relação às mentes terrenas, havia alguns indivíduos de uma raça alada, com cabeça em forma de estrela-do-mar e semivegetal da Antártica paleogênica; um do povo reptiliano da fabulosa Valúsia; três dos adoradores hiperbóreos pré-humanos peludos de Tsathoggua; um do totalmente abominável Tcho-Tchos; dois dos habitantes aracnídeos da última época da Terra; cinco da resistente espécie de coleópteros que habitou a Terra imediatamente após a humanidade, para a qual a Grande Raça um dia transferiria em massa suas mentes mais afiadas diante de um perigo horrível; e vários de diferentes ramificações da humanidade.

Conversei com a mente de Yiang-Li, um filósofo do cruel império de Tsan-Chan, que está por vir em 5.000 d.C.; com a de um general de um povo escuro e de cabeça grande que ocupava a África do Sul em 50.000 a.C.; com a de um monge florentino do século XII chamado Bartolomeo Corsi; com a de um rei de Lomar que governara aquele terrível território polar cem mil anos antes do atarracados e amarelos Inutos chegarem do oeste para engoli-lo; com a de Nug-Soth, um mago dos conquistadores escuros de 16.000 d.C.; com a de um romano chamado Titus Sempronius Blaesus, que havia sido um questor no tempo de Sula; com a de Khephnes, um egípcio da 14ª dinastia que me contou o hediondo segredo de Nyarlathotep; com a de um sacerdote de um reino da Atlântida; com a de um cavalheiro de Suffolk dos tempos de Cromwell, James Woodville; com a de um astrônomo da corte do Peru pré-incaico; com a do físico australiano Nevil Kingston-Brown, que morrerá em 2.518 d.C.; com a de uma arquimago que desapareceu no Pacífico; com o de Teodotides, um oficial greco-báctrio de 200 a.C.; com a de um francês idoso da época de Luís XIII chamado Pierre-Louis Montmagny; com a de Crom-Ya, um comandante cimério de 15.000 a.C.; e com tantos outros, que meu cérebro não pôde conter os segredos chocantes e as maravilhas estonteantes que aprendi com eles.

Acordava todas as manhãs com febre, às vezes tentando freneticamente verificar ou desconsiderar essas informações ao alcance do conhecimento humano moderno. Os fatos tradicionais assumiram aspectos novos e duvidosos, e fiquei maravilhado com a fantasia onírica que poderia inventar complementos tão surpreendentes para a história e a ciência. Tremi ao pensar nos mistérios que o passado pode esconder e diante das ameaças que o futuro poderia trazer. O que foi sugerido no discurso de entidades pós-humanas sobre o destino da humanidade produziu tal efeito em mim, que não contarei aqui. Depois do homem haveria uma poderosa civilização dos besouros, cujos corpos a elite da Grande Raça tomaria quando a destruição monstruosa atingisse o mundo antigo. Mais tarde, à medida que a extensão da Terra chegasse ao fim, as mentes transferidas voltariam a migrar pelo tempo e pelo espaço para outro ponto de parada nos corpos das entidades vegetais bulbosas de Mercúrio. No entanto, haveria mais raças depois deles, que se agarrariam pateticamente ao planeta frio e viveriam em seu núcleo cheio de horror, antes do fim absoluto.

Enquanto isso, em meus sonhos, escrevia incansavelmente a história de minha época que estava preparando (meio por vontade, meio por promessas de aumento de oportunidades de acesso a bibliotecas e viagens) para os arquivos centrais da Grande Raça. Os arquivos estavam em uma estrutura subterrânea colossal perto do centro da cidade, que passei a conhecer melhor por conta de trabalhos e consultas frequentes. Destinado a durar tanto quanto a Grande Raça e a suportar as mais ferozes das convulsões da Terra, esse repositório de titãs ultrapassava todos os outros edifícios em sua robustez maciça e montanhosa.

Os registros, escritos ou impressos em grandes folhas de um tecido de celulose curiosamente tenaz, estavam encadernados em livros que se abriam por cima e eram mantidos em estojos individuais de um metal inoxidável, extremamente leve, de cor acinzentada, decorado com desenhos matemáticos e mostrando o título nos hieróglifos curvilíneos da Grande Raça. Essas caixas eram armazenadas em fileiras de cofres retangulares, como estantes fechadas e trancadas, feitos do mesmo metal inoxidável e presos por maçanetas com tornos intrincados. Minha própria história foi atribuída a um lugar específico nos cofres no nível mais baixo dos vertebrados, na seção dedicada à cultura da humanidade e das raças peludas e reptilianas que imediatamente a precederam no domínio terrestre.

Entretanto, nenhum dos sonhos me apresentou uma imagem completa da vida cotidiana. Todos eram meros fragmentos nebulosos e desconectados, e é certo que esses fragmentos não foram desdobrados em sua sequência correta. Por exemplo, tenho uma ideia muito imperfeita dos meus próprios alojamentos no mundo dos sonhos, embora eu acredite ter possuído uma grande sala de pedra. Minhas restrições como prisioneiro desapareceram gradualmente, de modo que algumas das visões incluíram viagens vívidas pelas poderosas estradas no meio da selva, estadias em cidades estranhas e explorações das vastas ruínas escuras sem janelas, as quais a Grande Raça parecia temer. Havia também longas viagens marítimas em enormes barcos de incrível rapidez, e viagens por regiões selvagens em aeronaves fechadas, semelhantes a projéteis, levantadas e movidas por repulsão elétrica. Além do cálido e amplo oceano, havia outras cidades que pertenciam à Grande Raça, e em um continente distante eu vi as vilas rústicas das criaturas aladas de focinho preto, que evoluiriam como uma linhagem dominante depois que a Grande Raça enviasse suas mentes mais proeminentes para o futuro a fim de escapar do horror arrepiante. A planura e a vegetação exuberante sempre foram a tônica da paisagem. As colinas eram baixas e esparsas, e geralmente exibiam sinais de atividade vulcânica.

Sobre os animais que vi, eu poderia escrever volumes inteiros. Todos eram selvagens; pois a cultura mecanizada da Grande Raça há muito tempo eliminara os animais domésticos, enquanto a comida era totalmente vegetal ou sintética. Répteis desajeitados de grande porte afundavam-se em montículos fumegantes, esvoaçavam no ar pesado ou nadavam nos mares e nos lagos; e entre eles eu imaginava poder reconhecer vagamente protótipos menores e arcaicos de muitas formas:

dinossauros, pterodáctilos, ictiossauros, labirintodontes, ranforrincos, plesiossauros e afins, conhecidos pela paleontologia. Não havia pássaros ou mamíferos que eu pudesse reconhecer.

O solo e os pântanos estavam constantemente vivos, com cobras, lagartos e crocodilos, enquanto insetos zumbiam incessantemente em meio à vegetação exuberante. E longe, no mar, monstros nunca estudados e desconhecidos esguichavam colunas de espuma no céu enevoado. Certa vez, fui levado para o fundo do mar em um gigantesco navio submarino com holofotes e vislumbrei alguns monstros vivos de incrível magnitude. Vi também as ruínas de incríveis cidades afundadas e a riqueza de crinoides, braquiópodes, corais e vida ictíica que abundavam em todos os lugares.

Em relação à fisiologia, à psicologia, ao folclore e à história detalhada da Grande Raça, minhas visões preservaram pouca informação, e muitos dos detalhes aqui registrados foram extraídos de meu estudo de antigas lendas e outros casos, e não de meus próprios sonhos. Com o tempo, é claro, minha leitura e pesquisa alcançaram e ultrapassaram os sonhos em muitas fases, de modo que certos fragmentos de sonhos foram explicados com antecedência e ratificaram o que eu havia aprendido. Isso consolidou minha convicção de que leitura e pesquisa semelhantes, realizadas pelo meu eu secundário, deviam estar na origem de todo o tecido terrível das pseudomemórias.

O período dos meus sonhos, aparentemente, aconteceu em algum momento anterior a 150 milhões de anos atrás, quando a Era Paleozoica estava dando lugar à Era Mesozoica. Os corpos ocupados pela Grande Raça não representavam uma linha de evolução terrestre, ou mesmo cientificamente conhecida, mas eram de um tipo orgânico peculiar, estreitamente homogêneo e altamente especializado, que se inclinava tanto para o estado vegetal quanto para o estado animal. A ação celular era de um tipo único, quase excluía a fadiga e eliminava totalmente a necessidade de sono. Os alimentos, assimilados pelos apêndices vermelhos semelhantes a trombeta em um dos grandes membros flexíveis, eram sempre semifluidos e, em muitos aspectos, totalmente diferentes do alimento dos animais existentes. Os seres tinham apenas dois dos sentidos que reconhecemos: visão e audição, o último realizado por meio dos apêndices semelhantes a flores nos caules cinzentos acima de suas cabeças, mas também possuíam muitos outros incompreensíveis sentidos (portanto, de difícil utilização por parte das mentes cativas alienígenas). Seus três olhos estavam situados de modo a lhes proporcionar uma visão mais ampla que o normal. Seu sangue era uma espécie de icor verde-escuro de grossa espessura. Eles não tinham sexo, mas reproduziam-se por meio de sementes ou esporos que se agrupavam em suas bases e só podiam ser desenvolvidos debaixo d'água. Grandes tanques rasos eram usados para a criação de seus rebentos que, no entanto, eram criados apenas em pequeno número, por conta da longevidade dos indivíduos, cujo tempo médio de vida era de quatro ou cinco mil anos.

Indivíduos defeituosos eram discretamente descartados assim que seus defeitos eram notados. A doença e a eminência da morte eram, na ausência de um sentido de tato ou de dor física, reconhecidas por sintomas puramente visuais. Os mortos eram incinerados em cerimônias dignas. De vez em quando, como anteriormente mencionado, uma mente aguçada escapava da morte por projeção para o futuro, mas esses casos não eram numerosos. Quando ocorriam, a mente exilada vinda do futuro era tratada com a maior bondade possível até a dissolução de seu desconhecido invólucro.

A Grande Raça parecia formar uma única nação ou liga frouxamente unida, com as principais instituições em comum, embora houvesse quatro divisões definidas. O sistema político e econômico de cada unidade era uma espécie de socialismo fascista, com grandes recursos racionalmente distribuídos, e poder delegado a um pequeno conselho diretor eleito pelos votos de todos capazes de passar em determinados testes educacionais e psicológicos. A organização familiar não era superestimada, embora os laços entre pessoas de ascendência comum fossem reconhecidos, e os jovens geralmente eram criados por seus pais.

As semelhanças com as atitudes e as instituições humanas eram, evidentemente, mais marcantes naqueles campos onde, por um lado, estavam envolvidos elementos altamente abstratos, ou onde, por outro lado, havia um predomínio de necessidades básicas, não especializadas, comuns a toda vida orgânica. Algumas semelhanças adicionais vieram por meio da adoção consciente, enquanto a Grande Raça sondava o futuro e copiava aquilo de que gostava. A indústria, altamente mecanizada, exigia pouco tempo de cada cidadão; e o abundante tempo para o lazer foi preenchido com atividades intelectuais e estéticas de vários tipos. As ciências foram levadas a um inacreditável nível de desenvolvimento, e a arte era uma parte vital da vida, embora no período de meus sonhos ela tivesse passado por seu apogeu. A tecnologia foi enormemente estimulada pela luta constante para sobreviver e manter a existência do tecido físico das grandes cidades, imposto pelos prodigiosos levantes geológicos daqueles primitivos dias.

Crimes eram algo surpreendentemente escasso e tratados com um policiamento altamente eficiente. As punições iam desde privação de privilégios e prisão até a morte ou grandes provações emocionais, e nunca eram administradas sem um estudo cuidadoso das motivações do criminoso. A guerra, em grande parte civilizada nos últimos milênios, embora às vezes travada contra invasores reptilianos e octopodistas, ou contra os Grandes Anciões alados, de cabeça em formato de estrela-do-mar, vindos da Antártica, era pouco frequente, embora infinitamente devastadora. Um exército enorme, usando armas parecidas com câmeras, com tremendos efeitos elétricos, era mantido à mão para propósitos raramente mencionados, mas obviamente ligados ao medo incessante das ruínas escuras e dos grandes alçapões trancados nos profundos níveis subterrâneos.

Esse medo das ruínas basálticas e dos alçapões era, em grande parte, um caso de sugestão não mencionada ou, no máximo, de sussurros quase furtivos. Tudo o que lhe interessava estava significativamente ausente dos livros nas prateleiras comuns. Era o único assunto que era um tabu entre a Grande Raça, e parecia estar conectado com horríveis lutas passadas, e com esse perigo vindouro que um dia a forçaria a enviar suas mentes mais aguçadas, em massa, para o futuro. Por mais imperfeitas e fragmentárias que fossem as outras coisas apresentadas nos sonhos e nas lendas, essa questão ainda era misteriosa. Os velhos mitos a evitavam (ou talvez todas as alusões a ela tivessem sido extirpadas por algum motivo). E nos meus sonhos e nos das outras vítimas, as pistas eram peculiarmente poucas. Os membros da Grande Raça nunca se referiam intencionalmente ao assunto, e o que poderia ser descoberto veio apenas de algumas das mentes cativas mais atentas.

De acordo com esses fragmentos de informação, a base do medo era uma horrível raça anciã de semipólipos, totalmente alienígenas, que haviam vindo do espaço de universos infinitamente distantes e haviam dominado a Terra e outros três planetas solares há cerca de seiscentos milhões de anos. Eles eram apenas parcialmente materiais, como entendemos a matéria e seu tipo de consciência e meios de percepção diferiam totalmente daqueles dos organismos terrestres. Por exemplo, seus sentidos não incluíam a visão, e seu mundo mental possuía um padrão estranho de impressões não visuais. Eles eram, no entanto, suficientemente materiais para usar implementos de matéria normal quando em áreas cósmicas que a continham, e eles precisavam de um tipo peculiar de moradia. Embora seus sentidos pudessem penetrar todas as barreiras materiais, a substância de que eram compostos não conseguia fazê-lo, e certas formas de energia elétrica poderiam destruí-los completamente. Eles tinham o poder de se movimentar pelo ar, apesar da ausência de asas ou de qualquer outro meio visível de levitação. Suas mentes eram de tal textura que nenhuma troca com elas poderia ser efetuada pela Grande Raça.

Quando essas coisas chegaram à terra, construíram poderosas cidades compostas por torres de basalto sem janelas, e atacaram terrivelmente os seres que encontraram. Assim era quando as mentes da Grande Raça cruzaram o vazio daquele obscuro mundo transgaláctico conhecido nos inquietantes e discutíveis Fragmentos de Eltdown como Yith. Os recém-chegados, com os instrumentos que criaram, acharam fácil subjugar as entidades predatórias e levá-las às cavernas subterrâneas, que já haviam se unido a suas residências e começado a habitá-las. Em seguida, selaram as entradas e as abandonaram em seu destino, ocupando depois a maioria de suas grandes cidades e preservando certos edifícios importantes por razões ligadas mais à superstição do que à indiferença, à ousadia ou ao zelo científico e histórico.

No entanto, à medida que os éons passavam, surgiram sinais vagos e malignos de que as Coisas Ancestrais estavam tornando-se cada vez mais fortes e numerosas no mundo interior. Ocorreram irrupções esporádicas de caráter particularmente hediondo em certas cidades pequenas e remotas da Grande Raça, e em algumas das cidades mais velhas e abandonadas que a Grande Raça ainda não havia povoado; lugares onde as passagens para os abismos inferiores não haviam sido adequadamente seladas ou vigiadas. Depois disso, foram tomadas precauções adicionais, e muitos dos caminhos foram fechados para sempre, embora alguns tivessem sido deixados com alçapões selados para uso estratégico no combate às Coisas Ancestrais, se alguma vez surgissem em lugares inesperados; fendas recentes causadas por aquela mesma alteração geológica que obstruiu alguns dos caminhos e lentamente diminuiu o número de estruturas e ruínas extraterrenas deixadas por entidades conquistadas.

As irrupções das Coisas Ancestrais devem ter sido chocantes, além de qualquer descrição, uma vez que haviam permanentemente deixado marcas na psicologia da Grande Raça. O horror era tamanho, que o próprio aspecto das criaturas não era mencionado e em nenhum momento pude obter uma indicação clara de como elas eram. Havia sugestões veladas de uma plasticidade monstruosa e de lapsos temporários de visibilidade, enquanto outros sussurros fragmentários referiam-se ao poder de controlar grandes ventos com fins militares. Assobios singulares e pegadas colossais compostas de cinco marcas circulares de dedos também pareciam estar associadas a essas criaturas.

Era evidente que a morte vindoura tão desesperadamente temida pela Grande Raça: a desgraça que um dia enviaria milhões de mentes ansiosas através do tempo para corpos estranhos em um futuro mais seguro tinha a ver com uma irrupção final bem-sucedida dos Seres Anciões. As projeções mentais através dos tempos previam claramente tal horror, e a Grande Raça havia resolvido que ninguém que tivesse condições de escapar deveria enfrentá-lo. A incursão seria uma questão de vingança, ao invés de uma tentativa de reocupar o mundo exterior, como ficava claro pela história mais tardia do planeta, pois suas projeções mostravam o ir e vir de raças subsequentes sem qualquer tipo de conflito com as entidades monstruosas. Talvez essas entidades tivessem preferido os abismos internos da Terra à superfície variável e devastada pela tempestade, uma vez que a luz não significava nada para elas. Talvez também estivessem enfraquecendo lentamente com o passar dos éons. De fato, sabia-se que estariam extintas na época da raça pós-humana de escaravelhos que as mentes em fuga ocupariam. Enquanto isso, a Grande Raça mantinha sua cautelosa vigilância, com armas potentes prontas para serem usadas, apesar do horrorizado banimento do assunto nas conversas do dia a dia e nos registros escritos. E, mesmo assim, sempre estava à espreita a sombra do medo sem nome que pairava sobre as portas fechadas e as velhas torres escuras e sem janelas.

V.

Esse é o mundo do qual meus sonhos me traziam difusos ecos esparsos todas as noites. Não posso esperar dar uma ideia verdadeira do horror e pavor contido em tais ecos, pois tinham uma qualidade totalmente intangível (a aguda sensação de pseudomemória) de que tais sentimentos em geral dependiam. Como eu disse, meus estudos gradualmente me proporcionaram uma defesa contra esses sentimentos, na forma de explicações psicológicas racionais, e essa influência salvadora foi aumentada pelo toque sutil de habitualidade que chega com a passagem do tempo. No entanto, apesar de tudo, o terror vago e insidioso retornava momentaneamente de vez em quando. Ele não me engolia como antes, e depois de 1922 eu tive uma vida muito normal de trabalho e recreação.

Com o passar dos anos, comecei a sentir que minha experiência, com os casos semelhantes e o folclore relacionado, deveria ser definitivamente resumida e publicada para o benefício de pesquisadores sérios; foi por isso que preparei uma série de artigos que cobriam brevemente todo o período e ilustrei com esboços simples algumas das formas, cenários, motivos decorativos e hieróglifos lembrados dos sonhos. Foram publicados em vários momentos durante 1928 e 1929 no *Journal of the American Psychological Society*, mas não atraíram muita atenção. Enquanto isso, continuei a registrar meus sonhos com o maior cuidado, embora a pilha crescente de relatórios atingisse proporções problemáticas.

Em 10 de julho de 1934, a Sociedade Americana de Psicologia me enviou uma carta que iniciou a fase culminante e mais horrível de toda a insana provação. Ela trazia o carimbo de Pilbarra, na Austrália Ocidental, e tinha a assinatura de alguém que, conforme soube depois, era engenheiro de minas de considerável destaque. As cartas continham fotos muito curiosas. Vou reproduzir o texto na íntegra e nenhum leitor deixará de entender o tremendo efeito que ela e as fotografias tiveram sobre mim.

Fiquei, por algum tempo, quase atordoado e incrédulo, pois, embora eu tivesse pensado muitas vezes que alguma base de fato devia estar subjacente a certas fases das lendas que tinham colorido meus sonhos, eu não estava preparado para algo como uma sobrevivência tangível de um mundo perdido, distante e além de toda a imaginação. As mais devastadoras de todas eram as fotografias que ali estavam, com realismo frio e incontroverso, destacavam-se contra um fundo de areia certos blocos de pedra gastos e desgastados pela tempestade, cujos topos levemente convexos e fundos levemente côncavos contavam sua própria história. E, quando as estudei com uma lente de aumento, pude ver com toda a clareza, entre os buracos e as rachaduras, os traços daqueles enormes desenhos curvilíneos e dos hieróglifos ocasionais cujo significado tornara-se tão medonho para mim. Mas aqui está a carta, que fala por si própria:

49, Dampier Str., Pilbarra, Austrália Ocidental,
18 de maio de 1934.

Prof. N. W. Peaslee,
A/C Sociedade Americana de Psicologia,
30, E. 41st Str.,
Nova York, EUA

Prezado senhor,

Uma conversa recente com o dr. E. M. Boyle, de Perth, e alguns periódicos com seus artigos que me foram recentemente enviados, tornam aconselhável que eu lhe fale sobre certas coisas que vi no Grande Deserto Arenoso, a leste de nossa mina de ouro. Ao que parece, em vista das lendas peculiares sobre cidades antigas com enormes construções em pedra e desenhos estranhos e hieróglifos descritas pelo senhor, descobri algo de extrema importância.

Os aborígenes sempre falaram muito sobre "grandes pedras cheias de marcas" e parecem ter um terrível medo de tais coisas. Eles as relacionam de alguma forma com suas lendas raciais sobre Buddai, o velho gigante adormecido por séculos no subterrâneo com a cabeça apoiada no braço e que algum dia acordará e devorará o mundo. Há lendas muito antigas e já esquecidas sobre enormes cabanas subterrâneas feitas de grandes pedras, onde as passagens levam cada vez mais para baixo e onde coisas horríveis acontecem. Os aborígenes afirmam que certa vez alguns guerreiros, fugindo em batalha, por lá desceram e nunca mais voltaram, mas ventos assustadores começaram a soprar do lugar logo depois que eles caíram. No entanto, em geral, não há muito o que se aproveitar do que esses nativos falam.

Mas o que tenho a dizer é mais que isso. Dois anos atrás, quando eu estava prospectando cerca de 800 quilômetros a leste, no deserto, encontrei um monte de peças estranhas de pedras trabalhadas, talvez com tamanho de 90 × 60 × 60 centímetros, lascadas e desgastadas até o limite. No começo, não consegui encontrar nenhuma das marcas de que os aborígenes falavam, mas, ao observá-las mais de perto, consegui distinguir algumas linhas profundamente esculpidas apesar de seu desgaste. Eram curvas peculiares, exatamente como as que os aborígenes tentaram descrever. Imagino que havia trinta ou quarenta blocos, alguns quase enterrados na areia, e todos ficavam dentro de um círculo de talvez meio quilômetro de diâmetro.

Depois, olhei em volta mais de perto e fiz uma avaliação cuidadosa do lugar com meus instrumentos. Também tirei fotografias de dez ou doze dos blocos mais comuns, e as envio anexas a esta carta para que o senhor possa examiná-las. Entreguei minhas informações e fotografias para o governo em Perth, mas não fizeram uso delas. Então conheci o dr. Boyle, que lera seus artigos no *Journal of the American Psychological Society* e, por acaso, mencionei as pedras. Ele ficou muito interessado e pareceu bastante empolgado quando lhe mostrei minhas fotografias instantâneas, dizendo que as pedras e as marcas eram exatamente como as das construções com que o senhor havia sonhado e visto descritas nas lendas. Ele pretendia lhe escrever, no entanto, foi impedido. Enquanto isso, enviou-me a maioria dos periódicos com seus artigos, e percebi imediatamente, por meio de seus desenhos e suas descrições, que minhas pedras são certamente aquelas do tipo que o senhor apresentou. O senhor poderá verificar o que digo nas fotos que envio anexas. Mais tarde, terá notícias diretamente do dr. Boyle.

Agora posso entender quão importante é tudo isso para o senhor. Sem dúvida estamos presenciando os restos de uma civilização desconhecida, mais velha do que qualquer outra com que já sonhamos, e que forma uma base para suas lendas. Como engenheiro de minas, tenho algum conhecimento de geologia e posso dizer que esses blocos são tão antigos que me assustam. Em sua maioria, são feitos de arenito e granito, embora um seja quase certamente feito de um tipo estranho de cimento ou concreto. Eles carregam evidências de ação da água, como se esta parte do mundo tivesse sido submersa e voltasse a emergir depois de longas eras depois da utilização e da construção desses blocos. É uma questão de centenas de milhares de anos ou só Deus sabe o quanto mais. Não gosto de pensar a respeito disso.

Em vista do seu trabalho minucioso em rastrear as lendas e tudo aquilo relacionado a elas, talvez o senhor possa liderar uma expedição ao deserto e fazer algumas escavações arqueológicas. Tanto o dr. Boyle como eu estamos preparados para colaborar com este trabalho caso o senhor (ou organizações que o senhor conheça) possa fornecer subsídios para tanto. Posso reunir uma dúzia de mineiros para escavações pesadas; os aborígenes não teriam utilidade neste caso, pois descobri que têm um medo quase doente desse tema. Boyle e eu não estamos dizendo nada para os outros, pois obviamente o senhor deve ter precedência sobre qualquer descoberta ou crédito.

A expedição sairia de Pilbarra e levaríamos cerca de quatro dias viajando de trator, item que seria necessário para nossa aparelhagem. O lugar fica a Sudoeste do caminho pela Warburton de 1873 e a 160 km a Sudeste de Joanna Spring. Poderíamos também ir pelo rio De Gray em vez de partir de Pilbarra, mas tudo isso pode ser discutido mais tarde. Grosso modo, as edras estão em um ponto próximo à Latitude Sul 22°3 14 e Longitude Leste 125°0 39 . O clima é tropical, e as condições do deserto não são fáceis. Qualquer expedição deve ser feita no inverno: junho, julho ou agosto. Receberei de muito bom grado qualquer correspondência sobre este assunto e me coloco à disposição para ajudar em qualquer plano que o senhor decidir. Depois de ler seus artigos, estou muitíssimo impressionado com o profundo significado de toda essa questão. O dr. Boyle irá escrever depois. Caso prefira um meio de comunicação mais rápido, por favor, envie um telegrama para Perth.

Aguardo notícias em breve.

Atenciosamente,
Robert B. F. Mackenzie

Das consequências imediatas dessa carta, muito pode ser aprendido pelo que foi mostrado na imprensa. Minha boa sorte em conseguir apoio da Universidade do Miskatonic foi grande, e tanto o senhor Mackenzie quanto o dr. Boyle provaram ser inestimáveis no momento de organizar as coisas na Austrália. Não fomos muito específicos sobre nossos objetivos com o público, uma vez que a tudo seria dado um tratamento sensacionalista e jocoso por parte da imprensa. Como resultado, as notícias impressas foram poucas, mas suficientes para contar sobre nossa busca por ruínas australianas e para registrar nossos vários passos preparatórios.

Os professores William Dyer, do departamento de geologia da universidade (líder da Expedição Antártica da Miskatonic de 1930-1931), Ferdinand C. Ashley, do departamento de história antiga, e Tyler M. Freeborn, do departamento de antropologia (com meu filho Wingate) foram os meus companheiros nessa expedição. Meu correspondente Mackenzie veio a Arkham no início de 1935 e ajudou em nossos preparativos finais. Era um homem tremendamente competente e afável de cerca de cinquenta anos de idade, admiravelmente erudito e profundamente familiarizado com todas as condições das viagens pelo continente australiano. Ele tinha tratores esperando em Pilbarra, e fretamos um navio a vapor de calado suficientemente leve para subir o rio até aquele ponto. Estávamos preparados para escavar da maneira mais cuidadosa e científica, peneirando cada partícula de areia e evitando tocar tudo o que parecesse estar em sua situação original.

Navegando de Boston a bordo do Lexington em 28 de março de 1935, passamos tranquilamente pelo Atlântico e pelo Mediterrâneo, atravessamos o Canal de Suez, descemos o Mar Vermelho e cruzamos o Oceano Índico até o nosso destino. Não preciso dizer como a visão da arenosa e baixa costa da Austrália Ocidental me deprimiu e como detestei a cidade mineira e os tristes campos de ouro onde os tratores recebiam seus últimos carregamentos. O dr. Boyle, que nos recebeu, provou ser agradável e inteligente e seu conhecimento de psicologia o levou a longas discussões comigo e meu filho.

O desconforto e a expectativa estavam estranhamente misturados na maioria de nós quando, por fim, nosso grupo de dezoito homens partiu agitando-se sobre os áridos quilômetros de areia e rocha. Na sexta-feira, 31 de maio, atravessamos uma ramificação do rio De Gray e entramos no reino da total desolação. Um certo terror cresceu em mim à medida que avançávamos para esse local onde se escondia um mundo mais antigo, por trás das lendas; um terror, claro, instigado pelo fato de que meus sonhos e pseudolembranças perturbadores ainda me assediavam com força inabalável.

Foi na segunda-feira, 3 de junho, que vimos o primeiro dos blocos parcialmente enterrados. Não consigo descrever minha emoção ao tocar, na realidade objetiva, um fragmento de alvenaria ciclópica idêntico, em todos os aspectos, aos blocos nas paredes dos edifícios dos meus sonhos. Havia resquícios de entalhes e minhas mãos tremiam quando reconheci parte de um padrão decorativo curvilíneo que me tinha uma característica infernal durante anos de pesadelos atormentadores e pesquisas frustrantes.

Um mês de escavações trouxe um total de cerca de 1.250 blocos em vários estágios de desgaste e desintegração. Esses blocos eram, em sua maioria, megálitos esculpidos com topos e fundos curvos. Poucos eram menores, mais planos, de superfície lisa, quadrada ou octogonalmente cortada, como as dos pisos e das calçadas dos meus sonhos, enquanto alguns eram singularmente volumosos e curvos ou inclinados de modo a sugerir o uso em abóbadas ou como partes de arcos ou caixas de janela redonda. Quanto mais profundo (e mais ao norte e ao leste) cavamos, mais blocos encontramos; embora ainda não descobríssemos qualquer traço comum entre eles. O professor Dyer ficou chocado com a idade incomensurável dos fragmentos, e Freeborn encontrou vestígios de símbolos que se encaixavam sombriamente em certas lendas sobre Antiguidade infinita, da Papua Nova Guiné e da Polinésia. A condição e a dispersão dos blocos denunciavam em voz baixa ciclos vertiginosos de tempo e convulsões geológicas da selvageria cósmica.

Tínhamos um aeroplano conosco, e meu filho Wingate frequentemente subia a alturas diferentes e vasculhava o resíduo de areia e rocha em busca de sinais de contornos escuros e em grande escala (diferenças de nível ou trilhas de blocos espalhados). Seus resultados foram virtualmente negativos; pois quando ele tivesse pensado um dia ter vislumbrado alguma tendência significativa, ele acharia em sua próxima viagem a impressão substituída por outra igualmente insubstancial, resultado da areia movediça que se deslocava pelo vento. Uma ou duas dessas sugestões efêmeras, no entanto, me afetaram estranha e desagradavelmente. Esses sinais pareciam, de certa maneira, se encaixar horrivelmente com algo que eu sonhara ou lera, mas que eu não conseguia mais lembrar. Havia uma pseudofamiliaridade terrível sobre eles, que de alguma maneira me fez olhar furtiva e apreensivamente para o abominável terreno estéril em direção ao norte e ao nordeste.

Por volta da primeira semana de julho, desenvolvi um conjunto inexplicável de emoções misturadas sobre aquela região do nordeste em geral. Havia horror e havia curiosidade; porém, mais do que isso, havia uma ilusão persistente e desconcertante de memória. Eu tentei todos os tipos de expedientes psicológicos para tirar essas noções da minha cabeça, mas não obtive sucesso. A insônia também me ganhou, mas eu quase dei boas-vindas a isso por causa do encurtamento resultante dos meus períodos de sonho. Adquiri o hábito de fazer caminhadas longas e solitárias no deserto, tarde da noite, geralmente para o norte ou nordeste, para onde a soma de meus novos impulsos estranhos parecia sutilmente me puxar.

Às vezes, nesses passeios, eu tropeçava em fragmentos quase enterrados da antiga maçonaria. Embora houvesse menos blocos visíveis aqui do que onde havíamos começado, eu tinha certeza de que deveria haver uma vasta abundância sob a superfície. O solo era menos plano que o nosso acampamento, e os fortes ventos predominantes de vez em quando empilhavam a areia em estranhos morros temporários, expondo alguns traços das pedras mais antigas enquanto cobriam outros. Eu estava estranhamente ansioso para que as escavações se estendessem a esse território, mas ao mesmo tempo temia o que poderia ser revelado. Obviamente, eu estava entrando em um estado ruim. Na verdade, pior, porque eu não podia explicar isso.

Uma indicação da minha saúde mental pode ser obtida da minha resposta a uma estranha descoberta que fiz em uma das minhas caminhadas noturnas. Foi na noite de 11 de julho, quando uma Lua minguante inundou as misteriosas colinas com uma curiosa palidez. Vagando um pouco além dos meus limites habituais, encontrei uma grande pedra que parecia diferir marcadamente de qualquer outra que já tivéssemos encontrado. Estava quase totalmente coberto, mas me abaixei e limpei a areia com as mãos, depois estudando o objeto com cuidado e complementando o luar com minha lanterna elétrica. Ao contrário das outras rochas muito grandes, esta era perfeitamente quadrada, sem superfície convexa ou côncava. Parecia, também, ser de uma substância basáltica escura totalmente diferente do granito e arenito e concreto ocasional dos agora familiares fragmentos.

De repente me levantei, virei e corri para o acampamento em alta velocidade. Foi um voo totalmente inconsciente e irracional, e só quando estava perto da minha tenda percebi perfeitamente por que fugira. Então, veio para mim. A estranha pedra escura era algo com que eu havia sonhado e lido, e que estava ligada aos horrores mais remotos das antigas lendas. Era um dos blocos daquela velha alvenaria basáltica que a lendária Grande Raça exibia com tanto medo: as ruínas altas e sem janelas deixadas pelas Coisas alienígenas, meio imateriais e estranhas, que apodreceram nos abismos subterrâneos da terra e contra cujas forças invisíveis, como o vento, os alçapões foram selados e as sentinelas sem sono enviadas.

Fiquei acordado a noite toda, mas ao amanhecer percebi quão tolo eu havia sido em deixar a sombra de um mito me aborrecer. Em vez de ficar com medo, eu deveria ter tido o entusiasmo de um explorador. Na manhã seguinte, contei aos outros sobre minha descoberta, e Dyer, Freeborn, Boyle, meu filho e eu partimos para ver o bloqueio anômalo. Uma falha, no entanto, nos confrontou. Eu não tinha uma ideia clara da localização da pedra, e um vento tardio alterara totalmente os montículos de areia movediça.

VI.

Chego agora à parte crucial e mais difícil de minha narrativa, mais difícil ainda porque não posso ter certeza se é real. Às vezes, sinto-me desconfortavelmente seguro de que não estava sonhando ou iludido; e é esse sentimento, em vista das enormes implicações que a verdade objetiva da minha experiência suscitaria, que me impele a fazer esse registro. Meu filho, um psicólogo bem treinado e detentor de todos os detalhes de meu caso, será o principal juiz do que tenho a dizer.

Primeiramente, deixe-me delinear os aspectos externos da questão, como aqueles que estão no acampamento os conhecem. Na noite de 17 a 18 de julho, depois de um dia de muito vento, me recolhi aos meus aposentos cedo, mas não consegui dormir. Acordei um pouco antes das onze e aflito como de costume, com aquela sensação estranha em relação à paisagem do nordeste, parti em uma das minhas típicas caminhadas noturnas. Vi e cumprimentei apenas uma pessoa: um mineiro australiano chamado Tupper, quando saí de onde estávamos instalados. A Lua, um pouco cheia, iluminada em um céu claro e encharcava as areias antigas com um brilho branco e leproso que me parecia infinitamente maligno. Não havia mais vento, o que continuou pelas próximas cinco horas, como amplamente comprovado por Tupper e pelos outros que não dormiram durante a noite. O australiano me viu pela última vez atravessando rapidamente as dunas pálidas e detentoras de segredos na direção do nordeste.

Por volta das três e meia da manhã, houve uma ventania violenta que acordou a todos no acampamento e derrubou três barracas. O céu estava sem nuvens, e o deserto ainda brilhava com aquele luar leproso. Quando o grupo viu as tendas, minha ausência foi notada, mas, em vista de minhas caminhadas anteriores, essa circunstância não foi alarmante. E, no entanto, ao menos três homens (todos os australianos) pareciam sentir algo sinistro no ar. Mackenzie explicou ao professor Freeborn que se tratava de um medo proveniente do folclore dos aborígenes: os nativos teceram um curioso tecido de mitos malignos sobre os ventos fortes que, a longos intervalos, percorrem as areias sob o céu claro. Esses ventos, é sussurrado, sopram das grandes cabanas de pedra sob o solo, onde coisas terríveis aconteceram, e nunca são sentidas, a não ser perto de lugares onde as grandes pedras marcadas estão espalhadas. Perto das quatro da madrugada, o vendaval diminuiu tão repentinamente quanto começara, deixando as colinas de areia em formas novas e desconhecidas.

Já passava das cinco da manhã, com a Lua inchada e fúnebre afundando no oeste, quando segui cambaleando para o acampamento: sem chapéu, com roupas esfarrapadas, rosto arranhado e ensanguentado, e sem minha lanterna elétrica. A maioria dos homens havia voltado para a cama, mas o professor Dyer estava fumando um cachimbo na frente de sua tenda. Vendo meu fôlego quase frenético, ele ligou para o dr. Boyle, e os dois me colocaram em minha cama e me deixaram confortável. Meu filho, despertado pela agitação, logo se juntou a eles, e todos tentaram forçar-me a ficar imóvel e tentar dormir.

Mas eu não conseguia pegar no sono. Meu estado psicológico era muito extraordinário, diferente de tudo o que eu já havia sofrido. Depois de um tempo, insisti em falar e expliquei nervosa e elaboradamente minha condição. Eu disse a eles que estava cansado e me deitei na areia para tentar tirar uma soneca. Disse que ainda havia sonhos ainda mais assustadores do que de costume e quando fui acordado pelo repentino vento forte, meus nervos explodiram. Fugi em pânico, frequentemente caindo sobre pedras parcialmente enterradas e, assim, ganhando o meu aspecto esfarrapado e sujo. Eu devo ter dormido muito, daí as tantas horas de minha ausência.

Não insinuei absolutamente nada sobre qualquer coisa estranha que tivesse visto ou experimentado, exercendo um grande autocontrole a esse respeito. Mas falei de uma mudança de opinião a respeito de todo o trabalho da expedição e insisti seriamente em fazer todas as escavações em direção ao nordeste. Meu raciocínio era evidentemente fraco, pois mencionei a escassez de blocos, o desejo de não ofender os mineiros supersticiosos, uma possível escassez de fundos da universidade e outras coisas falsas ou irrelevantes. Naturalmente, ninguém prestou a menor atenção aos meus novos desejos; nem mesmo meu filho, cuja preocupação com a minha saúde era muito óbvia.

No dia seguinte, me levantei e comecei a andar ao redor do acampamento, mas não participei das escavações. Ao perceber que eu não conseguia interromper o trabalho, decidi voltar para casa o mais rápido possível por causa dos meus nervos e fiz meu filho prometer que me levaria de avião para Perth (mil milhas a Sudoeste) assim que pesquisasse a região que eu gostaria de deixar em paz. Refleti que, se a coisa que eu tinha visto ainda estivesse visível, eu poderia decidir tentar uma advertência específica, mesmo à custa do ridículo. Talvez os mineiros que conheciam o folclore local pudessem me apoiar. Para me agradar, meu filho fez a pesquisa naquela mesma tarde; voando sobre todo o terreno que minha caminhada poderia ter coberto. No entanto, nada do que encontrei permaneceu à vista. Era o mesmo bloco de basalto anômalo; a areia movediça apagara todos os vestígios. Por um instante eu quase me arrependi de ter perdido um certo objeto incrível durante minha crise de pavor, mas agora sei que a perda foi misericordiosa. Ainda posso acreditar em toda a minha experiência como uma ilusão; especialmente se, como espero, o abismo infernal nunca for encontrado.

Wingate me levou a Perth em 20 de julho, embora tenha se recusado a abandonar a expedição e voltar para casa. Ele ficou comigo até o dia 25, quando o navio para Liverpool partiu. Agora, na cabine do Empress, pondero longa e freneticamente sobre todo o assunto, e decidi que meu filho, pelo menos, deve ser informado. Ele decidirá se vai difundir o assunto mais amplamente. A fim de atender a qualquer eventualidade, preparei este resumo da minha experiência, como já relatei de maneira dispersa para os outros. Agora relatarei o mais brevemente possível o que pareceu acontecer durante minha ausência do acampamento naquela noite medonha.

Com os nervos no limite e levado por uma espécie de perversa avidez por aquele inexplicável e pavoroso impulso pseudomnemônico em direção ao Nordeste, eu me arrastei sob a Lua maligna e ardente. Aqui e ali eu vi, meio encobertos pela areia, aqueles primitivos blocos ciclópicos deixados para trás por éons sem nome e esquecidos. A antiguidade incalculável e o horror medonho naquela terra abandonada monstruosa começaram a me oprimir como nunca antes, e não pude deixar de pensar em meus sonhos enlouquecedores, nas lendas terríveis que estavam por trás deles e nos medos atuais de nativos e mineiros em relação ao deserto e suas pedras esculpidas.

    E, no entanto, me afastei como se fosse um encontro agourento; cada vez mais assaltado por fantasias, compulsões e pseudomemórias desconcertantes. Pensei em alguns dos possíveis contornos das linhas de pedras vistos pelo meu filho do céu e me perguntei por que eles pareciam tão sinistros e tão familiares. Algo estava atrapalhando e sacudindo o trinco de minhas lembranças, enquanto outra força desconhecida procurava manter a porta trancada.

    A noite estava sem vento, e a areia pálida curvava-se para cima e para baixo como ondas do mar congelado. Eu não tinha nenhum objetivo, mas de alguma forma continuei em frente como se tivesse certeza do meu destino. Meus sonhos invadiram o mundo real, de modo que cada megálito incrustado de areia parecia parte de intermináveis salas e corredores de uma alvenaria pré-humana, entalhada com símbolos e hieróglifos que eu conhecia muito bem do tempo em que fui uma mente cativa da Grande Raça. Em alguns momentos imaginei ver aqueles horrores cônicos oniscientes movendo-se em suas tarefas habituais e temi olhar para baixo, com medo de me deparar com o aspecto deles. No entanto, o tempo todo eu vi os blocos cobertos de areia, bem como os quartos e os corredores; a Lua maligna e ardente, assim como as lâmpadas de cristal luminoso; o deserto sem fim, bem como as samambaias e as cicadáceas ondulantes além das janelas. Eu estava acordado e sonhando ao mesmo tempo. Não sei por quanto tempo ou quão longe, ou, na verdade, em que direção, andei quando avistei pela primeira vez o monte de blocos descoberto pelo vento diurno. Era o maior grupo em um mesmo lugar que eu tinha visto até agora, e ele tão agudamente me impressionou que as visões de éons fabulosos se desvaneceram de repente. Novamente havia apenas o deserto e a Lua maligna e os fragmentos de um passado não imaginado. Eu me aproximei e parei, e lancei a luz adicional da minha lanterna elétrica sobre a pilha caída. Uma duna havia se desfeito, deixando uma massa baixa e irregularmente redonda de megálitos e pequenos fragmentos de cerca de doze metros de largura e de dois a dois metros e meio de altura.

Desde o início, percebi que havia uma qualidade absolutamente sem precedentes nessas pedras. Não apenas o simples número delas era totalmente sem paralelo, mas algo nos traços de desenhos desgastados pela areia me prendeu a atenção enquanto eu os examinava sob os feixes de luz misturados, da lua e da minha lanterna. Não que apresentasse qualquer diferença dos espécimes anteriores que havíamos encontrado. Foi algo mais sutil que isso. Essa impressão não surgiu quando olhei para um bloco sozinho, mas apenas quando corri meus olhos ao longo de vários deles quase simultaneamente. Então, finalmente, a verdade me ocorreu. Os padrões curvilíneos em muitos desses blocos estavam intimamente relacionados, eram partes de uma vasta concepção decorativa. Pela primeira vez naquela terra abandonada por éons, eu havia encontrado uma massa de construção em sua antiga posição: ruída e fragmentada, é verdade, porém com um sentido de existência bem definido.

Subindo pelo lado mais baixo, eu me arrastei pelo monte, limpando com meus dedos a areia aqui e ali, e constantemente me esforçando para interpretar variedades de tamanho, forma e estilo, e relações de desenho. Depois de um tempo, pude adivinhar vagamente a natureza da estrutura passada e os desenhos que outrora se estendiam sobre as vastas superfícies da alvenaria primal. A identidade perfeita do todo com alguns dos meus vislumbres de sonho me chocou e me enervou. Fora, anteriormente, um corredor ciclópico de nove metros de altura, pavimentado com blocos octogonais e solidamente abobadado acima. Havia salas abrindo-se à direita e, na outra extremidade, um daqueles estranhos planos inclinados teria se reduzido a profundidades ainda mais baixas.

Tive um enorme sobressalto quando essas concepções me ocorreram, pois havia mais informações nelas do que os próprios blocos me haviam fornecido. Como eu sabia que aquele nível deveria estar no subterrâneo? Como eu sabia que o plano que levava para cima deveria estar atrás de mim? Como eu sabia que a longa passagem subterrânea para a Praça dos Pilares deveria estar à esquerda, um nível acima de mim? Como eu sabia que a sala das máquinas e o túnel que leva à direção dos arquivos centrais deveria estar dois níveis abaixo? Como eu sabia que haveria uma daquelas terríveis armadilhas de metal na parte inferior, quatro níveis abaixo? Perplexo com essa intrusão do mundo dos sonhos, me vi tremendo e banhado em uma transpiração fria.

Então, em um último toque intolerável, senti aquela leve e insidiosa corrente de ar frio proveniente de uma depressão perto do centro da imensa pilha. Instantaneamente, como já havia ocorrido, minhas visões se desvaneceram e só vi novamente o luar maligno, o deserto sombrio e o tumulto da alvenaria paleogênica. Algo real e tangível, ainda repleto de infinitas sugestões de mistério noturno, agora me confrontava. Contudo, aquele fluxo de ar poderia indicar apenas uma coisa: um enorme abismo oculto sob os blocos desordenados na superfície.

Meu primeiro pensamento foram as lendas sinistras dos aborígenes sobre as vastas cabanas subterrâneas entre os megálitos, onde os horrores acontecem e os grandes ventos nascem. Então os pensamentos sobre os meus próprios sonhos voltaram, e eu senti pseudolembranças sombrias impondo-se em minha mente. Que tipo de lugar está abaixo de mim? Que fonte primitiva e inconcebível de antigos ciclos míticos e pesadelos assombrosos eu poderia estar prestes a descobrir? Minha hesitação durou muito pouco, pois havia mais do que curiosidade e entusiasmo científico me guiando e trabalhando contra o meu crescente medo.

Eu parecia me mover quase automaticamente, como se tivesse um destino irresistível. Guardei minha lanterna no bolso e, lutando com uma força que eu não pensava possuir, puxei um fragmento titânico de pedra e depois outro, até que surgiu uma forte corrente cuja umidade contrastava estranhamente com o ar seco do deserto. Uma fenda escura começou a se abrir e finalmente, quando empurrei todos os fragmentos pequenos o bastante para me mover, o luar leproso brilhou em uma abertura de largura suficiente para que eu pudesse passar por ela.

Peguei minha lanterna e lancei um facho brilhante na abertura. Abaixo de mim, havia um caos de alvenaria caída, descendo rudemente para o Norte, em um ângulo de cerca de quarenta e cinco graus, evidentemente o resultado de algum colapso vindo de cima. Entre sua superfície e o nível do solo havia um abismo de escuridão impenetrável em cuja extremidade superior havia sinais de abóbadas gigantescas e pesadas. Nesse ponto, parecia que as areias do deserto jaziam diretamente sobre um piso de uma estrutura titânica pertencente ao tempo em que a Terra ainda era jovem, embora eu não possa conceber como, através de éons repletos de convulsões geológicas, tenha sido conservada.

Em retrospecto, a sugestão de uma descida súbita e solitária em um abismo tão duvidoso, e em um momento em que meu paradeiro era desconhecido de qualquer alma viva, parece o ápice da insanidade. Talvez tenha sido, pois naquela noite embarquei em tal descida sem hesitar. Mais uma vez estiveram comigo a atração e a condução da fatalidade, que durante todo o tempo pareciam direcionar minhas ações. Com a lanterna piscando intermitentemente a indicar o modo de economia da bateria, comecei uma corrida louca pela sinistra inclinação ciclópica abaixo da abertura, às vezes olhando para frente quando encontrava apoios adequados para as mãos e os pés, e outras vezes me virando para enfrentar o monte de megálitos enquanto me agarrava de modo precário. Em duas direções laterais, paredes distantes de alvenaria esculpida e desmoronada pairavam vagamente sob os raios diretos da minha lanterna. À frente, no entanto, havia apenas uma escuridão ininterrupta.

Eu não mantive a noção do tempo durante a minha corrida descendente. Meus pensamentos fervilhavam com sugestões e imagens desconcertantes que meus arredores pareciam retirados a distâncias incalculáveis. Meu corpo já não tinha sensações, e até mesmo o medo permanecia como uma gárgula inativa, parecendo um fantasma, olhando impotente para mim. Por fim, cheguei a um nível cheio de blocos caídos, fragmentos de pedra disformes, areia e detritos de todo tipo. De cada lado (talvez a dez metros de distância) erguiam-se paredes maciças que culminavam em enormes arestas de abóbadas. Eu poderia apenas discernir que elas foram esculpidas, mas a natureza das esculturas estava além da minha percepção. O que mais me chamou a atenção foram as abóbadas ao alto. A luz da minha lanterna não poderia alcançar o teto, mas as partes inferiores dos arcos monstruosos se destacavam distintamente. E tão perfeita era a sua identidade com o que eu tinha visto em incontáveis sonhos do mundo mais ancestral, que tremi violentamente pela primeira vez.

No alto, atrás de mim, um débil borrão luminoso lembrava o distante mundo iluminado pelo luar lá fora. Um vago sentimento de cautela vaga me advertia de que eu não deveria perder isso de vista, para não ficar sem referências durante o meu retorno. Avancei em direção à parede à minha esquerda, onde os vestígios dos entalhes eram mais claros. O chão cheio de entulho era quase tão difícil de atravessar quanto a descida inicial, mas consegui, com esforço, abrir a passagem. Em certa altura, empurrei alguns blocos e chutei os detritos para ver como era o piso, e estremeci diante da total e fatídica familiaridade com as grandes pedras octogonais, cuja superfície ainda estava na configuração original.

Chegando a uma distância conveniente da parede, apontei a luz da lanterna devagar e cuidadosamente sobre seus restos de entalhes gastos. Algum fluxo de água parecia ter agido na superfície de arenito, no entanto havia incrustações curiosas que eu não conseguia explicar. Em alguns lugares, a alvenaria era muito solta e distorcida, e me perguntei por quantos éons mais aquele primitivo e oculto edifício poderia manter seus traços restantes de forma originária em meio às convulsões da Terra.

Contudo, foram os próprios entalhes que mais me animaram. Apesar de seu estado desintegrado pelo tempo, eles eram relativamente fáceis de rastrear a curta distância, e a completa e íntima familiaridade de cada detalhe quase atordoou minha imaginação. Não ia além da credibilidade normal que os principais atributos dessa antiga alvenaria parecessem familiares. Marcando poderosamente os criadores de certos mitos, eles haviam sido incorporados a um fluxo de conhecimento enigmático que, de alguma maneira, chegando ao meu conhecimento durante o período amnésico, evocara imagens vívidas em minha mente subconsciente. No entanto, como eu poderia explicar a forma exata e minuciosa em que cada linha e espiral desses estranhos desenhos correspondiam ao que eu sonhara há mais de vinte anos? Que obscura e esquecida iconografia poderia ter reproduzido cada sutil nuance e matiz com tamanha persistência e exatidão e invariavelmente assediado minha visão adormecida noite após noite?

Por isso não havia nenhuma semelhança remota ou ocasional. Definitiva e absolutamente, o corredor milenarmente antigo e escondido pelos éons onde eu estava era o original de algo que eu conhecia em sono tão intimamente quanto conhecia minha própria casa na rua Crane, em Arkham. É verdade que meus sonhos mostravam o lugar em seu apogeu, mas sua identidade não era menos real por causa disso. Eu tinha um total e horrível senso de orientação. A estrutura particular em que eu estava já era conhecida por mim. Conhecido, também, era o seu lugar naquela terrível cidade dos sonhos. Percebi com uma certeza repulsiva e instintiva que eu poderia visitar infalivelmente qualquer ponto naquela estrutura ou naquela cidade que escapara às mudanças e às devastações de eras incontáveis. O que em nome de Deus poderia tudo isso significar? Como eu vim a saber o que eu sabia? E que realidade terrível poderia estar por trás daqueles relatos antigos dos seres que habitavam esse labirinto de pedra primordial?

As palavras podem transmitir apenas parcialmente a confusão de pavor e perplexidade que acometeu meu espírito. Eu conhecia aquele lugar. Eu sabia o que jazia antes de mim, e o que havia pairado no alto antes que as inúmeras histórias imponentes tivessem caído em pó e detritos e no deserto. Não há necessidade agora, pensei com um estremecimento, de manter o leve borrão de luar à vista. Fiquei dividido entre um desejo de fugir e uma mistura febril de curiosidade ardente e fatalidade impulsiva. O que aconteceu com essa monstruosa megalópole nos milhões de anos desde o tempo dos meus sonhos? Dos labirintos subterrâneos que sustentavam a cidade e ligavam todas as suas torres titânicas, quanto ainda sobrevivia às convulsões da crosta terrestre?

Eu havia encontrado um mundo inteiro de arcaísmo profano? Eu ainda poderia encontrar a casa do calígrafo, a torre onde S'gg'ha, uma mente cativa dos carnívoros vegetais da Antártica, tinha esculpido certas figuras nos espaços vazios das paredes? A passagem dois níveis abaixo, para o salão das mentes alienígenas, ainda estaria desocupada e atravessável? Naquele salão, a mente cativa de uma entidade incrível: um habitante meio plástico com interior oco vindo de um planeta transplutoniano desconhecido dezoito milhões de anos no futuro, conservara uma certa coisa que tinha sido modelada em barro.

Fechei os olhos e coloquei a mão na cabeça em um esforço inútil e lamentável para expulsar esses insanos fragmentos de sonhos da minha consciência. Então, pela primeira vez, senti intensamente a frieza, o movimento e a umidade do ar circundante. Estremecendo, percebi que uma vasta cadeia de abismos obscuros mortos há éons devia estar bocejando em algum lugar além e abaixo de mim. Pensei nos assustadores aposentos e corredores e inclinações quando os recordei dos meus sonhos. O caminho para os arquivos centrais ainda estaria aberto? Mais uma vez, a condução da fatalidade pressionou meu cérebro com insistência quando me lembrei dos registros impressionantes que outrora estavam guardados naquelas abóbadas retangulares de metal inoxidável.

Lá, diziam os sonhos e as lendas, repousava toda a história, passada e futura, do contínuo espaço-tempo cósmico; escrita por mentes cativas de todas as órbitas e todas as eras do sistema solar. Loucura, é claro; mas eu não tinha adentrado um mundo tão louco quanto eu? Pensei nas prateleiras de metal trancadas e nas curiosas manobras necessárias para abrir cada uma delas. Minha própria estante veio vividamente à minha consciência. Quantas vezes eu tinha passado por aquela intrincada rotina de variadas voltas e pressões na seção de vertebrados terrestres no nível mais baixo! Cada detalhe era novo e familiar. Se houvesse um cofre como aquele com que sonhei, poderia abri-lo em um instante. Foi então que a loucura se apossou de mim completamente. Um momento depois, eu estava pulando e tropeçando pelos destroços rochosos em direção à rampa que levava às profundezas abaixo.

VII.

Desse ponto em diante, minhas impressões dificilmente serão confiáveis; na verdade, ainda tenho uma esperança final e desesperada de que todas elas façam parte de algum sonho demoníaco ou de uma ilusão nascida do delírio. Uma febre rugia no meu cérebro, e tudo veio a mim por meio de uma espécie de neblina; às vezes apenas intermitente. Os raios fracos da minha lanterna dispararam dentro da submersa escuridão, trazendo flashes fantasmagóricos de paredes e esculturas terrivelmente familiares, todos marcados pela decadência dos séculos. Em determinado lugar, uma tremenda massa de teto abobadado havia caído, de modo que precisei escalar um monte de pedras que chegavam quase ao teto irregular e com grotescas estalactites. Esse era o ápice do pesadelo, agravado pelo blasfemo esforço da pseudomemória. Apenas uma coisa não me era familiar: meu tamanho em relação à alvenaria monstruosa. Senti-me oprimido por uma sensação de pequenez insólita, como se a visão daquelas paredes imponentes a partir de um mero corpo humano fosse algo inteiramente novo e anormal. Por diversas vezes, olhei nervosamente para mim mesmo, vagamente perturbado pela forma humana que possuía.

Seguindo adiante pela escuridão do abismo, eu pulava, corria e cambaleava; muitas vezes caindo e me machucando, e uma vez quase quebrei minha lanterna. Eu conhecia todas as pedras e cantos daquele abismo demoníaco e, em muitos pontos, detive-me em lançar feixes de luz através de arcos sufocados e esfarelados, porém familiares. Alguns cômodos haviam desmoronado totalmente; outros estavam vazios ou cheios de detritos. Em alguns, vi peças de metal; algumas razoavelmente intactas, algumas quebradas e outras esmagadas ou surradas, que reconheci como os pedestais ou mesas colossais dos meus sonhos. Não me atrevi a adivinhar o que poderiam na verdade ter sido.

Encontrei a rampa que levava para os níveis inferiores e comecei a descer; embora, depois de um tempo, tenha precisado parar por conta de uma grande fissura irregular, cujo ponto mais estreito não podia ter menos de um metro e vinte de largura. Aqui as paredes haviam cedido, revelando profundidades escuras incalculáveis. Eu sabia que havia mais dois níveis subterrâneos nesse edifício titânico, e tremi de novo em pânico quando recordei o alçapão fechado com tiras de metal no último nível. Não poderia haver guardas agora, pois o que havia se escondido ali havia muito tempo já tinha feito seu horrendo trabalho e afundado em seu longo declínio. Na época da raça pós-humana de besouros, já estaria completamente morto. E, no entanto, enquanto pensava nas lendas nativas, eu me arrepiei novamente.

Custou-me um esforço terrível saltar aquele abismo, já que o chão cheio de escombros me impedia de começar a correr, mas a loucura me impulsionava a seguir adiante. Escolhi um lugar perto da parede esquerda, onde a fissura era menos larga e o local de pouso, razoavelmente livre de destroços perigosos, e, depois de um momento frenético, cheguei ao outro lado em segurança. Quando finalmente ganhei o nível mais inferior, tropecei no arco da sala das máquinas, dentro do qual havia fantásticas ruínas de metal parcialmente enterradas sob a abóbada caída. Tudo ainda estava onde eu sabia que estaria, e subi com confiança sobre os montes que impediam o acesso a um vasto corredor transversal. Percebi que isso me levaria para os arquivos centrais da cidade.

Incontáveis eras pareciam se desenrolar enquanto tropeçava, pulava e me arrastava pelo corredor cheio de destroços. De vez em quando eu podia distinguir esculturas nas paredes manchadas pelo tempo, algumas familiares, outras aparentemente adicionadas desde o período dos meus sonhos. Como essa era uma passagem que ligava os prédios, não havia arcos, exceto quando a rota passava pelos níveis mais baixos de várias edificações. Em algumas dessas interseções, me desviei o suficiente para olhar os corredores e cômodos bem lembrados. Só por duas vezes encontrei diferenças radicais em relação ao que sonhara; e, em um desses casos, pude discernir os contornos lacrados da arcada de que me lembrava.

Senti um tremor violento e um curioso surto de fraqueza paralisadora, enquanto corria apressado e relutante pela cripta de uma daquelas grandes torres arruinadas sem janelas, cuja alvenaria de basalto revelava uma origem sussurrada e horrível. Essa abóbada primitiva era redonda e tinha sessenta metros de largura, sem nada esculpido nas pedras escuras. O chão, nesse ponto, estava aqui livre de qualquer coisa exceto poeira e areia, e eu podia ver as aberturas que levavam para cima e para baixo. Não havia escadas nem declives; na verdade, meus sonhos haviam retratado aquelas torres mais antigas como totalmente intocadas pela fabulosa Grande Raça. Aqueles que as construíram não precisaram de escadas ou rampas. Nos sonhos, a abertura para baixo tinha sido firmemente selada e muito bem vigiada. Agora ela se encontrava escancarada e escura, emitindo uma corrente de ar frio e úmido. Sobre quais cavernas ilimitadas da eterna escuridão poderiam estar à espreita lá embaixo, eu não me permitiria pensar.

Mais tarde, abrindo caminho pelo corredor, cheguei a um lugar onde o telhado havia desmoronado. Os destroços erguiam-se como uma montanha e subi por cima deles, passando por um vasto espaço vazio onde a luz de minha lanterna não revela nem paredes nem abóbada. Pensei que aquele deveria ser o porão da casa dos fornecedores de metal, em frente à terceira praça, não muito longe dos arquivos. O que acontecera com ela, eu não poderia conjecturar.

Encontrei o corredor novamente do outro lado da montanha de detritos e pedras, mas, depois de uma curta distância, encontrei um lugar totalmente sufocante onde a abóbada caída quase tocava o teto perigosamente abaulado. Como eu consegui arrancar e afastar blocos suficientes para permitir uma passagem, e como ousei perturbar os fragmentos apertados uns contra os outros quando a menor mudança de equilíbrio entre eles poderia ter derrubado todas as toneladas de alvenaria que poderia me esmagar até o nada, eu não sei. Foi a pura loucura que me impulsionava e me guiava; se, de fato, toda a minha aventura subterrânea não tiver sido, como eu espero, uma ilusão infernal ou parte de um sonho. Acontece que eu abri (ou sonhei que abri) uma passagem pela qual eu pudesse me esgueirar. Enquanto eu me contorcia sobre o monte de escombros com minha lanterna, ligada continuamente e enfiada dentro da minha boca, eu me senti dilacerado pelas fantásticas estalactites do teto irregular acima de mim.

Eu estava agora perto da grande estrutura arquivística subterrânea que parecia ser meu objetivo. Depois de deslizar e subir pelo lado mais distante da barreira, percorrendo o corredor restante com a lanterna piscando de maneira intermitente, cheguei finalmente a uma cripta baixa e circular ainda em um estado maravilhoso de preservação com arcos em todos os lados. As paredes, ou partes delas, como se apresentavam ao alcance da luz da minha lanterna, eram densamente hieroglifadas e entalhadas com símbolos curvilíneos típicos, alguns acrescentados depois do período dos meus sonhos.

Então, percebi que esse era meu destino e me virei de imediato para um arco familiar à minha esquerda. Estranhamente, eu pouco duvidava de poder encontrar uma passagem clara para cima e para baixo na rampa que desse acesso a todos os níveis restantes. Essa imensa pilha protegida da Terra, abrigando os anais de todo o sistema solar, fora construída com habilidade e força celestiais para durar tanto quanto o próprio sistema. Blocos de tamanho estupendo, equilibrados com a genialidade matemática e ligados a cimentos de incrível dureza, combinaram-se para formar uma massa tão firme quanto o núcleo rochoso do planeta. Aqui, após eras mais prodigiosas do que eu poderia compreender, o seu volume estava enterrado em todos os seus contornos essenciais; os vastos pisos, cheios de poeira, escassos com os lixos em outro lugar tão dominante.

A caminhada relativamente fácil desse ponto em diante afetou minha cabeça curiosamente. Toda a ansiedade frenética, até então frustrada pelos obstáculos, agora manifestava-se em uma espécie de velocidade febril, e eu literalmente corri pelas passagens de teto baixo, por mim muito bem lembradas, além da arcada. Eu já não me assustava mais com a familiaridade do que via. Em cada lado, as grandes prateleiras de metal com portas enfeitadas por hieróglifos assomavam-se monstruosamente; algumas ainda estavam no lugar, outras se abriram e algumas ainda se curvavam esmagadas por estresses geológicos não tão fortes o suficiente para quebrar a alvenaria titânica. Aqui e ali, um monte coberto de poeira abaixo de uma prateleira vazia parecia indicar onde as caixas haviam sido abaladas por tremores de terra. Em pilares ocasionais havia grandes símbolos ou letras proclamando classes e subclasses de volumes.

Em determinado momento, parei diante de um cofre aberto, onde vi algumas das caixas de metal ainda em posição original no meio do pó arenoso onipresente. Ao me levantar, desloquei um dos espécimes mais finos com alguma dificuldade e o coloquei no chão para inspeção. O título estava escrito naqueles hieróglifos curvilíneos predominantes, embora algo em seu arranjo me parecesse sutilmente incomum. O estranho mecanismo do fecho curvo era perfeitamente conhecido para mim, então abri a tampa inoxidável e puxei o livro que estava lá dentro. O último, como esperado, media cerca de cinquenta por quarenta centímetros de área e cinco centímetros de espessura, com capas de metal fino que abriam por cima. Suas páginas duras de celulose pareciam não ser afetadas pela miríade de ciclos de tempo que haviam passado, e eu li as letras do texto estranhamente pigmentadas, desenhadas a pincel; símbolos totalmente diferentes dos hieróglifos curvos usuais ou de qualquer alfabeto conhecido pela erudição humana – com uma memória meio excitada. Concluí que essa era a linguagem usada por uma mente cativa que eu tinha conhecido em meus sonhos – uma mente vinda de um grande asteroide no qual havia sobrevivido muito da vida arcaica e do folclore do planeta primordial, do qual era um fragmento. Ao mesmo tempo, lembrei que aquele nível dos arquivos era dedicado a volumes sobre planetas não terrestres.

Quando parei de olhar esse documento incrível, vi que a luz da minha lanterna estava começando a falhar e logo inseri rapidamente a bateria extra que sempre tinha comigo. Então, com um brilho mais forte, retomei minha correria febril por emaranhados intermináveis de corredores e passagens – reconhecendo de vez em quando uma prateleira familiar e experimentando uma vaga irritação por conta das condições acústicas que fizeram meus passos ecoarem incongruentemente nessas catacumbas onde o silêncio e a morte ecoavam através dos tempos. As próprias marcas dos meus sapatos na poeira milenar e inexplorada me fizeram estremecer. Nunca antes, se meus sonhos malucos continham alguma coisa verdadeira, pés humanos haviam tocado esses pavimentos imemoriais. Eu não fazia ideia da razão de minha corrida insana. Havia, no entanto, alguma força maligna que direcionava minha vontade atordoada e lembranças enterradas, de modo que senti vagamente que não estava correndo ao acaso.

Cheguei a uma rampa descendente e segui por suas profundezas. Os pisos iam ficando para trás enquanto eu corria, mas não parei para explorá-los. Meu cérebro rodopiante começara a bater em um certo ritmo que fazia minha mão direita contrair-se em uníssono. Eu queria desbloquear algo e senti que sabia todas as torções e pressões necessárias para fazê-lo. Seria como um cofre moderno com fechadura aberta por combinação. Sonho ou não, eu já havia experimentado aquele movimento e ainda sabia como fazê-lo. Como um sonho, ou fragmento de lenda inconscientemente absorvida, poderia ter me ensinado um detalhe tão minucioso e tão complexo é algo que não tentei explicar para mim mesmo. Eu estava além de quaisquer pensamentos coerentes. Toda essa experiência (aquela familiaridade chocante com um monte de ruínas desconhecidas e aquela identidade monstruosamente exata de tudo aquilo diante de mim e o cenário que apenas fragmentos míticos e sonhos poderiam ter sugerido) não era um horror que estava além de toda a razão? Então, provavelmente foi minha convicção básica, como é agora durante meus momentos mais sãos que eu não estava acordado de forma alguma, e que toda a cidade enterrada era apenas uma alucinação febril.

Por fim, cheguei ao nível mais baixo e desci à direita da rampa. Por alguma razão obscura, tentei suavizar meus passos, mesmo perdendo velocidade. Havia um espaço que eu tinha medo de cruzar naquele último piso, mais profundo, e, quando me aproximei, lembrei o que eu temia naquele lugar. Era apenas um dos alçapões com tiras de metal e muito bem vigiados. Não haveria guardas agora e, por causa disso, estremeci e caminhei bem devagar, na ponta dos pés, como havia feito ao atravessar aquela abóbada de basalto preto, onde havia um alçapão tão aberto quanto uma boca. Senti uma corrente de ar frio e úmido, como eu havia experimentado ali, e desejei que meu rumo conduzisse em outra direção. Por qual motivo tive de seguir o curso específico que eu estava tomando, eu não sabia.

Quando cheguei ao nível mais baixo, vi que o alçapão da porta se abriu amplamente. À frente, as prateleiras surgiram novamente, e observei no chão, diante de uma delas, uma pilha coberta com um pouco de pó, onde alguns estojos haviam caído há pouco tempo. No mesmo instante, uma nova onda de pânico se apossou de mim, embora por algum tempo não conseguisse descobrir o motivo. Não era comum haver pilhas de estojos caídos, pois durante todos os éons esse labirinto sem luz havia sido atormentado pelas convulsões do céu e da terra e algumas vezes ecoado o barulho ensurdecedor dos objetos derrubados. Foi só quando eu estava do outro lado da travessia é que percebi a razão daqueles violentos tremores.

O que me incomodava não era a pilha, mas algo sobre a poeira no chão. À luz da minha lanterna, parecia que a poeira não era tão uniforme quanto deveria; havia lugares onde parecia mais fina, como se tivesse sido perturbada poucos meses antes. Eu não podia ter certeza daquilo, pois até mesmo esses lugares estavam cobertos por uma camada fina de pó; contudo, uma certa suspeita do que causara essa desigualdade era altamente inquietante. Quando aproximei a luz da lanterna de um dos lugares estranhos, não gostei do que vi, pois a ilusão de regularidade tornou-se muito grande. Era como se houvesse linhas regulares de impressões compostas; impressões feitas de três em três, cada uma com pouco mais de 30 centímetros quadrados e consistindo de cinco marcas quase circulares de três polegadas, uma antes das outras quatro.

Essas possíveis linhas de impressões quadradas pareciam conduzir em duas direções, como se alguma coisa tivesse ido para algum lugar e retornado. Elas eram evidentemente muito fracas e podem ter sido ilusões ou uma coincidência, mas havia um elemento de terror sombrio e desajeitado no modo como estavam dispostas no chão. Já que em uma das extremidades delas havia o amontoado de caixas que deviam ter caído, não muito tempo antes, enquanto na outra extremidade estava o ameaçador alçapão com o vento frio e úmido, escancarado e sem vigias, revelando abismos que desafiavam a imaginação.

VIII.

O fato de minha estranha sensação de compulsão ser profunda e avassaladora é demonstrada pela conquista do meu medo. Nenhum motivo racional poderia ter me atraído depois daquela suspeita terrível de pegadas e das assustadoras memórias de sonhos que despertavam.

No entanto, minha mão direita, mesmo tremendo de pavor, ainda pulsava ritmicamente em sua ânsia de abrir uma fechadura que esperava encontrar. Antes que eu percebesse, já havia passado por um monte de pilhas recentemente caídas e caminhava muito rápido, na ponta dos pés, por corredores cheios de poeira em direção a um ponto que parecia conhecer mórbida e terrivelmente bem. Minha mente fazia perguntas a si mesma cuja origem e relevância eu estava apenas começando a imaginar. A prateleira seria alcançável por um corpo humano? Minha mão humana poderia dominar todos os movimentos lembrados para abrir a fechadura? O segredo da fechadura estaria intacto e funcionando? E o que eu faria, o que ousaria fazer, com o que (como naquele momento comecei a perceber) eu esperava e temia encontrar? Isso provaria a verdade impressionante e arrebatadora de algo além de nossa imaginação ou mostraria apenas que eu estava sonhando?

No momento seguinte, eu sabia que tinha parado de andar na ponta dos pés e estava parado, olhando para uma fileira de estantes com prateleiras hieroglíficas enlouquecedoramente familiares. Elas estavam em um estado de preservação quase perfeito e apenas três das portas se abriram. Meus sentimentos em relação a essas prateleiras não podem ser descritos, tão absoluta e insistente era a sensação de sermos velhos conhecidos. Eu estava olhando para o alto, em uma fileira perto do topo e totalmente fora do meu alcance, e me perguntando como poderia escalar até lá em cima. Uma porta aberta a quatro fileiras da base me ajudaria, e as fechaduras das portas, se fechadas, formavam possíveis travas para mãos e pés. Eu seguraria a lanterna entre os dentes quando minhas duas mãos fossem necessárias à empreitada. Acima de tudo, não podia fazer barulho. Seria difícil conseguir descer o que queria de seu lugar, mas provavelmente poderia prender o fecho móvel na gola do casaco e carregá-lo como uma mochila. Mais uma vez me perguntei se o segredo da fechadura estaria intacto. Que eu poderia repetir cada movimento familiar, não tinha a menor dúvida. Mas eu esperava que a coisa não rangesse ou estalasse, e que minhas mãos pudessem fazê-lo funcionar corretamente.

Enquanto pensava nessas coisas, coloquei a lanterna na boca e comecei a subir. As fechaduras projetadas eram péssimos apoios; mas, como eu esperava, a prateleira aberta ajudou muito. Usei a porta como borda da abertura em minha subida e consegui evitar qualquer rangido alto. Equilibrado na extremidade superior da porta, e inclinando-me para a direita, consegui alcançar a fechadura que procurava. Meus dedos, meio dormentes pelo esforço da subida, estavam muito desajeitados no começo, mas logo percebi que eram anatomicamente adequados. E o ritmo da memória era forte neles. Por meio de abismos desconhecidos, os intrincados movimentos secretos de alguma forma atingiram meu cérebro corretamente em todos os seus detalhes; em menos de cinco minutos de tentativas, houve um clique cuja familiaridade era ainda mais surpreendente, porque eu não tinha antecipado isso conscientemente. No momento seguinte, a porta de metal abriu-se lentamente, com um som um pouco mais fraco.

Atordoado, olhei por cima da fileira dos estojos acinzentados expostos e senti uma forte onda de alguma emoção totalmente inexplicável. Bem ao alcance da minha mão direita, havia um estojo cujos hieróglifos curvos me faziam tremer com uma pontada infinitamente mais complexa do que um mero pavor. Ainda tremendo, consegui desalojá-lo em meio a uma chuva de flocos de areia e levá-lo para mim mesmo sem fazer nenhum barulho muito alto. Como no outro caso com que eu havia lidado, tinha pouco mais de cinquenta por quarenta centímetros de área, com desenhos matemáticos curvos em baixo-relevo. Em espessura, não passava de oito centímetros. Enroscando-o bruscamente entre mim e a superfície que eu estava escalando, me atrapalhei com o fecho e finalmente consegui prender o gancho. Ao levantar a tampa, coloquei o objeto pesado em minhas costas e coloquei o gancho em minha gola. Tendo as mãos livres naquele momento, desajeitadamente fui até o chão empoeirado e me preparei para inspecionar meu prêmio.

Ajoelhando-me no pó arenoso, virei o estojo e o repousei à minha frente. Minhas mãos tremiam e eu temia puxar o livro quase tanto quanto eu o desejava, e me sentia compelido a fazê-lo. Gradualmente, ficou claro para mim o que eu deveria encontrar, e essa percepção quase paralisou minhas faculdades. Se a coisa estivesse lá, e se eu não estivesse sonhando, as implicações estariam muito além do que o espírito humano poderia suportar. O que mais me atormentou foi minha incapacidade momentânea de sentir que meu ambiente era um sonho. O senso de realidade era terrível, e novamente se repete quando me lembro da cena.

Por fim, trêmulo, puxei o livro de seu receptáculo e fiquei olhando fascinado os conhecidos hieróglifos na capa. Parecia estar em perfeitas condições, e as letras curvilíneas do título me mantinham em um estado quase tão hipnotizado como se eu pudesse lê-las. De fato, não posso jurar que realmente não os li em algum acesso temporário e terrível de memória anormal. Não sei quanto tempo demorou para que eu enfim levantasse a fina tampa de metal. Eu contemporizava e inventava desculpas para mim mesmo. Tirei a lanterna da boca e a desliguei para economizar bateria. Então, no escuro, eu me revesti de coragem e finalmente abri a capa do livro sem acender a luz. Por fim, de fato, acendi a lanterna diretamente na página exposta; me preparando antecipadamente para suprimir qualquer som, não importando o que eu encontrasse.

Olhei-a por um instante e quase desmaiei. Cerrando os dentes, no entanto, mantive o silêncio. Afundei-me totalmente no chão e coloquei a mão na testa em meio à escuridão envolvente. O que eu temia e esperava estava lá. Ou eu estava sonhando, ou o tempo e o espaço haviam se tornado uma zombaria. Eu devia estar sonhando; mas eu testaria o horror carregando aquela coisa de volta e mostrando-a ao meu filho, se isto fosse de fato uma realidade. Meus pensamentos formavam um redemoinho assustador, mesmo que não houvesse objetos visíveis na escuridão ininterrupta para girar ao meu redor. Ideias e imagens do terror mais nítido, despertadas pelas paisagens que meu vislumbre havia iniciado, começaram a aparecer em mim e a obscurecer meus sentidos.

Pensei nessas possíveis impressões na poeira e tremi ao som da minha própria respiração ao fazê-lo. Mais uma vez acendi a luz e olhei para a página assim como a vítima de uma serpente olha para os olhos e as presas de seu destruidor. Então, com os dedos desajeitados no escuro, fechei o livro, coloquei-o em seu recipiente e fechei a tampa e o curioso fecho em gancho. Era isso o que eu deveria levar de volta ao mundo exterior se ele realmente existisse, se todo o abismo existisse de verdade, se eu e o próprio mundo realmente existíssemos.

Não tenho certeza do momento em que me levantei e comecei meu retorno, o que me ocorreu de modo estranho, como uma medida do meu senso de afastamento do mundo normal, que nem sequer olhei para o meu relógio durante aquelas horas terríveis no subsolo. Com a lanterna na mão, e com o estúpido estojo debaixo do braço, acabei por me encontrar novamente na ponta dos pés, em uma espécie de pânico silencioso, ao passar pelo abismo que dava calafrios e pelas sugestões ocultas de marcas no corredor. Reduzi minhas precauções enquanto subia as intermináveis rampas, mas não conseguia livrar-me de uma sombra de apreensão que não havia sentido na jornada descendente.

Eu temia passar por aquela cripta de basalto preto mais antiga que a própria cidade, onde correntes de frio brotavam de profundidades desprotegidas. Pensei naquilo que a Grande Raça temia e no que ainda poderia estar à espreita lá embaixo, ainda que estivesse muito fraco e moribundo. Pensei nessas possíveis pegadas em cinco círculos e no que meus sonhos me contaram sobre essas pegadas, e nos ventos estranhos e nos ruídos de assobio associados a elas. E pensei nos contos dos aborígenes modernos, nos quais se refletia o horror dos grandes ventos e das ruínas subterrâneas sem nome.

Eu conhecia, por meio de um símbolo esculpido na parede, o pavimento correto ao qual deveria me dirigir, e finalmente cheguei (depois de passar pelo outro livro que eu havia examinado) ao grande espaço circular com as arcadas ramificadas. À minha direita, e imediatamente reconhecível, estava o arco pelo qual eu havia chegado até lá. Passei por ele, consciente de que o resto de minha jornada seria mais difícil por causa dos destroços do lado de fora do prédio. Meu novo fardo revestido de metal pesava sobre mim, e eu achava cada vez mais difícil ficar quieto enquanto tropeçava entre detritos e fragmentos de todo tipo.

Então cheguei ao monte de detritos, que se encontravam quase na altura do teto, através dos quais eu havia aberto uma pequena passagem.

Meu medo de me contorcer novamente era infinito, pois minha primeira passagem havia feito barulho e agora, depois de ver aquelas possíveis pegadas, eu temia qualquer som mais do que tudo. O estojo também havia aumentado o problema de atravessar a fenda estreita. Mas subi a barreira o melhor que pude e empurrei o estojo pela abertura à minha frente. Então, com a lanterna na boca, me arrastei com minhas costas sendo rasgadas como antes por estalactites. Enquanto eu tentava pegar o estojo novamente, ele caiu um pouco à minha frente, descendo a ladeira de escombros, fazendo um barulho perturbador e despertando ecos que me fizeram suar frio. Eu me projetei para frente imediatamente e o recuperei sem fazer mais barulho; porém, um momento depois, o deslizamento de blocos debaixo dos meus pés provocou um som repentino e sem precedentes.

O barulho foi minha ruína. Visto que, real ou não, pensei ter ouvido em resposta sons terríveis bem atrás de mim. Pensei ter ouvido um assobio estridente, como algo nunca visto antes na Terra, e que ia além de qualquer descrição verbal adequada. Pode ter sido apenas minha imaginação. Nesse caso, o que se seguiu tem uma ironia sombria; desde que, exceto pelo pânico inspirado por essa coisa, a segunda coisa pode nunca ter acontecido.

Da maneira como aconteceu, meu frenesi foi absoluto e desamparado. Peguei minha lanterna e apertei fracamente o estojo, dei um pulo e saí correndo loucamente, sem nenhuma ideia em minha cabeça além de um desejo louco de sair daquelas ruínas de pesadelo para o mundo desperto do deserto e da luz da Lua que estava acima. Eu mal percebi que havia chegado à montanha de escombros que se erguia na vasta escuridão além do teto desabado, então me feri e sofri vários cortes em meu corpo ao escalar a encosta íngreme de blocos e fragmentos irregulares. Então veio o grande desastre. No momento em que atravessei cegamente o cume, despreparado para o mergulho repentino à frente, meus pés escorregaram completamente e me vi envolvido em uma avalanche de alvenaria deslizante, cujo barulho alto como um canhão dividiu o ar obscuro da caverna em uma série ensurdecedora de reverberações terríveis.

Não me lembro de como emergi desse caos, mas um fragmento momentâneo de consciência insinua que mergulhei, tropecei e avancei ao longo do corredor em meio ao clamor; e eu ainda tinha o estojo e a lanterna comigo. Então, quando me aproximei daquela cripta de basalto primitiva que eu tanto temia, veio a loucura total. Assim, quando os ecos da avalanche cessaram, tornou-se audível uma repetição daquele assobio assustador e alienígena que eu pensava ter ouvido antes. Dessa vez, não havia dúvida sobre ele; e, o que era pior, veio de um ponto que não estava atrás de mim, mas à minha frente.

Provavelmente gritei alto. Tenho uma imagem sombria de mim mesmo voando pela abóbada infernal de basalto das Coisas Ancestrais e ouvindo aquele maldito som alienígena que surgia da porta aberta e desprotegida de ilimitadas trevas subterrâneas. Também havia um vento; não apenas uma corrente fria e úmida, mas uma explosão violenta e proposital se projetava selvagem e frigidamente daquele abominável abismo de onde vinha o assobio repulsivo.

Tenho lembranças de pular e tropeçar em obstáculos de todo tipo, com aquela torrente de vento e um som estridente crescendo a cada momento, parecendo ter o propósito de enrolar-se e torcer-se à minha volta, enquanto se lançava perversamente pelos espaços atrás e abaixo de mim. Embora na minha retaguarda, esse vento tinha o estranho efeito de dificultar, em vez de auxiliar, meu progresso, como se agisse como um nó ou um laço jogado ao meu redor. Desatento ao barulho que fiz, tropecei sobre uma grande barreira de blocos e estava novamente na estrutura que levava à superfície. Lembro-me de vislumbrar o arco na sala de máquinas e quase gritar quando vi a rampa que levava aonde um daqueles blasfemos alçapões devia estar escancarado dois níveis abaixo. No entanto, em vez de gritar, murmurei várias vezes para mim mesmo que tudo aquilo era um sonho do qual eu logo deveria acordar. Talvez eu estivesse no acampamento; talvez estivesse em minha casa, em Arkham. À medida que essas esperanças reforçavam minha sanidade, comecei a subir a rampa rumo ao nível mais alto.

Eu sabia, é claro, que havia uma fissura de quatro pés para atravessar, mas estava muito atormentado por outros medos para perceber o horror total, até que estive prestes a encará-lo. Na descida, o salto foi fácil, mas eu conseguiria subir tão rapidamente se fosse atrapalhado pelo medo, pela exaustão, pelo peso do estojo de metal e pelas rajadas de vento demoníacas? Pensei nessas coisas no último momento, e também nas entidades sem nome que podem estar à espreita nos abismos obscuros abaixo da fissura.

Minha lanterna oscilante estava ficando fraca, mas percebi, com alguma lembrança confusa, quando me aproximei da fenda. As rajadas frias de vento e os nauseosos assobios atrás de mim eram, por um momento, como um ópio misericordioso, que entorpecia minha imaginação diante do horror do abismo que se avizinhava. E então tomei consciência das explosões e assobios à minha frente: marés de abominação surgindo através da própria fissura de profundidades inimagináveis e insondadas.

Agora, de fato, a essência do puro pesadelo repousava sobre mim. A sanidade se foi; e ignorando tudo, exceto o impulso animal de fuga, apenas lutei e mergulhei sobre os escombros da rampa como se não houvesse um despenhadeiro à frente. Então vi a borda do abismo, pulei freneticamente com toda a força que possuía e fui instantaneamente envolvido por um vórtice pandemoníaco de som repugnante e escuridão absoluta e tangível.

Este é o fim da minha experiência, até onde me lembro. Quaisquer outras impressões pertencem totalmente ao domínio do delírio fantasmagórico. Sonho, loucura e memória fundiram-se descontroladamente em uma série de ilusões fantásticas e fragmentárias que não podem ter relação com nada real. Houve uma terrível queda por incalculáveis léguas de trevas viscosas e sencientes, e uma babel de ruídos totalmente estranhos a tudo o que sabemos sobre a Terra e sua vida orgânica. Sentidos rudimentares e adormecidos pareciam obter vitalidade dentro de mim, relatando vazios e abismos povoados por horrores flutuantes que levavam a penhascos e oceanos sem Sol e cidades cheias de torres de basalto sem janelas, sobre as quais nenhuma luz jamais brilhava.

Segredos do planeta primordial e seus éons imemoriais relampejavam em meu cérebro sem a ajuda da visão ou da audição, e foi assim que fiquei sabendo de coisas que nem mesmo o mais selvagem dos meus sonhos anteriores havia sugerido. E o tempo todo, dedos frios de vapor úmido me apertavam e pegavam em mim, e aquele assobio condenável e estridente gritava diabolicamente sobre as alternâncias de babel e silêncio nos redemoinhos da escuridão ao redor.

Mais tarde, tive visões da cidade ciclópica dos meus sonhos; não em ruínas, mas exatamente como eu havia sonhado anteriormente. Eu estava novamente em meu corpo cônico, não humano, e me misturava com multidões da Grande Raça e com as mentes cativas que carregavam livros para cima e para baixo nos altos corredores e enormes rampas. Então, sobrepostas a essas imagens, vieram clarões assustadores de uma consciência não visual que envolvia lutas desesperadas, tentando se libertar dos tentáculos do vento que sibilava, um voo insano e parecido com um morcego no ar meio sólido, uma desesperada fuga pela escuridão causada por um ciclone, aos trancos e tropeços por cima da alvenaria desmoronada.

Em determinado momento, houve um curioso e intrusivo clarão de meia-vista; uma suspeita fraca e difusa de um brilho azulado bem acima de mim. Depois, surgiu o sonho em que eu escalava e me arrastava, perseguido pelo vento. De um contorcer para uma labareda de luar sardônico através de um monte de detritos que deslizavam e desmoronavam atrás de mim em meio a um furacão mórbido. Foi a pulsação maligna e monótona daquele enlouquecedor luar que finalmente posicionou meu retorno àquilo que eu já conhecia como o mundo objetivo e de vigília.

Eu estava me arrastando nas areias do deserto australiano, e ao meu redor gritava um vento enraivecido que eu nunca tinha observado na superfície do nosso planeta. Minhas roupas estavam em trapos e todo o meu corpo era uma massa de contusões e arranhões. Voltei à consciência plena muito lentamente, e em nenhum momento eu poderia dizer exatamente onde a verdadeira memória havia parado e o onde o sonho delirante começara. Parecia haver um monte de blocos de titãs, um abismo abaixo, uma revelação monstruosa do passado e um horror de pesadelo no final, mas quanto disso era real? Minha lanterna sumira e, da mesma forma, qualquer estojo de metal que eu possa ter descoberto. Haveria existido realmente um estojo assim, ou algum abismo, ou algum monte? Erguendo a cabeça, olhei para trás e vi apenas as areias estéreis e onduladas do deserto.

O vento demoníaco diminuiu e a Lua inchada e fungoide afundou avermelhada no Oeste. Eu me levantei e comecei a cambalear para o Sudoeste, em direção ao acampamento. O que realmente aconteceu comigo? Eu simplesmente sofri uma queda no deserto e me arrastei em um corpo cheio de sonhos por quilômetros de areia e blocos soterrados? Se não, como eu suportaria continuar a viver? Pois nessa nova dúvida toda a minha fé na irrealidade nascida dos mitos, provenientes de minhas visões, se dissolvia mais uma vez na antiga dúvida infernal. Se aquele abismo era real, então a Grande Raça era real, e suas conquistas e apreensões blasfemas no vórtice do tempo em todo o cosmos não eram mitos ou pesadelos, mas uma realidade terrível e destruidora.

Naquela realidade terrível, será que eu havia de fato sido atraído de volta para um mundo pré-humano de cento e cinquenta milhões de anos atrás naqueles dias sombrios e desconcertantes de amnésia? Meu corpo atual tinha sido o veículo de uma terrível consciência alienígena dos abismos paleoginosos do tempo? Eu, como a mente cativa daqueles horrores, realmente teria conhecido a amaldiçoada cidade de pedra em seu auge primordial e deslizado naqueles corredores familiares na forma repugnante de meu captor? Aqueles sonhos atormentadores de mais de vinte anos foram fruto de lembranças duras e monstruosas? Teria eu conversado com mentes comprovadamente de lugares inalcançáveis no tempo e no espaço, aprendido os segredos do passado e do futuro, e escrito os anais do meu próprio mundo para os estojos de metal desses arquivos titânicos? E aquelas outras, aquelas chocantes Coisas Ancestrais dos ventos loucos e assobios demoníacos, na verdade, uma ameaça persistente e sempre à espreita, esperando e lentamente se enfraquecendo em abismos obscuros, enquanto as mais variadas formas de vida se desenvolviam em seus ciclos multimilenares na superfície envelhecida do planeta?

Eu não sei. Se aquele abismo e o que ele continha eram reais, não há esperança. Então, com toda a sinceridade, repousa sobre a humanidade uma sombra zombeteira e incrível fora do tempo. No entanto, felizmente, não há provas de que essas coisas sejam mais do que novas fases dos meus sonhos nascidos de mitos. Não trouxe de volta o estojo de metal que seria uma prova e, até agora, esses corredores subterrâneos não foram encontrados. Se as leis do universo forem realmente boas, eles nunca serão encontrados. Contudo, devo contar ao meu filho o que vi ou pensei ter visto e deixá-lo usar seu julgamento como psicólogo para avaliar a realidade da minha experiência e comunicar esse relato a outras pessoas.

Eu disse que a terrível verdade por trás dos meus difíceis anos torturados por sonhos depende absolutamente da realidade do que eu pensava ter visto naquelas ruínas ciclópicas enterradas. Foi difícil para mim escrever essa revelação crucial, embora nenhum leitor tenha deixado de adivinhá-la. É claro que a revelação de tudo estava naquele livro dentro do estojo de metal; aquele que tirei de seu covil esquecido em meio à poeira imperturbável de um milhão de séculos. Nenhum olho tinha visto, nenhuma mão havia tocado aquele livro desde o advento do homem neste planeta. E, no entanto, quando acendi a lanterna naquele terrível abismo megalítico, vi que as letras estranhamente pigmentadas nas páginas quebradiças de celulose amareladas não eram de fato hieróglifos inomináveis da época da juventude da Terra. Em vez disso, eram as letras do nosso alfabeto familiar, formando as palavras da língua inglesa em minha própria caligrafia.

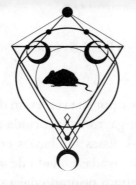

OS RATOS NAS PAREDES

Em 16 de julho de 1923, mudei-me para o priorado de Exham, depois que o último trabalhador terminou o serviço. A restauração fora uma tarefa estupenda, pois pouco restara do prédio deserto a não ser uma ruína em forma de concha. Contudo, por ter sido o berço de meus ancestrais, não deixei que nenhum custo em relação a essa reforma me dissuadisse. O lugar não era habitado desde o reinado de Jaime I, quando uma tragédia de natureza intensamente hedionda, embora inexplicada, abateu o dono, cinco de seus filhos e vários servos, e, sob uma nuvem de suspeita e terror, o terceiro filho, meu ancestral em linha direta e o único sobrevivente daquela detestável raça. Com esse único herdeiro denunciado como assassino, a propriedade fora revertida para a coroa, e o acusado não fez qualquer tentativa de se exaltar ou recuperar sua propriedade. Abalado por algum horror maior que o da consciência ou da lei, e expressando apenas um desejo frenético de fazer sumir o edifício antigo de sua vista e memória, Walter de la Poer, décimo primeiro Barão de Exham, fugiu para a Virgínia e ali fundou a família que, no decorrer do próximo século, ficou conhecida como Delapore.

O priorado de Exham permanecera abandonado, embora mais tarde tenha sido anexado às propriedades da família Norrys e muito estudado por causa de sua arquitetura peculiarmente composta, que envolvia torres góticas que repousavam sobre uma subestrutura saxônica ou românica, cujas fundações, por sua vez, eram de uma ordem ou mistura de ordens ainda mais antiga: romana, druida ou címbrico nativo, se as lendas forem verdadeiras. Essas fundações eram algo muito singular, uma vez que estavam encravadas ao lado de uma sólida pedra calcária do precipício, de cuja beira o priorado dava para um vale desolado, a cinco quilômetros a Oeste da aldeia de Anchester. Arquitetos e antiquários adoravam examinar essa estranha relíquia de séculos esquecidos, mas o povo do campo a odiava. Eles já a odiavam centenas de anos antes, quando meus ancestrais ainda moravam lá, e ainda a odiavam nos dias atuais, com seu musgo e seu bolor do abandono. Eu ainda não tinha passado um dia em Anchester e já tinha conhecimento de que era descendente de uma casa amaldiçoada. E naquela semana os trabalhadores explodiram o priorado de Exham no ar, e agora estão ocupados em destruir os traços de suas fundações.

Sempre conheci a árvore genealógica dos meus ancestrais, por isso sabia que meu primeiro antepassado americano havia chegado às colônias sob uma nuvem estranha. Em relação aos detalhes, no entanto, sempre fui mantido na mais completa ignorância por meio da política de reticência sempre mantida pelos Delapore. Ao contrário de nossos vizinhos plantadores, raramente nos vangloriávamos de ter como ancestrais os cruzados ou quaisquer outros heróis medievais e renascentistas. Também não me fora transmitida qualquer tipo de tradição, exceto o que pode ter sido registrado dentro do envelope selado deixado antes da Guerra Civil por todos os escudeiros a seu filho mais velho para abertura após sua morte. As glórias que apreciamos foram as alcançadas depois da migração; as glórias de uma linhagem altiva e honrada da Virgínia, embora um tanto reservada e antissocial.

Durante a guerra, nossas fortunas foram extintas e toda a nossa existência foi alterada por conta do incêndio de Carfax, nossa casa às margens do rio Jaime. Meu avô, avançado em anos, havia morrido naquele incêndio criminoso, e com ele se foi o envelope que nos ligava ao passado. Lembro-me daquele fogo ainda hoje como quando o vi, aos 7 anos de idade, com os soldados federais dando vivas, as mulheres gritando e os negros uivando e orando. Meu pai estava no exército, defendendo Richmond, e, depois de muitas formalidades, minha mãe e eu fomos submetidos às linhas para nos juntarmos a ele. Quando a guerra terminou, todos nos mudamos para o Norte, de onde minha mãe viera. Cresci, virei homem e fiquei rico, como um típico ianque. Nem meu pai nem eu sabíamos o que nosso envelope hereditário continha e, quando afundei na monotonia da vida comercial de Massachusetts, perdi todo o interesse pelos mistérios que evidentemente espreitavam muito longe na minha árvore genealógica. Se eu suspeitasse da natureza desses mistérios, com que prazer deixaria o priorado de Exham e seus musgos, seus morcegos e suas teias de aranha!

Meu pai morreu em 1904, mas sem nenhuma mensagem para me deixar, ou para meu único filho, Alfred, um menino de 10 anos sem mãe. Foi esse garoto que reatou a ordem das informações da família, pois, embora eu pudesse lhe dar apenas conjecturas brincalhonas sobre o passado, ele me escreveu sobre algumas lendas ancestrais muito interessantes quando a última guerra o levou à Inglaterra em 1917 como oficial aviador. Aparentemente, os Delapore tinham uma história colorida e talvez sinistra, pois um amigo do meu filho, o capitão Edward Norrys, da Royal Flying Corps, morava perto da residência da família em Anchester e relatou algumas superstições locais que poucos romancistas poderiam igualar em loucura e incredibilidade. O próprio Norrys, é claro, não as levou a sério, mas elas divertiam meu filho e se apresentaram como um bom material para as cartas que me enviava. Essas lendas definitivamente chamaram minha atenção em relação à minha herança transatlântica e me fizeram decidir comprar e restaurar a sede da família que Norrys havia mostrado a Alfred em sua pitoresca deserção, e se oferecera para conseguir uma quantia surpreendentemente razoável por ela, pois seu tio era o proprietário atual.

Comprei o priorado de Exham em 1918, mas quase imediatamente me distraí dos meus planos de restauração por conta do retorno do meu filho como um inválido mutilado. Durante os dois anos em que ele viveu, não pensei em nada além de cuidar dele, tendo até mesmo colocado meus negócios sob a direção de um sócio. Em 1921, quando me vi enlutado e sem rumo, um industrial aposentado que não era mais jovem, resolvi dedicar meus anos restantes a minhas novas posses. Ao visitar Anchester em dezembro, fui recebido pelo capitão Norrys, um jovem gordo e amável que se lembrava muito de meu filho e prometeu ajudar na obtenção de planos e e curiosidades para orientar a restauração que se aproximava. Sem emoção, vi o priorado de Exham, uma confusão de ruínas medievais cobertas de líquen e alveoladas com ninhos de gralhas, empoleiradas perigosamente sobre um precipício e desprovidas de pisos ou outras características internas além das paredes de pedra das torres separadas.

À medida que gradualmente recuperava a imagem do edifício conforme havia sido quando meus antepassados o deixaram há mais de três séculos, comecei a contratar trabalhadores para a reconstrução. Em todos os casos, fui forçado a sair da localidade, pois os aldeões de Anchester tinham um medo e ódio quase inacreditáveis. Esse sentimento era tão grande que, às vezes, era comunicado aos trabalhadores externos, causando numerosas deserções, embora seu escopo parecesse incluir o priorado e a família antiga.

Meu filho havia me dito que ele era evitado durante as visitas porque era um de la Poer, e então me vi sutilmente rejeitado pela mesma razão até convencer os camponeses do pouco que sabiam sobre minha herança. Mesmo assim, eles não gostavam de mim, de modo que tive de conseguir a maioria das tradições da aldeia por intermédio de Norrys. Talvez o povo não pudesse me perdoar, possivelmente, porque eu tinha vindo restaurar um símbolo tão abominável para eles, pois, racionalmente ou não, eles viam o priorado de Exham como nada menos que um assombro de demônios e lobisomens.

Reunindo as histórias que Norrys recolhera para mim e complementando-as com os relatos de vários sábios que estudaram as ruínas, deduzi que o priorado de Exham havia sido construído em um local que antes fora um templo pré-histórico. Uma coisa druida ou antedruida que deve ter sido contemporânea de Stonehenge. Que ritos indescritíveis haviam sido celebrados ali, poucos duvidavam, e havia histórias desagradáveis sobre a transferência desses ritos no culto de adoração a Cibele que os romanos haviam introduzido. As inscrições ainda visíveis no subsolo traziam letras inconfundíveis como "DIV... OPS... MAGNA. MAT...", sinal da Magna Mater, cuja adoração sombria já fora em vão proibida aos cidadãos romanos. Anchester tinha sido o acampamento da terceira legião de Augusto, como muitos atestam, e dizia-se que o templo de Cibele era esplêndido e cheio de fiéis que realizavam cerimônias inomináveis por ordem de um sacerdote frígio. As lendas acrescentavam que a queda da antiga religião não acabou com as orgias no templo, e os sacerdotes viveram na nova fé sem mudanças muito significativas. Da mesma maneira, foi dito que os ritos não desapareceram com o poderio romano, e que alguns saxões edificaram o que restava do templo e deram a ele as linhas essenciais que posteriormente foram preservadas, tornando-o centro de um culto temido por muitas gerações. Por volta de 1.000 d.C., o local foi mencionado em uma crônica como sendo um priorado de pedra substancial no qual era abrigada uma ordem monástica estranha e poderosa, cercado por extensos jardins que não precisavam de muros para excluir uma população assustada. Nunca fora destruído pelos dinamarqueses, embora, após a conquista normanda, deva ter declinado tremendamente, pois não houve impedimento quando Henrique III concedeu as terras ao meu antepassado, Gilbert de la Poer, o primeiro barão de Exham, em 1261.

Da minha família antes dessa data, não há relatos negativos, mas algo estranho deve ter acontecido então. Em uma crônica, há uma referência a de la Poer como "amaldiçoado por Deus" em 1307, enquanto as tradições da aldeia mencionam nada além de um medo e um mal frenético espalhados pelo castelo, erguido das fundações do antigo templo e priorado. As histórias contadas à beira do fogo eram da mais horrenda descrição, causada pela reticência assustada e evasão obscura. Eles representavam meus ancestrais como uma raça de demônios hereditários que faziam Gilles de Retz e o marquês de Sade parecerem verdadeiros novatos, e sugeriam, aos sussurros, que eles eram responsáveis pelo desaparecimento ocasional de moradores de várias gerações.

Os piores personagens, aparentemente, foram os barões e seus herdeiros diretos; ao menos, isso era o que a maioria comentava. Dizia-se que, se houvesse inclinações mais saudáveis, um herdeiro morreria cedo para misteriosamente dar lugar a outro descendente mais típico. Parecia haver um culto íntimo na família, presidido pelo chefe da casa, e às vezes fechado, exceto para alguns membros. O temperamento, em vez da ancestralidade, era evidentemente a base desse culto, pois foi praticado por vários que se casaram com membros da família. Lady Margaret Trevor, da Cornualha, esposa de Godfrey, o segundo filho do quinto barão, tornou-se a desgraça favorita de todas as crianças do local, e a heroína demoníaca de uma velha e horrível balada ainda não extinta de perto da fronteira com o País de Gales. Preservada por meio de baladas, também, embora não ilustre o mesmo ponto, ficou a terrível história de Lady Mary de la Poer, que pouco depois de seu casamento com o conde de Shrewsfield foi morta por ele e sua mãe, tendo os dois matadores sendo absolvidos e abençoados pelo padre a quem confessaram o que não ousavam repetir para o mundo.

Esses mitos e baladas, típicos de superstição grosseira, me aborreciam bastante. Sua persistência e sua aplicação a uma longa linhagem de meus ancestrais eram especialmente irritantes, ainda mais porque essas imputações de hábitos monstruosos relacionavam-se desagradavelmente com o único escândalo conhecido de um antepassado imediato: o caso de meu primo, o jovem Randolph Delapore, de Carfax, que foi viver entre os negros e tornou-se sacerdote vodu depois que voltou da Guerra do México.

Fiquei menos perturbado com as histórias vagas de lamentos e uivos no vale estéril e varrido pelo vento sob o penhasco de pedra calcária, dos fedores do cemitério depois das chuvas da primavera, da coisa branca esvoaçante e estridente com que o cavalo de *sir* John Clave se assustara em uma noite em um campo solitário e do criado que enlouquecera com o que viu no priorado à luz do dia. Essas coisas faziam parte de histórias espectrais banais e, na época, eu era um cético convicto. Os relatos de camponeses desaparecidos eram menos para ser descartados, embora não fossem significativos em vista dos costumes medievais. Curiosidades indiscretas significavam a morte, e mais de uma cabeça decepada fora publicamente apresentada nos bastiões, agora extintos, no priorado de Exham.

Algumas das histórias eram extremamente pitorescas e me fizeram desejar ter aprendido mais sobre mitologia comparada na minha juventude. Havia, por exemplo, a crença de que uma legião de demônios com asas de morcego guardava o sabá das bruxas todas as noites no priorado; uma legião cuja subsistência poderia explicar a abundância desproporcional de vegetais grosseiros colhidos nos vastos jardins. E, o mais vívido de todos, havia o dramático episódio dos ratos: o exército fugitivo de vermes obscenos que irrompeu do castelo três meses após a tragédia que o condenou à deserção, o exército esguio, imundo e voraz que varrera tudo à sua frente e devorara aves, gatos, cães, porcos, ovelhas e até dois seres humanos infelizes antes que sua fúria se esgotasse. Em torno desse exército inesquecível de roedores gira todo um ciclo separado de mitos, pois se espalhou pelas casas da aldeia e trouxe maldições e horrores em seu rastro.

Essas eram as histórias que chegaram até mim enquanto eu, com uma teimosia típica de pessoas idosas, tentava iniciar o trabalho de restauração do meu lar ancestral. Não se deve imaginar por um único momento que esses relatos formaram meu principal ambiente psicológico. No entanto, fui constantemente elogiado e encorajado pelo capitão Norrys e pelos antiquários que me cercavam e me ajudavam. Quando a tarefa foi concluída, mais de dois anos após o início, olhei para as grandes salas, paredes revestidas, tetos abobadados, janelas gradeadas e vastas escadarias com um orgulho que compensava totalmente as despesas prodigiosas da restauração. Todos os atributos da Idade Média foram astuciosamente reproduzidos, e as novas peças fundiram-se perfeitamente com as paredes e as fundações originais. O solar de meus ancestrais estava completo, e eu esperava poder finalmente resgatar a fama local da linhagem que terminava em mim. Eu residiria ali permanentemente e provaria que um de la Poer (pois havia adotado novamente a grafia original do nome) não precisava ser visto como um demônio. Meu conforto talvez tenha sido aumentado pelo fato de que, apesar de o priorado de Exham ter sido uma reprodução medieval, seu interior era na verdade totalmente novo e livre de vermes e antigos fantasmas.

Como já disse, mudei-me para lá no dia 16 de julho de 1923. Havia sete criados e nove gatos, dos quais gostava particularmente. Meu gato mais velho, Nigger-Man, tinha 7 anos e viera comigo de minha casa em Bolton, Massachusetts; os outros foram sendo adotados enquanto morava com a família do capitão Norrys durante a restauração do priorado. Durante cinco dias, nossa rotina continuou com a máxima placidez, passando meu tempo principalmente na codificação de dados antigos da família. Eu acabara obtendo alguns relatos muito circunstanciais da tragédia final e da fuga de Walter de la Poer, que imaginei ser o conteúdo provável dos papéis hereditários perdidos no incêndio em Carfax. Parecia que meu antepassado fora acusado, com muita razão, de ter matado todos os outros membros de sua casa durante o sono (exceto quatro criados que estavam com ele mancomunados), cerca de duas semanas após uma descoberta chocante que mudou o seu comportamento completamente, mas que, a não ser por indução, ele não revelou a ninguém, exceto, talvez, aos criados que o ajudaram e depois fugiram.

Esse massacre deliberado, que incluía um pai, três irmãos e duas irmãs, foi amplamente tolerado pelos aldeões, e tão levianamente tratado pela lei que seu agressor escapou honrado, ileso e sem disfarce para a Virgínia. O sentimento geral era de que ele havia expurgado a Terra de uma maldição imemorial. Que descoberta havia levado a um ato tão terrível, eu mal conseguia conjecturar. Walter de la Poer devia ter conhecimento, há anos, das histórias sinistras sobre sua família, de modo que esse material não deveria lhe dar um novo impulso. Ele, então, testemunhara algum rito antigo assustador ou tropeçara em algum símbolo assustador e revelador no priorado ou em sua vizinhança? Ele tinha a reputação de ter sido um jovem tímido e gentil na Inglaterra. Na Virgínia, ele não parecia tão mau ou amargo, mas sim assombrado e apreensivo. Ele foi mencionado no diário de outro cavalheiro aventuroso, Francis Harley, de Bellview, como um homem de justiça, honra e delicadeza sem precedentes.

Em 22 de julho, ocorreu o primeiro incidente que, embora levemente descartado na época, assumiu um significado sobrenatural em relação a eventos posteriores. Era tão simples, que era quase insignificante e poderia simplesmente passar despercebido nessas circunstâncias, pois deve-se lembrar que eu estava em um edifício praticamente novo e recente, exceto pelas paredes, e cercado por uma equipe de criados bem equilibrada. Sendo assim, qualquer apreensão teria sido absurda, a despeito da localidade. Do que me lembro é apenas isso: que meu velho gato preto, cujo humor eu conheço tão bem, estava indubitavelmente alerta e ansioso, de uma maneira totalmente fora de seu jeito natural. Ele andava de sala em sala, inquieto e perturbado, e cheirava constantemente as paredes que faziam parte da antiga estrutura gótica. Percebo como isso soa banal, como o cão das histórias de fantasmas, que inevitavelmente sempre rosna antes que seu mestre veja o fantasma, mas não posso reprimir o fato de maneira consistente.

No dia seguinte, um criado reclamou de inquietação entre todos os gatos da casa. Ele veio até meu escritório, uma sala a Oeste no segundo andar, com arcos ogivais, painéis de carvalho preto na parede e uma tripla janela gótica com vista para o penhasco de calcário e o vale desolado, e, enquanto falava, eu via o vulto de Nigger-Man rastejando pela parede a Oeste, arranhando os novos painéis que cobriam a pedra antiga. Eu disse ao homem que devia haver algum odor ou emanação singular da antiga alvenaria, imperceptível aos sentidos humanos, mas que afetava os delicados órgãos dos gatos, mesmo através da nova madeira. Eu realmente acreditava nisso e, quando o sujeito sugeriu a presença de camundongos ou ratos, mencionei que não havia ratos ali há trezentos anos e que mesmo os ratos-do-campo dos arredores dificilmente podiam ser encontrados àquela altura, onde nunca tinham sido vistos. Naquela tarde, chamei o capitão Norrys, e ele me garantiu que seria bastante incrível que ratos-do-campo pudessem infestar o priorado de maneira tão repentina e sem precedentes.

Naquela noite, dispensando, como sempre, o camareiro, me recolhi a meus aposentos na torre Oeste que eu escolhera, a qual era alcançada pelo escritório por uma escada de pedra e uma pequena galeria, a primeira parcialmente antiga, a segunda totalmente restaurada. O quarto era circular, muito alto e sem lambris, forrado com pano de arrás que eu mesmo escolhera em Londres. Vendo que Nigger-Man estava comigo, fechei a pesada porta gótica e me despi à luz das lâmpadas elétricas que imitavam tão habilmente as velas. Por fim, desliguei a luz e afundei em meu leito com dossel, tendo o venerável gato junto aos pés, como de costume. Não fechei as cortinas, mas olhei para a estreita janela que me encarava ao Norte. Havia uma suspeita de aurora no céu, e os delicados rendilhados da janela formavam em silhueta agradável.

Em algum momento devo ter adormecido em silêncio, pois me lembro de uma sensação distinta de ter voltado de sonhos estranhos quando o gato saiu violentamente de sua posição plácida. Eu o vi através do fraco brilho da aurora, com a cabeça esticada para a frente, as patas dianteiras em meus tornozelos e as posteriores esticadas para trás. Ele estava olhando intensamente para um ponto na parede um pouco a Oeste da janela, um ponto que aos meus olhos não tinha nada de especial, mas para o qual toda a minha atenção estava agora direcionada. E, enquanto eu observava, sabia que Nigger-Man não se excitara em vão. Se o pano de arrás realmente se moveu, não posso dizer. Eu acho que sim, muito levemente. Mas o que posso jurar é que, por trás dele, ouvi um ruído baixo e distinto de ratos ou camundongos. Rapidamente, o gato pulou na tapeçaria, arrastando a parte suspeita ao chão com o seu peso e expondo uma antiga e úmida parede de pedra, remendada aqui e ali pelos restauradores, sem qualquer vestígio de roedores ladrões. Nigger--Man correu para cima e para baixo no chão por essa parte da parede, arranhando o pedaço de pano de arrás caído e aparentemente tentando inserir uma pata entre a parede e o piso de carvalho. Ele não encontrou nada e, depois de um tempo, voltou cansado para o seu lugar, perto dos meus pés. Não me movi, mas não dormi novamente naquela noite.

De manhã, interroguei todos os criados e constatei que nenhum deles havia notado algo incomum, exceto pela cozinheira, que se lembrava das ações de um gato que havia descansado no peitoril da janela de seu quarto. Esse gato miara em uma hora desconhecida da noite, acordando a cozinheira a tempo de vê-lo disparar buscando algo pela porta aberta, descendo as escadas. Cochilei após o almoço e, à tarde, liguei novamente para o capitão Norrys, que ficou muito interessado com o que eu lhe disse. Os incidentes estranhos, tão leves, mas tão curiosos, atraíram seu senso imaginativo e provocaram nele várias lembranças da tradição fantasmagórica local. Ficamos genuinamente perplexos com a presença de ratos, e Norrys me emprestou algumas armadilhas e trigo-roxo, que solicitei aos criados espalharem em locais estratégicos quando voltei.

Fui dormir cedo, com muito sono, mas fui perturbado por sonhos horríveis. Eu parecia estar olhando, de uma imensa altura, para uma gruta de dois metros de altura, cheia de sujeira até os joelhos, onde um homem demoníaco de barba branca, em trajes de porqueiro, pastoreava um bando de bestas flácidas e esponjosas cuja aparência me enchia de indescritível ódio. Então, quando o homem parou e assentiu sobre sua tarefa, uma poderosa invasão de ratos começou a cair no abismo imundo e começou a devorar tanto os animais como o homem.

Fui abruptamente despertado dessa visão terrível pelos movimentos de Nigger-Man, que dormia como de costume nos meus pés. Dessa vez, não precisei questionar a fonte de seus rosnados e assobios, e do medo que o fez afundar suas garras no meu tornozelo, inconsciente de seus efeitos, pois em todos os lados do quarto as paredes pareciam vivas e emitindo um som nauseante: o chiado nojento verminoso de ratos gigantes e famintos. Agora não havia aurora para mostrar o estado do tecido de arrás, cujo pedaço caído havia sido substituído, mas eu não estava tão assustado a ponto de ter medo de acender a luz.

Quando as lâmpadas brilharam, vi por toda a tapeçaria, fazendo com que os desenhos um tanto peculiares executassem uma dança singular da morte. Aquele movimento desaparecera quase imediatamente e, com ele, o som também. Saltando da cama, cutuquei o tecido de arrás com o cabo longo de um aquecedor que repousava perto e afastei um pano para ver o que tinha atrás. Não havia nada além da parede de pedra remendada, e até o gato havia perdido seu aspecto tenso diante da presença de eventos anormais. Quando examinei a ratoeira circular que havia sido colocada no quarto, encontrei todas as aberturas desarmadas, embora não restasse nenhum vestígio do que algo tinha sido pego e escapado.

Dormir ainda estava fora de questão, então, acendi uma vela, abri a porta e saí na galeria em direção às escadas do meu escritório, com Nigger-Man seguindo os meus calcanhares. Antes de chegarmos aos degraus de pedra, no entanto, o gato disparou na minha frente e desapareceu escada abaixo. Enquanto descia as escadas, percebi de repente os sons no grande salão abaixo, sons de natureza inconfundíveis. As paredes com painéis de carvalho estavam cheias de ratos, que chiavam e roíam, enquanto Nigger-Man corria com a fúria de um caçador perplexo. Chegando até o interruptor, acendi a luz, mas dessa vez o barulho não diminuiu. Os ratos continuaram seu tumulto, surgindo com tanta força e distinção que eu finalmente pude atribuir a seus movimentos uma direção definitiva. Essas criaturas, em números aparentemente inesgotáveis, estavam envolvidas em uma migração estupenda de alturas inconcebíveis para alguma profundidade concebível, ou inconcebível, abaixo.

Foi então que ouvi passos no corredor e, em seguida, dois criados abriram a enorme porta. Eles estavam procurando alguma fonte desconhecida de perturbação que deixara todos os gatos em pânico e os levara a descer precipitadamente vários lances de escada até pararem, uivando, diante da porta fechada do subsolo. Perguntei-lhes se tinham ouvido os ratos, mas eles responderam negativamente. E, quando me virei para chamar atenção deles para os sons nos painéis, percebi que o barulho havia cessado. Com os dois homens, fui até a porta do subsolo, mas encontrei os gatos já dispersos. Mais tarde, resolvi explorar a cripta abaixo, mas apenas inspecionei as ratoeiras. Todas estavam desarmadas, porém vazias. Eu me convenci de que ninguém havia ouvido os ratos, exceto eu e os felinos, e fiquei sentado no escritório até a manhã seguinte, pensando profundamente e lembrando todos os pedaços de lendas que eu havia descoberto sobre o edifício que eu habitava.

Dormi um pouco à tarde, recostando-me na única cadeira confortável da biblioteca que meu plano medieval de mobília não havia conseguido banir. Mais tarde, telefonei para o capitão Norrys, que veio para me ajudar na exploração do subsolo. Absolutamente nada de ruim foi encontrado, embora não pudéssemos reprimir uma emoção ao saber que aquelas abóbodas haviam sido construídas por mãos romanas. Todos os arcos baixos e pilares maciços eram romanos; não o romanesco degradado dos saxões, mas o classicismo severo e harmonioso da era dos césares. De fato, as paredes estavam repletas de inscrições familiares aos antiquários que haviam explorado o local repetidamente – coisas como "P.GETAE. PROP... TEMP... DONA..." e "L. PRAEC... VS... PONTIFI... ATYS...".

 A referência a Atys me fez estremecer, pois havia lido Catulo e conhecia algo dos ritos hediondos do deus oriental, cujo culto era tão misturado ao de Cibele. Norrys e eu, à luz da lanterna, tentamos interpretar os desenhos estranhos e quase apagados em certos blocos de pedra irregularmente retangulares, geralmente considerados altares, mas não conseguíamos fazer muito com eles. Lembramos que um padrão, uma espécie de Sol irradiado, fora considerado pelos estudantes como de origem não romana, sugerindo que aqueles altares haviam sido apenas adotados pelos sacerdotes romanos de templos mais antigos e talvez primitivos que estiveram no mesmo local. Em um desses blocos havia algumas manchas que me fizeram pensar. O maior, no centro da sala, tinha certas características na superfície superior que indicavam sua conexão com o fogo, provavelmente oferendas de incenso.

 Eram estes os pontos de vista naquela cripta diante de cuja porta os gatos miaram e onde Norrys e eu decidimos passar a noite. Mandamos os criados trazerem catres, que foram instruídos a não se importar com as ações noturnas dos gatos, e Nigger-Man foi aceito tanto pela ajuda quanto pela companhia. Decidimos manter a grande porta de carvalho (uma réplica moderna com fendas para ventilação) bem fechada e, feito isso, nos recolhemos com lanternas ainda acesas, para aguardar o que aconteceria.

 A abóbada era muito profunda nas fundações do priorado e, sem dúvida, muito abaixo da superfície do penhasco de pedra calcária que dominava o vale do deserto. Que esse era o objetivo dos ratos inquietos e inexplicáveis, eu não poderia duvidar, mas não soube dizer o motivo. Enquanto esperava deitado, minha vigília foi ocasionalmente interrompida por sonhos vagos, a partir dos quais os movimentos desconfortáveis do gato perto dos meus pés me despertavam. Os sonhos não eram saudáveis, mas horrivelmente parecidos com o que eu tive na noite anterior. Vi novamente a gruta obscura, e o criador de porcos com suas feras esponjosas e indescritíveis afundando na imundície e, enquanto olhava para essas coisas, elas pareciam mais próximas e mais distintas; tão distintas, que eu quase conseguia observar seus traços. Então observei as feições flácidas de um deles, e acordei com um grito do qual o capitão Norrys, que não havia dormido, ria consideravelmente. Norrys poderia ter rido mais, ou talvez menos, se soubesse o que me fizera gritar, porém, apenas lembrei mais tarde. O horror extremo muitas vezes paralisa a memória de uma maneira aliviadora.

Norrys me acordou assim que o fenômeno começou. Do pesadelo, fui despertado por ele, que me abanava calmamente e pedia para eu ouvir os gatos. De fato, havia muito o que ouvir, pois, além da porta fechada, no alto da escadaria de pedra, havia um verdadeiro pesadelo de gritos e arranhões felinos, enquanto Nigger-Man, indiferente à sua família do lado de fora, corria excitado pelas paredes de pedra lisa, nas quais ouvi a mesma babel de ratos correndo que me incomodara na noite anterior.

Um terror agudo surgiu dentro de mim, pois ali havia anomalias que nada poderia explicar. Esses ratos, se não eram fruto de uma loucura que eu compartilhava apenas com os gatos, deviam estar escavando e deslizando dentro das paredes romanas que eu pensava serem de sólidos blocos de pedra calcária, a menos que talvez a ação da água por mais de dezessete séculos tenha criado túneis que os corpos de roedores ampliaram. De qualquer forma, o horror espectral não era menor; pois se eram animais vivos, por que Norrys não ouvia sua comoção repugnante? Por que ele insistiu para eu observar Nigger-Man e a ouvir os gatos lá fora, e por que tentava adivinhar selvagem e vagamente o que poderia tê-los despertado?

Quando consegui contar a ele, da maneira mais racional possível, o que achava estar escutando, meus ouvidos me deram a última impressão da debandada de ratos, sempre para baixo, muito abaixo da cripta mais profunda, até parecer que todo o penhasco abaixo estava cheio de ratos fugidios. Norrys não aparentou ser tão cético quanto eu previra, mas parecia profundamente impressionado. Ele fez um sinal para mim, notando que os gatos na porta haviam cessado seu clamor, como se desistissem dos ratos, enquanto Nigger-Man tinha uma explosão de inquietação renovada e arranhava freneticamente o fundo do grande altar de pedra no centro da sala, que estava mais perto do catre de Norrys do que o meu.

Meu medo do desconhecido, nesse momento, era enorme. Algo surpreendente ocorrera e vi que o capitão Norrys, um homem mais jovem, robusto e presumivelmente mais materialista, foi afetado tanto quanto a mim mesmo; talvez por causa de sua familiaridade íntima e ao longo da vida com as lendas locais. No momento, não podíamos fazer nada além de observar o velho gato preto, enquanto ele arranhava a base do altar com crescente fervor, ocasionalmente olhando para mim e miando daquela maneira persuasiva que ele usava quando desejava que eu lhe prestasse algum favor.

Norrys pegou uma lanterna perto do altar e examinou o lugar onde Nigger-Man estava arranhando; ajoelhando-se silenciosamente e arrancando o líquen secular que unia o maciço bloco pré-romano ao pavimento lajeado. Ele não encontrou nada e estava prestes a abandonar seu esforço quando notei uma circunstância trivial que me fez estremecer, mesmo que isso não implicasse em nada mais do que eu já havia imaginado. Contei a ele e observamos sua manifestação quase imperceptível com aquela fascinação fixa da descoberta e do reconhecimento. Foi apenas isso: a chama da lanterna, pousada perto do altar, tremulou leve, mas, certamente, por conta de uma corrente de ar que não havia recebido antes e que vinha sem dúvidas da fenda entre o chão e o altar de onde Norrys estava raspando o líquen.

Passamos o resto da noite no escritório brilhantemente iluminado, discutindo nervosamente o que deveríamos fazer a seguir. A descoberta de uma abóbada mais profunda do que a alvenaria mais profunda conhecida pelos romanos e que subjazia sob o prédio amaldiçoado (alguma abóbada não notada pelos antiquários de três séculos) teria sido suficiente para nos excitar sem nenhum fundo sinistro. Naquelas circunstâncias, o fascínio tornou-se dúbio, e ficamos em dúvida entre abandonar nossa busca e o priorado para sempre por causa da cautela supersticiosa ou seguir nosso senso de aventura e enfrentar os horrores que nos aguardavam nas profundezas desconhecidas. Pela manhã, nos resolvemos e decidimos que iríamos a Londres para reunir um grupo de arqueólogos e cientistas aptos a lidar com o mistério. Deve-se mencionar que, antes de deixar o subsolo, tentamos em vão remover o altar central, que agora reconhecíamos como a porta para um novo poço de medo inominável. Qual segredo abriria o portão, homens mais sábios do que nós teriam de descobrir.

Durante muitos dias em Londres, o capitão Norrys e eu apresentamos fatos, conjecturas e histórias lendárias a cinco autoridades eminentes, todos homens em quem se podia confiar que respeitariam quaisquer segredos familiares revelados por futuras explorações que pudéssemos desenvolver. Achamos a maioria pouco disposta a zombar, mas, em vez disso, intensamente interessada e sinceramente solidária. Não é necessário nomear todos eles, mas posso dizer que estava entre eles *sir* William Brinton, cujas escavações no Troad interessaram ao mundo inteiro na época. Quando pegamos o trem para Anchester, senti-me à beira de revelações terríveis, uma sensação simbolizada pelo ar de luto entre os muitos ianques à notícia inesperada sobre a morte do presidente do outro lado do mundo.

Na noite de 7 de agosto, chegamos ao priorado de Exham, onde os criados me garantiram que nada de incomum havia acontecido. Os gatos, e até mesmo o velho Nigger-Man, estavam perfeitamente plácidos, e nenhuma armadilha na casa havia sido desarmada. Deveríamos começar a exploração no dia seguinte, e designei quartos bem-equipados para todos os meus convidados. Eu mesmo me recolhi em minha própria torre, com Nigger-Man nos meus pés. O sono veio rapidamente, mas sonhos terríveis me atacaram. Havia a visão de um banquete romano como o de Trimálquio, com algo horrendo em uma travessa coberta. Então apareceu aquela coisa maldita e recorrente sobre o criador de suínos e sua imundície na gruta crepuscular. No entanto, quando acordei, estava plena a luz do dia, com sons normais na casa abaixo. Os ratos, vivos ou espectrais, não me incomodaram; e Nigger-Man estava dormindo em silêncio. Ao descer, descobri que a mesma tranquilidade havia prevalecido em outros lugares, uma condição que um dos sábios ali presentes, um sujeito dedicado à física, chamado Thornton, atribuiu de maneira absurda ao fato de que eu já vira o que certas forças desejavam me mostrar.

Estava tudo pronto e, às onze horas da manhã, todo o nosso grupo de sete homens, portando potentes lanternas e instrumentos de escavação, desceu ao subsolo, com a porta sendo trancada atrás de nós. Nigger-Man estava conosco, pois os investigadores não viram razão para desprezar sua excitabilidade e estavam realmente ansiosos por ele estar presente em caso de manifestações obscuras de roedores. Observamos as inscrições romanas e os desenhos de altar desconhecidos apenas brevemente, pois três dos sábios já os tinham visto e todos conheciam suas características. Foi dada muita atenção ao importante altar central e, em uma hora, *sir* William Brinton fez com que ele se inclinasse para trás, equilibrado por alguma espécie de contrapeso oculto.

Surgiu um espetáculo horrível que nos teria desorientado se não estivéssemos preparados. Através de uma abertura quase quadrada no chão de ladrilhos, esparramada em um lance de degraus de pedra tão prodigiosamente desgastado, que no centro formava pouco mais do que um plano inclinado, havia uma horrível variedade de ossos humanos ou semi-humanos. Aqueles que mantiveram sua forma como esqueletos mostravam atitudes de medo e pânico e, acima de tudo, possuíam marcas de roedores. Os crânios denotavam pertencer a idiotas, cretinos ou seres primitivos. Acima dos degraus infernalmente espalhados, arqueava-se uma passagem descendente com aparência cinzelada da rocha sólida e de onde surgia uma corrente de ar. Essa corrente não foi repentina e nociva como se tivesse saído de uma cripta fechada, mas era uma brisa fresca e leve. Não paramos, mas, trêmulos, começamos a abrir passagem pelos degraus. Foi então que *sir* William, examinando as paredes talhadas, fez a estranha observação de que a galeria, de acordo com a direção dos entalhes, devia ter sido escavada de baixo para cima.

Neste momento, devo ser muito cuidadoso e escolher minhas palavras.

Depois de descer alguns degraus entre os ossos roídos, vimos que havia luz à frente. Não era uma fosforescência mística qualquer, mas uma luz do dia filtrada que não poderia vir senão das fissuras desconhecidas na estrutura rochosa que dava para o vale deserto. O fato de tais fissuras terem escapado do exterior não foi notável, pois o vale não apenas era totalmente desabitado, mas o penhasco era tão alto e assustador, que apenas um aeronauta poderia estudá-lo em detalhes. Mais alguns passos e ficamos literalmente sem respiração pelo que vimos, tão literalmente que Thornton, o investigador físico, desmaiou nos braços do homem atordoado que estava atrás dele. Norrys, com seu rosto rechonchudo, totalmente branco e flácido, simplesmente soltou um grito inarticulado, enquanto penso que o que fiz foi abrir minha boca e cobrir meus olhos. O homem atrás de mim, o único do grupo mais velho que eu, resmungou o trivial "Meu Deus!" com a voz mais trêmula que já ouvi. Dos sete homens cultos, apenas *sir* William Brinton manteve a compostura, algo que lhe dava mais crédito, pois ele liderou o grupo e deve ter visto a cena primeiro.

Era uma gruta de enorme altura, estendendo-se mais longe do que qualquer olho podia ver. Um mundo subterrâneo de mistério ilimitado e de impressão horrível. Havia prédios e outros vestígios arquitetônicos; com um olhar aterrorizado, vi um estranho padrão de túmulos, um círculo selvagem de monólitos, uma ruína romana de cúpula baixa, uma pilha saxônica extensa e uma primitiva construção da Inglaterra, mas todos eram diminuídos pelo espetáculo macabro apresentado pela superfície geral do terreno. Por metros em volta dos degraus, estendia-se um emaranhado insano de ossos humanos, ou ossos pelo menos tão humanos quanto os dos degraus. Como um mar espumoso, eles se estendiam, alguns desmoronavam, mas alguns outros ainda estavam total ou parcialmente articulados como esqueletos. Estes, invariavelmente, em posturas de frenesi demoníaco, combatendo alguma ameaça ou agarrando outras formas com intenção canibal.

Quando o dr. Trask, o antropólogo, inclinou-se para classificar os crânios, encontrou uma raça inferior que o deixara completamente perplexo. Eles eram na maioria inferiores ao homem de Piltdown na escala da evolução, mas em todos os casos definitivamente humanos. Muitos eram de grau superior e poucos eram os crânios de tipos sensivelmente mais desenvolvidos. Todos os ossos estavam roídos, principalmente por ratos, mas alguns, por aquela raça meio-humana. Misturados a eles havia muitos ossos minúsculos de ratos, membros caídos do exército letal que levou a cabo o feito antigo.

Eu me pergunto se qualquer homem entre nós viveu e manteve sua sanidade durante aquele dia terrível de descoberta. Hoffmann ou Huysmans não poderiam conceber uma cena mais selvagemente incrível, mais freneticamente repelente ou mais goticamente grotesca do que a gruta através da qual nós sete cambaleamos, cada um tropeçando, revelação após revelação, e tentando não pensar em eventos que devem ter ocorrido ali trezentos, mil, dois mil ou dez mil anos atrás. Era a antecâmara do inferno, e o pobre Thornton desmaiou novamente quando Trask lhe disse que alguns daqueles esqueletos deviam ter sido quadrúpedes nas últimas vinte ou mais gerações.

O horror aumentou quando começamos a interpretar os restos arquitetônicos. Os quadrúpedes, com seus recrutas ocasionais da classe bípede foram guardados em jaulas de pedra, das quais eles devem ter saído em seu último delírio de fome ou medo de ratos. Havia grandes manadas deles, evidentemente engordados com os vegetais grosseiros cujos restos podiam ser encontrados como uma espécie de resíduo doentio no fundo de enormes caixas de pedra mais antigas que Roma. Agora eu sabia por que meus ancestrais tinham jardins tão grandes: para coisas celestiais não eram! O objetivo dos rebanhos não era mais um mistério agora.

Sir William, parado com sua lanterna na ruína romana, traduziu em voz alta o ritual mais chocante que já conheci e falou da dieta do culto antediluviano que os sacerdotes de Cibele encontraram e misturaram com os seus. Norrys, acostumado com as trincheiras, mesmo assim não conseguia andar direito quando saiu do prédio inglês. Eram um açougue e uma cozinha ele esperava isso, mas era demais ver instrumentos ingleses familiares em tal lugar, e ler a grafia inglesa familiar ali, alguns escritos de 1610. Eu não podia entrar naquele prédio, cujas atividades demoníacas foram interrompidas apenas pela adaga do meu ancestral Walter de la Poer.

Só me atrevi a entrar na construção saxã, cuja porta de carvalho havia caído, e lá encontrei uma fileira terrível de dez celas de pedra com barras enferrujadas. Três tinham ocupantes, todos esqueletos de alta evolução, e no dedo indicador ósseo de um, eu encontrei um anel de sinete com meu próprio brasão de armas. *Sir* William encontrou uma cúpula com celas muito mais antigas abaixo da capela romana, mas elas estavam vazias. Abaixo, havia uma cripta com caixões de ossos organizados em ordem, alguns deles com inscrições paralelas terríveis esculpidas em latim, grego e frígio. Enquanto isso, Trask abriu um dos túmulos pré-históricos e trouxe à luz crânios que eram um pouco mais humanos que os de um gorila e que tinham entalhes ideográficos indescritíveis. Entre todo esse horror, meu gato seguia imperturbável. Dei uma olhada nele e o vi empoleirado monstruosamente no topo de uma montanha de ossos e me perguntei sobre os segredos que poderiam estar por trás de seus olhos amarelos.

Tendo compreendido, de algum modo, as terríveis revelações dessa área nebulosa; tão terrivelmente prenunciada pelo meu sonho recorrente, voltamos para a profundidade aparentemente sem limites da caverna da meia-noite, onde nenhum raio de luz do penhasco podia penetrar. Jamais saberemos quais inescrutáveis mundos estigianos vão além da pouca distância que percorremos, pois foi decidido que tais segredos não eram bons para a humanidade. Mas vimos o bastante para ficarmos perto uns dos outros, pois ainda não tínhamos ido muito longe quando as lanternas mostraram a infinidade de buracos onde os ratos se banquetearam e cuja súbita falta de reabastecimento levou a um raivoso exército de roedores que se lançou sobre rebanhos de seres humanos fracos pela inanição e depois a saírem do priorado em uma orgia histórica de devastação de que os camponeses nunca se esquecerão.

Meu Deus! Aqueles buracos negros podres, abarrotados de ossos e crânios perfurados! Aqueles abismos de pesadelo entupidos com os ossos de pitecantropoides, celtas, romanos e ingleses de incontáveis séculos não consagrados! Alguns deles estavam cheios, e ninguém poderia dizer quão profundos eram. Não conseguimos ver o fundo de outros, mesmo com nossas lanternas, mas pareciam povoados por sombras hostis. O que, pensei, fora feito dos ratos infelizes que se precipitaram em tais buracos em meio à escuridão de suas buscas naquele terrível Tártaro?

Meu pé deslizou perto de um horrível abismo e tive um momento de medo extático. Devo ter ficado suspenso por algum tempo, pois não pude ver ninguém do grupo senão o gordo capitão Norrys. Então veio um som daquela vastidão escura, sem limites e mais distante, que eu pensei conhecer, e vi meu velho gato preto passando por mim como um deus egípcio alado, direto para o abismo ilimitado do desconhecido. Eu também não fiquei muito para trás, pois não havia dúvidas após mais um segundo. Iniciou-se uma corrida eletrizante daqueles ratos nascidos do diabo, sempre em busca de novos horrores, e determinados a me levar até as cavernas escarnescentes do centro da terra, onde Nyarlathotep, o deus louco e sem rosto, uiva cegamente para as flautas de dois faunos amorfos idiotas.

Minha lanterna desligou, mas ainda assim corri. Ouvi vozes, uivos e ecos, mas, acima de tudo, erguia-se aquela impiedosa e insidiosa corrida, erguendo-se suavemente, como um cadáver inchado e rígido sobe um rio oleoso que flui sob intermináveis pontes de ônix para um mar negro e podre. Algo pulou em mim: macio e rechonchudo. Devem ter sido os ratos; o exército viscoso, gelatinoso e faminto que se deleita com os mortos e os vivos... Por que os ratos não comeriam um de la Poer, assim como um de la Poer comia coisas proibidas? A guerra comeu meu garoto, diabos os carreguem! E os ianques comeram Carfax com chamas e o grão-senhor Delapore e o segredo. Não, não, eu lhe digo, eu não sou aquele demônio que cuida dos porcos na gruta crepuscular! Não era o rosto gordo de Edward Norrys naquela coisa flácida e fúngica! Quem disse que eu sou um de la Poer? Estava vivo, mas meu garoto morreu! Um Norrys deve manter as terras de um de la Poer? É um vodu, eu digo! Aquela cobra manchada... Maldito seja, Thornton, vou ensiná-lo a desmaiar com medo do que a minha família fazia! Você vai sangrar, seu fedorento. Vou te ensinar o que é bom. Magna Mater! Magna Mater!... Atys... Dia ad aghaidh's aodann. agus bas dunach ort! Dhonas's dholas ort, agus leat-sa! Ungl... ungl ... rrrlh... chchch...

H. P. Lovecraft

Foi o que eles disseram que eu falei quando me encontraram na escuridão depois de três horas. Eu estava agachado na escuridão sobre o corpo gordo e comido ao meio do capitão Norrys, com meu próprio gato pulando e rasgando minha garganta. Agora eles explodiram o priorado de Exham, tiraram meu Nigger-Man de mim e me fecharam neste lugar gradeado de Hanwell com sussurros temerosos sobre minha hereditariedade e minhas experiências. Thornton está aqui ao lado, mas me impedem de falar com ele. Eles também estão tentando suprimir a maioria dos fatos relativos ao priorado. Quando falo do pobre Norrys, eles me acusam de algo horrível, mas devem saber que eu não fiz aquilo. Eles devem saber que foram os ratos rastejantes e apressados, cujas fugas nunca me deixam dormir. Ratos demoníacos que correm atrás do reboco deste quarto e me chamam para horrores maiores do que aqueles que já conheci. Os ratos que eles nunca conseguirão. Os ratos, os ratos nas paredes.

OS GATOS DE ULTHAR

Dizem que em Ulthar, que fica além do rio Skai, nenhum homem pode matar um gato, e nisso posso realmente acreditar quando olho aquele que está ronronando diante do fogo. Pois os gatos são enigmáticos e estão sempre próximos de coisas estranhas que os homens não podem ver. Eles são a alma do antigo Egito e portadores de histórias de cidades esquecidas em Meroë e Ophir. São parentes dos senhores da selva e herdeiros dos segredos da África respeitada e sinistra. A Esfinge é sua prima e eles falam sua língua, mas são mais antigos que a Esfinge e lembram daquilo que ela já esqueceu.

Em Ulthar, antes que os burgueses proibissem a matança de gatos, havia uma cabana onde moravam um velho e sua esposa, que se deliciavam em prender e matar os gatos de seus vizinhos. Por que eles fizeram isso, não sei; mas muitos odeiam voz de gatos durante a noite e lamentam que eles corram furtivamente pelos quintais e jardins no crepúsculo. No entanto, seja qual for o motivo, esse velho e sua mulher tiveram prazer em aprisionar e matar todos os gatos que se aproximavam do casebre; e, por conta de alguns dos sons ouvidos depois do anoitecer, muitos moradores imaginavam que a maneira deles de matar era extremamente peculiar. Os camponeses não discutiam essas coisas com o velho e sua esposa; por causa da expressão carrancuda habitual no rosto secos dos dois, e porque o chalé era muito pequeno e estava sombriamente escondido sob os carvalhos espalhados no fundo de um quintal abandonado. Na verdade, por mais que os donos de gatos odiassem essas pessoas estranhas, eles os temiam mais; e, em vez de repreendê-los como assassinos brutais, apenas cuidavam para que nenhum bichinho de estimação se desviasse em direção ao casebre remoto sob as árvores escuras. Quando, por alguma supervisão, um gato era esquecido, e os sons eram ouvidos depois do escurecer, o perdedor lamentava por sua impotência ou consolava-se agradecendo ao destino por não ter sido um de seus filhos a desaparecer. O povo de Ulthar era simples e não sabia de onde vinham todos os gatos.

Um dia, uma caravana de estranhos andarilhos do Sul entrou nas ruas estreitas de Ulthar. Eles eram andarilhos escuros, diferentes das outras pessoas itinerantes que passavam pela vila duas vezes por ano. Nos mercados, eles liam a sorte dos transeuntes por dinheiro e compravam contas coloridas dos comerciantes. Ninguém sabia qual era a terra desses andarilhos, mas viu-se que eles eram dados a orações estranhas e que pintavam figuras estranhas com corpos humanos e cabeças de gatos, falcões, carneiros e leões nas laterais de suas carroças. E o líder da caravana usava um capacete com dois chifres e um disco curioso entre ambos.

Havia nessa caravana singular um menino sem pai ou mãe, e que tinha apenas um pequeno gatinho preto para cuidar. A praga não havia sido gentil com ele, mas o deixara com aquela coisinha peluda para atenuar sua tristeza, e, quando alguém é muito jovem, pode encontrar um grande alívio nas palhaçadas que um gatinho preto faz. Assim, o garoto, a quem as pessoas de pele escura chamavam Menes, sorria com mais frequência do que chorava enquanto brincava com seu gracioso gatinho nos degraus de uma carroça com pinturas estranhas.

Na terceira manhã da estadia dos andarilhos em Ulthar, Menes não encontrou seu gatinho e, enquanto chorava alto no mercado, certos camponeses lhe contaram sobre o velho e sua esposa, e sobre os sons ouvidos durante a noite. Quando ele ouviu esses relatos, seus soluços deram lugar à meditação e, finalmente, à oração. Ele estendeu os braços em direção ao Sol e rezou em uma língua que nenhum camponês conseguia entender, embora, de fato, os camponeses não tenham se esforçado muito para entender, já que sua atenção, agora, era ocupada principalmente pelo céu e pelas formas estranhas que as nuvens estavam assumindo. Tudo muito peculiar, mas, enquanto o garotinho fazia seu pedido, pareciam se formar no alto figuras sombrias e nebulosas de coisas exóticas; de criaturas híbridas coroadas com discos ladeados com chifres. A natureza guarda muitas ilusões para aqueles que têm imaginação fértil.

Naquela noite, os andarilhos deixaram Ulthar e nunca mais foram vistos. E os moradores ficaram preocupados quando perceberam que em toda a vila não havia um gato sequer. Gatos domésticos tinham desaparecido de cada casa: gatos grandes e pequenos, pretos, cinza, listrados, amarelos e brancos. O velho Kranon, o burgomestre, jurou que o povo de pele escura havia levado os gatos em vingança pelo assassinato do gatinho de Menes, e amaldiçoou a caravana e o menino; porém, Nith, o notário magro, declarou que o velho e sua esposa eram mais suspeitos, pois o ódio deles pelos gatos era notório e cada vez mais ousado. Ainda assim, ninguém tinha coragem de se queixar ao casal sinistro, mesmo quando o pequeno Atal, o filho do estalajadeiro, jurou ter visto, ao anoitecer, todos os gatos de Ulthar naquele maldito quintal sob as árvores, andando devagar e solenemente em círculo ao redor da cabana, em pares, como se estivessem realizando algum inédito rito bestial. Os camponeses não sabiam se podiam acreditar em um garoto tão pequeno e, apesar de temerem que o par maligno tenha encantado os gatos até a morte, preferiram não repreender o velho até que o encontrassem do lado de fora de seu quintal escuro e odioso.

Ulthar foi dormir com raiva e, ao amanhecer, quando o povo acordou, lá estavam todos os gatos de volta à sua casa! Grandes e pequenos, pretos, cinza, listrados, amarelos e brancos, não faltava nenhum. Os gatos ronronavam alto, sonoros e gordos. Os cidadãos conversaram entre si sobre o caso e ficaram maravilhados. O velho Kranon mais uma vez insistiu que os homens de pele escura os haviam levado, já que os gatos não retornavam vivos da cabana do velho e de sua esposa. Mas todos concordaram em uma coisa: que a recusa de todos os gatos em comer suas porções de carne ou beber seus potinhos de leite era extremamente curiosa. E por dois dias inteiros os elegantes e preguiçosos gatos de Ulthar não tocaram em comida, apenas cochilaram perto do fogo ou sob o Sol.

Passou uma semana antes que os moradores notassem que não havia luzes acesas nas janelas da cabana ao anoitecer e Nith observou que ninguém tinha visto o velho ou sua esposa desde a noite em que os gatos sumiram. Na semana seguinte, o burgomestre decidiu superar seus medos e ir até a casa estranha e silenciosa por uma questão de obrigação; embora, ao fazê-lo, tivesse o cuidado de levar consigo o ferreiro Shang e o lapidador Thul como testemunhas. E, quando arrombaram a porta frágil, encontraram apenas isto: dois esqueletos humanos limpos, sem carne nem pele, no chão de terra e vários besouros rastejando nos cantos sombrios.

Mais tarde, houve muita conversa entre os habitantes de Ulthar. Zath, o legista, discutiu longamente com Nith, o notário magro, e Kranon, Shang e Thul estavam sobrecarregados de perguntas. Até o pequeno Atal, o filho do estalajadeiro, foi interrogado e recebeu um doce como recompensa. Eles falavam do velho e de sua esposa, da caravana de andarilhos escuros, do pequeno Menes e de seu gatinho preto, da oração de Menes, do céu durante a prece, do comportamento dos gatos na noite em que a caravana partia e do que foi encontrado mais tarde na cabana, sob as árvores escuras no horrível quintal.

E, no final, os burgueses aprovaram a lei notável que até hoje é contada pelos comerciantes de Hatheg e discutida pelos viajantes de Nir, a saber: em Ulthar, nenhum homem pode matar um gato.

A COR QUE CAIU DO ESPAÇO

A Oeste de Arkham, as colinas erguem-se selvagens e há vales com bosques profundos que nenhum machado jamais cortou. Existem vales escuros e estreitos, onde as árvores inclinam-se de maneira fantástica, e onde riachos finos fluem sem nunca terem captado o brilho da luz do Sol. Nas encostas mais suaves, há fazendas antigas e rochosas, com cabanas atarracadas, cobertas de musgo, que refletem eternamente sobre os velhos segredos da Nova Inglaterra, sob os limites de grandes rochas; mas agora estão todas vazias, as largas chaminés desmoronando e as laterais caindo sob o peso dos telhados.

Os antigos se foram e os estrangeiros não gostam de morar lá. Os franco-canadenses tentaram, os italianos também o fizeram, e os poloneses chegaram e partiram. Isso não acontece por conta de algo que pode ser visto, ouvido ou manipulado, mas por causa de algo que é imaginado. O lugar não é bom para a imaginação e não traz sonhos tranquilos à noite. Deve ser isso que mantém os estrangeiros afastados, pois o velho Ammi Pierce nunca lhes contou nada do que se lembra a respeito daqueles dias estranhos. Ammi, cuja cabeça é um pouco esquisita há anos, é o único que ainda permanece no local, ou que consegue falar sobre os dias estranhos; e ele o faz porque sua casa é muito perto dos campos abertos e das estradas movimentadas em torno de Arkham.

Havia uma estrada que atravessava as colinas e os vales, que cortava diretamente o local onde está o descampado maldito, mas as pessoas deixaram de usá-la e então uma nova estrada foi construída na direção do Sul. Ainda podem ser encontrados vestígios da antiga estrada em meio às ervas daninhas de um deserto que sempre volta, e alguns destes, sem dúvida, permanecerão mesmo quando metade dos vales forem inundados pelo novo reservatório de água. Então, a floresta escura será cortada e o descampado adormecerá muito abaixo das águas azuis, cuja superfície espelhará o céu e ondulará ao Sol. E os segredos daqueles dias estranhos serão os únicos com os segredos das profundezas; únicos com a tradição oculta do velho oceano, e todos os mistérios da Terra primitiva.

Quando entrei nas colinas e nos vales para procurar o novo reservatório, eles me disseram que o lugar era amaldiçoado. Eles me disseram isso em Arkham e, como essa cidade é muito antiga, cheia de lendas de bruxas, pensei que essa maldição devia ser algo que as avós sussurravam para as crianças através dos séculos. O nome "descampado maldito" me pareceu muito estranho e teatral, e eu me perguntava como ele havia sido inserido no folclore de um povo tão puritano. Então, vi aquele emaranhado escuro de vales e encostas a Oeste e parei de imaginar qualquer coisa além do próprio antigo mistério. Era de manhã quando eu a vi, mas a sombra espreitava sempre lá. As árvores cresciam espessas demais e seus troncos eram muito grandes para qualquer madeira vigorosa da Nova Inglaterra. Havia muito silêncio nos becos escuros entre elas, e o chão estava macio demais por causa do musgo úmido e dos capachos formados por infinitos anos de decadência.

Nos espaços abertos, principalmente ao longo da estrada antiga, havia pequenas fazendas nas encostas; às vezes com todas as construções ainda em pé, às vezes com apenas uma ou duas delas, e às vezes com apenas uma chaminé ou um porão. Ervas daninhas e espinheiros reinavam no local, e coisas selvagens e furtivas farfalhavam na vegetação rasteira. Havia uma névoa de inquietação e opressão sobre todas as coisas; um toque do irreal e do grotesco, como se algum elemento vital de perspectiva ou contraste estivesse na direção errada. Não me perguntei por que os estrangeiros não permaneciam lá, pois essa região não era interessante para dormir. Era como uma paisagem de Salvator Rosa, muito parecida com uma xilogravura proibida em um conto de terror.

Contudo, nada poderia ser tão ruim quanto o descampado maldito. Soube disso no momento em que o encontrei no fundo de um vale espaçoso, pois nenhum outro nome poderia se encaixar nessa coisa, ou qualquer outra coisa se encaixaria nesse nome. Era como se o poeta tivesse cunhado a expressão após ter visto essa região em particular. Pensava que devia ser o resultado de um incêndio, mas por que nada de novo havia crescido sobre aqueles cinco acres de desolação cinzenta que se estendiam pelo céu como uma enorme mancha consumida pelo ácido nos bosques e nos campos? Situava-se em grande parte ao Norte da antiga estrada, mas invadia uma região do outro lado. Senti uma estranha relutância em me aproximar, e finalmente o fiz apenas porque meus negócios me pediam. Não havia vegetação de nenhum tipo naquela vasta extensão de terra, mas apenas uma fina poeira cinzenta que nenhum vento parecia conseguir soprar. As árvores próximas a ele estavam doentes e atrofiadas, e muitos troncos mortos estavam em pé ou jaziam apodrecendo. Enquanto caminhava às pressas, vi os tijolos e as pedras caídos de uma antiga chaminé e de um porão à minha direita, ao lado de um poço abandonado cujos vapores estagnados faziam reflexos estranhos de acordo com os tons da luz do Sol. Até a longa e escura subida da floresta parecia bem-vinda em contraste, e então pude compreender os sussurros assustados do povo de Arkham. Não havia casas ou ruínas por perto. Mesmo nos velhos tempos, o lugar deve ter sido solitário e remoto. E, no crepúsculo, com medo de atravessar aquele local ameaçador, voltei para a cidade pela estrada curva ao Sul. Eu desejava, indeciso, que algumas nuvens se formassem, pois um estranho temor sobre os profundos vazios do céu infiltrara-se em minha alma.

À noite, perguntei aos moradores mais antigos de Arkham sobre o descampado maldito e o que significava a expressão "dias estranhos" que tantos evasivamente murmuravam. Não consegui, contudo, obter boas respostas, exceto que todo o mistério era muito mais recente do que eu sonhara. Não era uma questão de lendas antigas, mas algo pertencente à vida daqueles que a diziam. Isso aconteceu na década de 1880, quando uma família havia desaparecido ou sido morta. As pessoas não diziam nada com exatidão, e todas mandavam eu não prestar atenção nos loucos relatos do velho Ammi Pierce. Procurei-o na manhã seguinte, depois de ouvir que ele morava sozinho na antiga cabana caindo aos pedaços, onde as árvores começavam a crescer. Era um lugar assustadoramente arcaico, e começara a exalar aquele leve odor sufocante que se agarra a casas muito antigas. Somente após bater na porta repetidas vezes consegui despertar o velho e, quando ele se aproximou timidamente da porta, percebi que não estava feliz em me ver. Ele não era tão fraco como eu esperava, mas seus olhos pareciam caídos; suas roupas puídas e sua barba branca o fizeram parecer muito cansado e triste. Sem saber como fazê-lo me contar suas histórias, fingi que estava ali a negócios; disse a ele sobre minha pesquisa e fiz perguntas vagas sobre o distrito. Ele era muito mais brilhante e educado do que eu havia sido levado a pensar e, antes que eu percebesse, já havia compreendido mais sobre o assunto do que me contara qualquer homem com quem conversei em Arkham. Ele não era como outros rústicos que eu conheci nas seções onde deveriam ser construídos os reservatórios. Não houve protestos quanto às milhas de florestas e terras agrícolas a serem destruídas, embora talvez o fizesse se a casa dele não estivesse fora dos limites do futuro lago. Alívio foi tudo o que ele demonstrou; alívio pelos escuros vales antigos, nos quais ele passara a vida inteira. Eles estariam melhor debaixo d'água agora, desde aqueles dias estranhos. E, depois de dizer isso, sua voz rouca foi diminuindo de volume, enquanto seu corpo se inclinava para frente e o indicador direito começava a apontar, trêmulo e impressionante.

Foi então que ouvi a história e, quando a voz divagadora sussurrava roucamente, estremeci de novo e de novo, apesar de estarmos no verão. Muitas vezes, eu tinha que me lembrar de interromper as divagações, descobrir pontos científicos que ele conhecia apenas por ter uma leve lembrança, baseada no que os pesquisadores diziam, ou preencher as lacunas quando lhe faltava senso de lógica e continuidade. Quando ele terminou de falar, entendi que estava um tanto abalado, e que o povo de Arkham não gostava de falar muito do descampado maldito. Corri de volta para o hotel antes do pôr do sol, não querendo que as estrelas surgissem acima de mim ao ar livre. No dia seguinte, retornei a Boston para me demitir. Não queria entrar naquele caos escuro da velha floresta novamente ou enfrentar outra vez o cinzento descampado maldito, onde o poço escuro escancarava profundamente a boca ao lado de tijolos e pedras caídos. O reservatório será construído em breve, e todos os segredos mais antigos estarão a salvo para sempre sob bravias aquosas. Contudo, mesmo assim, não acredito que gostaria de visitar esse lugar à noite; pelo menos não quando as estrelas sinistras estiverem no céu, e nada poderia me subornar a ponto de ter de beber a nova água da cidade de Arkham.

Tudo começou, disse o velho Ammi, com o meteorito. Antes daquele tempo, não havia lendas selvagens desde os julgamentos das bruxas, e mesmo assim esses bosques ocidentais não eram tão temidos quanto a pequena ilha no Miskatonic, onde o diabo mantinha corte ao lado de um curioso altar de pedra mais antigo que os índios. Os bosques não eram assombrados, e seu crepúsculo fantástico nunca fora terrível até aqueles dias estranhos. Então veio aquela nuvem branca do meio-dia, aquela série de explosões no ar e aquela coluna de fumaça no vale distante na floresta. E à noite toda Arkham ouvira falar da grande rocha que caiu do céu e se fixou no chão ao lado do poço onde vivia Nahum Gardner. Aquela era a casa onde ficava o maldito descampado; a casa branca de Nahum Gardner em meio a seus jardins e pomares férteis.

Nahum havia chegado à cidade para contar às pessoas sobre a pedra e durante o caminho foi até a casa de Ammi Pierce. Ammi tinha quarenta anos então, e todas as coisas estranhas estavam gravadas com muita força em sua mente. Ele e a esposa haviam acompanhado os três professores da Universidade do Miskatonic, que se apressaram na manhã seguinte para ver o estranho visitante de um espaço estelar desconhecido, e se perguntaram por que Nahum havia dito que ele era tão grande no dia anterior. Nahum disse que havia encolhido ao apontar o grande monte acastanhado acima da terra revolvida e da grama carbonizada perto da varredura arcaica do poço no quintal da frente, mas os sábios responderam que pedras não encolhem. O calor do objeto persistiu, e Nahum declarou que ele brilhava fracamente durante a noite. Os professores tentaram bater nele com um martelo de geólogo e descobriram que era estranhamente macio. Na verdade, era tão macio, que parecia quase plástico; e eles arrancaram, em vez de lascar, uma amostra para levar de volta à faculdade como teste. Eles a levaram em um balde velho emprestado da cozinha de Nahum, pois até aquele mísero pedaço se recusava a esfriar. Na viagem de volta, pararam na casa de Ammi para descansar e pareciam pensativos quando a senhora Pierce observou que o fragmento estava ficando menor e queimando o fundo do balde. Na verdade, não era grande, mas talvez eles tivessem levado menos do que pensavam.

No dia seguinte, tudo isso em junho de 1882, os professores saíram a campo novamente com grande entusiasmo. Ao passarem por Ammi, disseram-lhe que coisas estranhas o espécime havia feito e como desapareceu completamente quando o colocaram em um copo de vidro. O copo também se fora e os sábios falaram da estranha afinidade da pedra pelo silício. Ele havia agido incrivelmente naquele laboratório: não fez nada e não liberou gases ocluídos quando aquecido no carvão, foi totalmente negativo na pérola de bórax e logo provou-se absolutamente não volátil a qualquer temperatura produtiva, incluindo a do maçarico de oxigênio e hidrogênio. Parecia altamente maleável na bigorna e, no escuro, sua luminosidade era muito acentuada. Recusando-se teimosamente a esfriar, logo a universidade ficou em um estado de verdadeira emoção diante do espécime e, quando aquecido no espectroscópio, exibia faixas brilhantes, diferente de qualquer cor conhecida. Havia muita conversa sobre a descoberta de novos elementos, propriedades ópticas bizarras e outros fatores que intrigavam os homens da ciência quando confrontados com o desconhecido.

Quente como estava, eles o testaram em um cadinho com todos os reagentes adequados. Com água, não reagiu. O mesmo aconteceu com o ácido clorídrico. O ácido nítrico e até a água-régia produziram não mais do que sibilos e estouravam um pouco contra a invulnerabilidade tórrida do espécime. Ammi teve dificuldade em recordar todas essas coisas, mas reconheceu alguns solventes conforme os fui mencionando na ordem comum de uso. Utilizaram amônia e soda cáustica, álcool e éter, dissulfeto de carbono nauseante e uma dúzia de outras substâncias, mas, embora seu peso diminuísse com o passar do tempo, e o fragmento parecesse esfriar um pouco, não houve alteração nos solventes de maneira que tivessem atacado a substância. Era um metal, sem sombra de dúvida. Era magnético, por um lado, e, após sua imersão nos solventes ácidos, parecia haver traços fracos das figuras de Widmannstätten encontradas no ferro meteórico. Quando o resfriamento aumentou bastante, os testes foram realizados *in vitro*, e foi em um béquer que eles deixaram todas as lascas do fragmento original durante o trabalho. Na manhã seguinte, as lascas e o recipiente de vidro desapareceram sem deixar vestígios, e restou apenas um ponto chamuscado na prateleira de madeira onde estavam.

Os professores disseram tudo isso ainda na porta da casa de Ammi, e mais uma vez o velho foi ver o mensageiro de pedra vindo das estrelas com eles, embora dessa vez sua esposa não os acompanhasse. Agora certamente havia encolhido, e mesmo os sóbrios professores podiam duvidar da verdade do que viram. Perto do poço, havia um espaço vago, exceto onde a terra havia desabado, e, apesar de ter medido uns bons dois metros no dia anterior, agora media pouco mais de um metro. Ainda estava quente, e os sábios estudaram sua superfície com curiosidade, enquanto separavam outra peça maior com martelo e cinzel. Dessa vez, eles a cavaram profundamente e, ao retirar a massa menor, viram que o núcleo da coisa não era muito homogêneo.

Eles descobriram o que parecia ser a lateral de um grande glóbulo colorido embutido na substância. A cor, que lembrava algumas das faixas no estranho espectro do meteoro, era quase impossível de descrever, e foi apenas por analogia que eles chamaram aquilo de cor. Sua textura era brilhante e, ao tocá-la, parecia frágil e vazia. Um dos professores deu um golpe certeiro com um martelo, e o espécime estourou com um pequeno estalo. Não havia nada dentro dele, e todos os vestígios da coisa desapareceram com a perfuração. Ficou para trás um espaço esférico oco com cerca de 8 centímetros de diâmetro, e todos acharam provável que outros fossem descobertos quando a substância que os envolvia se esvaísse.

As conjecturas foram em vão; então, após uma fútil tentativa de encontrar glóbulos adicionais por meio de perfuração, os pesquisadores se foram novamente com seu novo espécime, que, no entanto, provou ser tão extraordinário no laboratório quanto seu antecessor. Além de ser quase plástico, possuía calor, magnetismo e leve luminosidade, e resfriava suavemente quando em contato com ácidos poderosos, apresentando um espectro desconhecido, que se deteriorava no ar e atacava compostos de sílica com resultados destrutivos. Como resposta, não apresentou nenhuma característica que pudesse identificá-lo e, no final dos testes, os cientistas da faculdade foram forçados a admitir que não podiam classificá-lo. Não era nada que já houvesse existido na Terra, mas um pedaço do espaço e, como tal, repleto de propriedades externas e sujeito a leis não conhecidas.

Naquela noite, houve uma tempestade e, quando os professores foram até a casa de Nahum no dia seguinte, tiveram uma grande decepção. A pedra, por mais magnética que tivesse sido, devia ter alguma propriedade elétrica peculiar, pois havia "atraído raios", como disse Nahum, com uma persistência singular. O fazendeiro viu o relâmpago atingir o jardim da frente seis vezes em uma hora e, quando a tempestade acabou, nada restou além de uma cova irregular pela antiga varredura do poço, meio sufocada pela terra desabada. A escavação não deu frutos, e os cientistas comprovaram seu completo desaparecimento. Foi um total fracasso, de modo que nada restava a fazer senão voltar ao laboratório e testar novamente o fragmento que desaparecia e fora deixado cuidadosamente revestido de chumbo. Esse fragmento durou uma semana, no final da qual nada significativo foi descoberto. Quando acabou, nenhum resíduo foi deixado para trás e, com o tempo, os professores mal tinham certeza de que haviam visto com olhos vívidos aquele vestígio enigmático dos abismos insondáveis de algum lugar além, aquela mensagem solitária e estranha de outros universos e outros domínios da matéria, força e entidade.

Como era natural, os jornais de Arkham fizeram uma grande cobertura do incidente por conta de seu patrocínio universitário e enviaram repórteres para conversar com Nahum Gardner e sua família. Ao menos um diário de Boston também enviou um repórter, e Nahum rapidamente tornou-se uma espécie de celebridade local. Ele era magro, simpático, tinha cerca de 50 anos, e morava com sua esposa e três filhos em uma agradável fazenda no vale. Ele e Ammi trocavam visitas frequentemente, assim como suas esposas; e Ammi não fez nada além de tecer elogios para ele depois de todos aqueles anos. Ele parecia um pouco orgulhoso da atenção que o lugar onde morava havia atraído e continuou falando frequentemente do meteorito nas semanas seguintes. Naqueles meses calorosos de julho e agosto, Nahum trabalhou duro preparando feno no pasto de dez acres em Chapman's Brook. Sua carreta barulhenta fazia sulcos profundos nas pistas sombrias entre eles. O trabalho o cansou mais do que em outros anos, e ele sentiu que a idade estava começando a chegar.

Depois, veio o tempo das frutas e da colheita. As peras e as maçãs amadureceram lentamente, e Nahum jurou que seus pomares estavam prosperando como nunca antes. As frutas cresciam em tamanho fenomenal e com brilho incontrolável, e com tanta abundância, que foram encomendados barris extras para lidar com a colheita futura. No entanto, com o amadurecimento delas, veio também uma decepção dolorosa. Apesar de toda aquela variedade deslumbrante de luxúria ilusória, nem uma única fruta era comestível. No sabor fino das peras e das maçãs havia uma amargura e uma doença furtivas, de modo que até a menor das mordidas provocava uma repulsa permanente. O mesmo aconteceu com os melões e os tomates, e Nahum viu tristemente que toda a sua colheita estava perdida. Logo ele conectou os eventos e declarou que o meteorito havia envenenado o solo e agradeceu aos céus que a maioria das outras plantações estava no terreno montanhoso ao longo da estrada.

O inverno chegou cedo e estava muito frio. Ammi viu Nahum com menos frequência do que o habitual e observou que ele começara a parecer preocupado. O resto de sua família também parecia ter ficado taciturno, e quase nunca apareciam na igreja ou participavam de vários eventos sociais do campo. Não conseguia encontrar motivo para essa reserva ou melancolia, embora sua família, vez ou outra, confessasse notar sua saúde precária e um sentimento de vaga inquietação. O próprio Nahum deu a declaração mais definitiva que qualquer um quando disse que estava perturbado com certas pegadas na neve. Eram as habituais pegadas de inverno de esquilos vermelhos, coelhos brancos e raposas, mas o fazendeiro pensativo professava ver algo estranho na natureza e na disposição dessas pegadas. Ele nunca foi específico, mas parecia pensar que elas não eram tão características da anatomia e dos hábitos de esquilos, coelhos e raposas como deveriam ser. Ammi ouviu essa conversa sem mostrar interesse até uma noite em que passou com seu trenó pela casa de Nahum no caminho de volta de Clark's Corners. Havia Lua no céu e um coelho estava atravessando a rua, e os saltos daquele animal eram tão altos, que deixavam Ammi ou seu cavalo incomodados. Este último, de fato, teria fugido se não tivesse sido segurado por uma rédea firme. Depois disso, Ammi deu mais crédito às histórias de Nahum e se perguntou por que os cachorros dos Gardner pareciam tão intimidados e trêmulos todas as manhãs. Eles quase pararam de latir.

Em fevereiro, os meninos McGregor de Meadow Hill estavam atirando em marmotas e, não muito longe da propriedade dos Gardner, abateram um espécime muito peculiar. As proporções de seu corpo pareciam levemente alteradas de uma maneira estranha, impossível de descrever, enquanto seu rosto assumia uma expressão que ninguém jamais vira em uma marmota antes. Os rapazes ficaram de fato assustados e jogaram a coisa longe, para que apenas suas histórias grotescas chegassem às pessoas do campo. No entanto, todos sabiam que os cavalos se negavam a chegar perto da casa de Nahum, e toda a base para um ciclo de lendas sussurradas estava rapidamente tomando forma.

As pessoas juravam que a neve derretera mais rápido em torno da casa de Nahum do que em qualquer outro lugar e, no início de março, houve uma discussão no armazém de Potter, em Clark's Corners. Stephen Rice passara pela casa de Gardner de manhã e notara os repolhos-gambás subindo pela lama na floresta do outro lado da estrada. Coisas daquele tamanho nunca tinham sido vistas antes, e exibiam cores estranhas que não podiam ser descritas por palavra alguma. Suas formas eram monstruosas, e o cavalo bufou com um odor que Stephen nunca havia sentido. Naquela tarde, várias pessoas foram ver o crescimento fora do normal daqueles vegetais, e todos concordaram que plantas desse tipo nunca brotariam em um lugar saudável. Os frutos ruins do outono anterior foram mencionados por todos e passou de boca em boca que havia veneno no solo de Nahum. Claro que era o meteorito! E, lembrando-se de como era estranho o espécime encontrado pelos homens da universidade, vários fazendeiros foram conversar com eles.

Certo dia os professores visitaram Nahum, mas, como não tinham amor por histórias e pelo folclore selvagem, eram muito céticos em suas deduções. As plantas eram certamente estranhas, mas todos os repolhos-gambás são mais ou menos estranhos em forma, odor e matiz. Talvez algum elemento mineral da pedra tivesse entrado no solo, mas logo seria diluído. E quanto às pegadas e aos cavalos assustados, é claro que tudo isso eram meras lendas do campo inspiradas em um fenômeno como o aerólito. Não havia realmente nada que homens sérios pudessem fazer em casos de tamanhas fofocas, pois rústicos supersticiosos dirão e acreditarão em qualquer coisa. E assim, durante todos aqueles dias estranhos, os professores mantiveram-se distantes e com desprezo. Apenas um deles, quando recebeu dois frascos de pó para análise em um trabalho policial mais de um ano e meio depois, lembrou que a cor estranha daquele repolho-gambá era muito parecida com uma das faixas anômalas de luz mostradas pelo fragmento de meteoro no espectroscópio da faculdade, e com o glóbulo quebradiço encontrado embutido na pedra do abismo. As amostras desta análise produziram as mesmas faixas do início, embora mais tarde tenham perdido a propriedade.

As árvores brotaram prematuramente ao redor da casa de Nahum e, à noite, balançavam ameaçadoramente ao vento. O segundo filho de Naum, Thaddeus, um rapaz de 15 anos, jurou que elas também balançavam quando não havia vento, mas mesmo as piores fofocas não dariam crédito a isso. Era certo, de qualquer maneira, que a inquietação estava no ar. Toda a família Gardner desenvolveu o hábito de parar o que estivesse fazendo para ouvir furtivamente, embora não pudessem nomear cada som de forma consciente. A escuta foi, de fato, um produto de momentos em que a consciência parecia ter-lhes escapado. Infelizmente, essas situações foram aumentando semana a semana, até que se tornou um discurso comum que "algo estava errado com a família de Nahum". As primeiras saxífragas se mostraram com uma cor estranha; não muito parecida com a do repolho-gambá, mas claramente relacionada e igualmente desconhecida para quem a viu. Nahum levou algumas flores a Arkham e mostrou-as ao editor da *Gazette*, mas tal dignitário não fez nada mais do que escrever um artigo bem-humorado sobre elas, no qual os medos sombrios dos rústicos eram ridicularizados educadamente. Foi um erro de Nahum contar a um homem da cidade sobre como as grandes borboletas-antíope, cujas asas pareciam mantos de luto, comportavam-se em conexão com essas saxífragas.

Abril trouxe uma espécie de loucura para o povo do campo, quando a estrada que passava além da casa de Nahum começou a entrar em desuso. Era a vegetação. Todas as árvores do pomar brotavam em cores estranhas e, através do solo pedregoso do quintal e das pastagens adjacentes, surgia um crescimento bizarro de vegetais que apenas um botânico podia conectar com a flora adequada da região. Não havia cores sãs e saudáveis em lugar algum, exceto na grama e nas folhas verdes, e em todo lugar havia aquelas agitadas e prismáticas variações de alguma doença, ocultando tons primários sem lugar entre os tons conhecidos na Terra. Os calções-de-holandês tornaram-se uma ameaça sinistra, e as sanguinárias-do-canadá ficaram insolentes em sua perversão cromática. Ammi e os Gardner pensaram que a maioria das cores tinha uma espécie de familiaridade assustadora e decidiram que elas lembravam um dos glóbulos quebradiços do meteoro. Nahum arou e semeou o pasto de quatro hectares e o terreno montanhoso, mas não fez nada com a terra ao redor da casa. Ele sabia que isso seria inútil e esperava que o verão tirasse todo o veneno do solo. Ele estava preparado para quase tudo agora, e havia se acostumado com a sensação de algo perto dele esperando para ser ouvido. Ficou triste com o afastamento dos vizinhos, mas sua esposa ficou ainda mais. Os meninos estavam melhores, indo à escola todos os dias, mas não puderam deixar de se assustar com as fofocas. Thaddeus, um jovem especialmente sensível, foi o que mais sofreu.

Em maio, os insetos chegaram, e a propriedade de Nahum tornou-se um pesadelo de zumbidos e rastejamentos. A maioria das criaturas parecia pouco usual em seus aspectos e movimentos, e seus hábitos noturnos contradiziam tudo o que era conhecido. Os Gardner passaram a ficar de sentinela à noite, procurando por alguma coisa em todas as direções... Mas eles não sabiam bem o quê. Foi então que todos eles concordaram que Thaddeus estava certo sobre as árvores. A sra. Gardner viu os ramos inchados de um bordo contra um céu iluminado pela Lua. Os galhos certamente se mexeram e não havia vento. Devia ser a seiva. A estranheza havia tomado conta de tudo o que crescia. No entanto, não foi a família de Nahum quem fez a próxima descoberta. A familiaridade os havia feito indiferentes, e o que eles não puderam ver foi vislumbrado por um tímido vendedor de moinhos de vento de Bolton, que passou uma noite ignorando as lendas do país. O que ele contou em Arkham recebeu um pequeno parágrafo na *Gazette*; e foi lá que todos os agricultores, inclusive Nahum, ficaram sabendo o que havia acontecido. A noite estava escura e as lâmpadas da charrete ficaram fracas, mas ao redor de uma fazenda no vale que todos sabiam ser de Nahum, a escuridão era menos densa. Uma fraca luminosidade, embora distinta, parecia penetrar em toda a vegetação, grama, folhas e flores, enquanto, em determinado momento, um pedaço de material fosforescente parecia agitar-se furtivamente no quintal, perto do celeiro.

Até agora, a grama parecia intocada e as vacas pastavam livremente perto da casa, mas no final de maio seu leite começou a ficar ruim. Nahum levou as vacas para as terras altas, e os problemas cessaram. Pouco tempo depois, a mudança na grama e nas folhas tornou-se aparente para os olhos. Toda a vegetação estava ficando cinza e desenvolvendo uma qualidade altamente singular de fragilidade. Ammi era agora a única pessoa que tinha visitado o local, e suas visitas estavam se tornando cada vez mais escassas. Quando a escola fechou, os Gardner foram praticamente isolados do mundo e, às vezes, deixavam Ammi fazer suas tarefas na cidade. A saúde física e mental da família estava se deteriorando, e ninguém ficou surpreso quando surgiram as notícias sobre loucura da senhora Gardner.

Aconteceu em junho, no aniversário da queda do meteoro, quando a pobre mulher começou a gritar sobre coisas que ficavam pairando no ar, embora ela não conseguisse descrevê-las. Em seus delírios, não havia um único substantivo específico, apenas verbos e pronomes. As coisas se moviam, mudavam e vibravam, e os ouvidos formigavam com impulsos que não eram propriamente sons. Alguma coisa havia sido levada (ela dizia que alguma coisa a estava drenando); algo que não deveria se fixar nela, o estava fazendo (alguém devia fazer aquilo se afastar); nada ficava parado durante a noite, as paredes e as janelas ficavam se mexendo. Nahum não a mandou para o hospício do condado, mas a deixou ficar perambulando pela casa, desde que fosse inofensiva para si mesma e para os outros. Mesmo quando a expressão dela mudou, ele não fez nada. Mas quando os meninos ficaram com medo dela, e Thaddeus quase desmaiou com as caretas que ela fazia, ele decidiu mantê-la trancada no sótão. Em julho, ela parou de falar e começou a se arrastar de quatro e, antes que o mês terminasse, Nahum teve a louca ideia de que ela ficava levemente luminosa no escuro, como ele agora via, claramente, no caso da vegetação próxima.

Foi um pouco antes disso que os cavalos fugiram. Algo os despertou durante a noite, e foi terrível a maneira como eles começaram a relinchar e dar coices na estrebaria. Parecia que praticamente nada poderia acalmá-los, e quando Nahum abriu a porta do estábulo, todos saíram correndo como cervos assustados na floresta. Demorou uma semana para conseguir recuperar os quatro cavalos, que, quando foram encontrados, ficaram inúteis e incontroláveis. Algo aconteceu com eles, e cada um teve que ser sacrificado para seu próprio bem. Nahum pegou um cavalo emprestado de Ammi por causa do feno, mas o cavalo não queria se aproximar do celeiro. Ele estremeceu, empalideceu e relinchou, e no final ele não pôde fazer nada, a não ser levá-lo para o quintal, enquanto os homens usavam suas próprias forças para aproximar a carroça pesada o suficiente do palheiro para terminar o trabalho de maneira conveniente. E o tempo todo a vegetação ia ficando cinza e quebradiça. Até as flores cujas tonalidades eram tão estranhas estavam agora acinzentadas, e as frutas estavam brotando cinzentas, pequenas e sem gosto. Os ásteres e as virgáureas floresceram cinza e distorcidas; e, no jardim da frente, rosas, canelas-de-velha e malvaíscos-silvestres tinham um aspecto tão profano que Zenas, o filho mais velho de Nahum, cortou todas as flores. Os insetos estranhamente inchados morreram naquela época, e até as abelhas abandonaram suas colmeias e foram para a floresta.

Em setembro, toda a vegetação estava sucumbindo rapidamente, transformando-se em um pó acinzentado, e Nahum temia que as árvores morressem antes que o veneno saísse do solo. Sua esposa agora tinha crises terríveis em que ficava gritando, e ele e os meninos estavam em constante estado de tensão nervosa. Eles agora evitavam as pessoas e, quando a escola reabriu, os meninos não voltaram a frequentá-la. Mas foi Ammi, em uma de suas raras visitas, quem primeiro percebeu que a água do poço não estava boa para beber. Tinha um gosto ruim que não era exatamente fétido nem exatamente salgado, e Ammi aconselhou seu amigo a cavar outro poço em um terreno mais alto até que o solo estivesse bom novamente. Nahum, no entanto, ignorou o aviso, pois já havia se acostumado com coisas estranhas e desagradáveis. Ele e os meninos continuaram a usar o suprimento contaminado, bebendo-o tão apática e mecanicamente quanto faziam suas refeições escassas e malcozidas e realizavam suas tarefas ingratas e monótonas durante os dias sem rumo. Havia algo de resignação contida sobre todos, como se andassem, em outro mundo, entre filas de guardiões sem nome que os protegia de uma desgraça familiar.

Thaddeus enlouqueceu em setembro, depois de uma visita ao poço. Ele foi até lá com um balde e voltou de mãos vazias, gritando e agitando os braços, às vezes rindo ou sussurrando sobre "as cores em movimento lá em baixo". Dois casos em uma única família era algo muito ruim, mas Nahum era bastante corajoso. Ele deixou o garoto correr por uma semana até começar a tropeçar e se machucar, e depois o trancou em um sótão do outro lado do corredor, em frente ao da mãe. O modo como eles gritavam um com o outro por trás de suas portas trancadas era muito terrível, especialmente para o pequeno Merwin, que imaginava que ambos se comunicavam em uma linguagem estranha que não era daqui. Merwin estava ficando assustadoramente imaginativo, e sua inquietação piorou após o irmão, que havia sido seu maior companheiro de brincadeiras, ter sido trancado.

Quase ao mesmo tempo, os animais começaram a morrer. As galinhas ficaram acinzentadas e morreram muito rapidamente, e a carne delas ficou seca e malcheirosa após o corte. Os porcos começaram a engordar excessivamente, e de repente sofreram mudanças repugnantes que ninguém podia explicar. A carne deles era obviamente inútil, e Nahum já não sabia o que fazer. Nenhum veterinário rural se aproximaria daquele lugar, e o veterinário da cidade de Arkham estava muito perplexo. Os porcos começaram a ficar cinza, quebradiços e caindo aos pedaços antes de morrerem, e seus olhos e focinhos desenvolveram alterações singulares. Tudo era bastante inexplicável, pois nunca haviam sido alimentados com a vegetação contaminada. Então algo atingiu as vacas. Certas áreas ou, às vezes, todo o corpo ficavam estranhamente enrugados ou comprimidos, e colapsos ou desintegrações atrozes tornaram-se comuns. Nos últimos estágios, pois a morte sempre era o resultado, era comum o aspecto acinzentado e quebradiço como o que assolava os porcos. Não havia dúvida sobre o veneno, pois todos os casos ocorreram em um celeiro trancado e imperturbável. Nenhuma picada de coisas que rondavam o local poderia ter trazido o vírus, pois que animal vivo da terra pode atravessar obstáculos sólidos? Devia ser apenas uma doença natural; no entanto, qual doença poderia causar esses resultados, estava além da imaginação de qualquer pessoa. Quando chegou o tempo da colheita, nenhum animal havia sobrevivido no local, pois o gado e as aves estavam mortos e os cães haviam fugido. Esses cães, em número de três, desapareceram uma noite e nunca mais se ouviu falar deles. Os cinco gatos já haviam fugido há algum tempo, mas mal se notou que haviam ido embora porque já não apareciam ratos, e apenas a senhora Gardner estimava os graciosos felinos.

No dia 19 de outubro, Nahum entrou cambaleando na casa de Ammi com notícias terríveis. O pobre Thaddeus havia morrido em seu quarto no sótão, e de uma maneira que não podia ser descrita. Nahum cavou uma cova no jazigo da família, atrás da fazenda, e enterrou nela o que encontrou. Nada que viesse do lado de fora poderia ter entrado no sótão, pois a pequena janela e a porta estavam trancadas e intactas, mas tudo havia acontecido como no celeiro. Ammi e sua esposa consolaram o homem atingido o melhor que podiam, mas estremeceram ao fazê-lo. O terror absoluto parecia agarrar-se aos Gardner e tudo o que tocavam, e a própria presença de alguém na casa era como um sopro de regiões inominadas e inomináveis. Ammi acompanhou Nahum até sua casa com a maior relutância e fez o que pôde para acalmar os soluços histéricos do pequeno Merwin. Zenas não precisou se acalmar. Chegara tarde para não fazer nada além de olhar para o vazio e obedecer ao pai. Ammi achou que seu destino era muito misericordioso. De vez em quando os gritos de Merwin eram respondidos fracamente do sótão e, em resposta a um olhar indagador, Nahum disse que sua esposa estava ficando muito fraca. Quando a noite se aproximou, Ammi conseguiu fugir, pois nem mesmo a amizade poderia fazê-lo ficar naquele local quando o fraco brilho da vegetação começava e as árvores podiam ou não oscilar mesmo sem o vento. Ammi teve a sorte de não ser muito imaginativo. Mesmo como as coisas estavam, sua mente estava sempre pouco desordenada, mas, se conseguisse conectar e refletir sobre todos os presságios ao seu redor, inevitavelmente teria ficado louco para sempre. No fim da tarde, ele correu para casa, com os gritos terríveis da mulher louca e da criança nervosa ecoando em seus ouvidos.

Três dias depois, Nahum entrou na cozinha de Ammi no início da manhã e, na ausência de seu anfitrião, gaguejou uma história desesperada mais uma vez, enquanto a senhora Pierce ouvia com medo. Dessa vez, era o pequeno Merwin. Ele havia sumido. Saiu tarde da noite com uma lanterna e um balde de água e nunca mais voltou. Ele estava se acabando há dias e mal sabia do que se tratava. Gritava por tudo. Deu um grito frenético no quintal, mas, antes que o pai pudesse chegar à porta, o menino tinha sumido. Não viu o brilho da lanterna que ele havia pegado, e da própria criança também nenhum vestígio. Nahum pensou que a lanterna e o balde também tinham sumido, mas, quando amanheceu, e o homem retornou de sua busca a noite toda pelos bosques e campos, encontrou coisas muito curiosas perto do poço. Havia uma massa de ferro esmagada e aparentemente um pouco derretida que fora uma lanterna, enquanto um pedaço de madeira e aros de ferro retorcidos ao lado, ambos meio fundidos, pareciam sugerir os restos do balde. Isso foi tudo. Nahum não sabia mais o que pensar, a senhora Pierce estava pálida e Ammi, quando ele chegou em casa e contou-lhe a história, não conseguia ter nenhum palpite. Merwin se fora, e não adiantava contar às pessoas ao redor, pois agora todos evitavam os Gardner. Não adiantaria avisar às pessoas da cidade de Arkham, pois elas também os evitavam. Thad se foi, e agora Merwin também. Algo estava rastejando, esperando para ser visto, sentido e ouvido. Nahum seria o próximo, e ele queria que Ammi cuidasse de sua esposa e Zenas caso sobrevivessem. Tudo aquilo devia ser algum tipo de julgamento, embora ele não pudesse imaginar o motivo, pois sempre trilhara os caminhos corretos do Senhor, até onde sabia.

Por mais de duas semanas, Ammi não viu Nahum, e então, preocupado com o que poderia ter acontecido, ele superou seus medos e fez uma visita aos Gardner. Não havia fumaça na grande chaminé e, por um momento, o visitante ficou apreensivo com o pior. O aspecto de toda a fazenda era chocante: grama e folhas murchas e acinzentadas no chão, videiras caindo em destroços quebradiços pelas paredes e frontões arcaicos, e grandes árvores nuas arranhando o céu cinzento de novembro com uma malevolência propositada que Ammi atribuiu a alguma mudança sutil na inclinação dos galhos. Mas Nahum estava vivo, afinal. Ele estava fraco, deitado em um sofá na cozinha de teto baixo, mas perfeitamente consciente e capaz de dar ordens simples a Zenas. A sala estava mortalmente fria e, quando Ammi visivelmente estremeceu, o anfitrião pediu, gritando com voz rouca a Zenas, por mais madeira. Madeira, de fato, era algo extremamente necessário, já que a lareira cavernosa estava apagada e vazia, com uma nuvem de fuligem soprando no vento frio que descia pela chaminé. Nahum perguntou se a madeira extra o tinha deixado mais confortável, e então Ammi viu o que ocorrera. O cordão mais forte havia se rompido, e a mente do infeliz fazendeiro foi motivo de ainda mais tristeza.

Mesmo o questionando com tato, Ammi não conseguiu obter dados claros sobre o desaparecimento de Zenas.

– No poço, ele vive no poço. – Isso era tudo o que o pai entristecido dizia. Então surgiu na mente do visitante um pensamento repentino sobre a esposa louca, e ele mudou sua linha de investigação.

– Nabby? Ora, aqui está ela! – Foi a resposta do pobre Nahum, e Ammi logo viu que ele deveria procurar sozinho. Após deixar o homem no sofá, ele pegou as chaves penduradas ao lado da porta e subiu as escadas rangentes até o sótão. Era muito perto e barulhento lá em cima, e nenhum som podia ser ouvido de nenhuma direção. Das quatro portas à vista, apenas uma estava trancada, e ele tentou usar as várias chaves que havia pegado. A terceira chave mostrou-se a correta e, depois de alguma confusão, Ammi abriu a porta branca e baixa.

Estava muito escuro lá dentro, pois a janela era pequena e meio obscurecida pelas rústicas grades de madeira. Ammi não enxergava nada no amplo piso de tábuas. O cheiro estava intragável e, antes de prosseguir, ele teve que se retirar para outra sala e voltar com os pulmões cheios de ar respirável. Quando entrou no cômodo novamente, viu algo escuro no canto e, ao enxergá-lo com mais clareza, começou a gritar. Enquanto gritava, pensou que uma nuvem momentânea havia eclipsado a janela e, um segundo depois, sentiu que uma assustadora corrente de vapor havia roçado nele. Cores estranhas dançavam diante de seus olhos e, se aquele horror não estivesse presente, ele teria pensado no glóbulo do meteoro que o martelo do geólogo havia quebrado e na vegetação mórbida que brotara na primavera. Por assim dizer, ele pensava apenas na monstruosidade blasfema que o confrontava e que claramente compartilhara o destino sem nome do jovem Thaddeus e do gado. No entanto, a coisa mais terrível sobre esse horror era que ele se movia muito lenta e perceptivelmente enquanto continuava a esfarelar-se.

Ammi não quis dar detalhes sobre essa cena, mas o vulto no canto não reapareceu em sua história como um objeto em movimento. Há coisas que não podem ser mencionadas, e o que é feito em nome da humanidade às vezes é cruelmente julgado pela lei. Concluí que não restava nada em movimento naquele sótão e que deixar algo capaz de se movimentar para trás seria um ato monstruoso, que condenaria qualquer ser responsável ao tormento eterno. Qualquer pessoa, exceto um fazendeiro impassível, teria desmaiado ou enlouquecido, mas Ammi andou consciente por aquela porta baixa e trancou o segredo amaldiçoado atrás dele. Agora tinha de lidar com Nahum, alimentá-lo e levá-lo para algum lugar onde pudesse receber cuidados.

Assim que começou a descer as escadas escuras, Ammi ouviu um baque abaixo dele. Até pensou ter ouvido um grito repentinamente sufocado e agitado lembrou do vapor úmido que havia roçado nele no quarto assustador no andar de acima. Que presença havia originado aquele grito e a chegada de alguém? Paralisado por um vago medo, ele ouviu ainda mais sons abaixo. Sem dúvida, havia uma espécie de arrastamento pesado e um ruído muito detestável, como o de algumas espécies com sucção diabólica e impura. Com um senso associativo muito instigado, ele pensou no que havia visto lá em cima, sem o poder explicar. Bom Deus! Que mundo antigo e de sonhos era esse no qual ele havia cometido o erro de adentrar? Ele não tentou se mexer nem para trás nem para a frente, mas ficou ali tremendo na curva obscura da escada. Todos os detalhes daquela cena ficaram gravados em seu cérebro. Os sons, a sensação de pavor em relação à expectativa, a escuridão, a inclinação dos degraus estreitos e... Deus misericordioso! a fraca, mas inconfundível, luminosidade de toda a madeira à vista: degraus, painéis, vigas e ripas expostas!

Então, ouviu-se um relincho frenético do cavalo de Ammi do lado de fora, seguido imediatamente por um barulho que denunciava um fugitivo desesperado. Logo a seguir, o cavalo e a charrete já não podiam ser ouvidos, deixando o homem assustado na escada escura para adivinhar o que acontecia. Mas isso não era tudo. Houve outro som lá fora. Uma espécie de respingo de líquido, água, que devia ser do poço. Ele deixara Hero desamarrado perto dele, e uma roda da charrete deve ter raspado e batido em uma pedra. E uma pálida fosforescência ainda brilhava naquela madeira horrível e antiga. Deus! Que casa antiga! A maior parte fora construída antes de 1670, e o telhado de gambrel não era posterior a 1730.

Um arranhão fraco no chão agora soava distintamente, e os dedos de Ammi apertavam-se em volta de um bastão pesado que ele pegara no sótão com algum objetivo. Investiu-se de coragem e terminou a descida, caminhando corajosamente em direção à cozinha. Mas ele não completou a caminhada, porque o que procurava não estava mais lá. Chegara ao seu encontro e ainda estava viva, de certa forma. Se havia se esgueirado ou fora arrastada por alguma força externa, Ammi não sabia dizer, mas a morte estava ali. Tudo aconteceu na última meia hora, mas o colapso, o processo de se tornar cinza e a desintegração já estavam muito avançados. Era de uma fragilidade horrível, e fragmentos secos iam se soltando dela. Ammi não conseguiu tocá-la, mas olhou aterrorizado para a paródia distorcida do que havia sido um rosto.

– O que foi, Nahum? O que foi? – ele sussurrou, e os lábios inchados e rachados só foram capazes de dar uma última resposta.

– Nada... nada... a cô... queima... fria e moiada... mas queima... viveu nu poço... eu vi... um tipo de fumaça... como a flor na primavera passada... o poço brilhô di noiti... Thad e Mernie e Zenas... tudo vivo... envenenô tudo ... naquela pedra... só pode tê vino cum essa pedra ... invadiu tudo o lugar ... não sei o que isso qué. Aquela coisa redonda qui us professô da faculdadi cavaro... eles quebraro. Era da mema cô... a mema cosa, como a flor e as pranta... divia di tê mais... as sementi... sementi... elas crescero... só fui vê pela primeira vez essa semana... deve tê pegadu o Zenas... eli era um garoto grande, cheio de vida... mas a cosa te deixa louco e depois ti pega... queima... na água du poçu... você tava certu sobri isso... água do mal... Zenas nunca voltô du poçu... nem consiguiu saí di lá... ti puxa... ocêis sabi qui tá chegano, mas num adianta... Vi aquilo várias vez quanu Zenas foi levadu... ondi que tá Nabby, Ammi?... Minha cabeça num tá boa... num sei há quantu tempo dei di cumê pra ela... si a genti num tumá cuidado, aquela cosa vai pegá ela... só qui a cô... a cara dela fica cum essa cô de noite às veiz... queima i suga... vem di algum lugá onde as cosa não são qui nem aqui ... um dos professor disse isso... eli tava certu... cuidadu, Ammi, pur causa di qui ainda num acabô... suga a vida...

Isso foi tudo. O vulto não falou mais nada, porque havia desmoronado completamente. Ammi colocou uma toalha xadrez vermelha sobre o que restava e saiu pela porta dos fundos, na direção dos campos. Ele subiu a encosta até o pasto de quatro hectares e voltou para casa aos tropeços pela estrada ao Norte, pela floresta. Ele não podia passar pelo poço de onde seu cavalo fugira. Ele olhou pela janela e viu que não faltava nenhuma pedra na borda. Depois, a charrete cambaleante não havia deslocado nada, afinal; o respingo tinha vindo de alguma outra coisa, algo que entrou no poço depois de ter acabado com o pobre Nahum...

Quando Ammi chegou em casa, o cavalo e a charrete haviam chegado antes dele, o que deixou sua esposa ansiosa. Tranquilizando-a sem oferecer explicações, ele partiu imediatamente para Arkham e notificou as autoridades de que a família Gardner não existia mais. Ele não deu nenhum detalhe, apenas falou das mortes de Nahum e Nabby, pois todos já sabiam sobre Thaddeus, e mencionou que a causa parecia ser a mesma doença estranha que matara o gado. Ele também afirmou que Merwin e Zenas haviam desaparecido. Houve um considerável interrogatório na delegacia e, no final, Ammi foi obrigado a levar três policiais para a fazenda dos Gardner, com o delegado, o médico legista e o veterinário que tratara os animais doentes. Ele o fez muito contra sua vontade, pois a tarde estava avançando e ele temia o cair da noite naquele lugar amaldiçoado, embora sentisse algum conforto por ter tantas pessoas com ele.

Os seis homens partiram em uma carruagem, seguindo a charrete de Ammi, e chegaram à fazenda cheia de pragas por volta das quatro horas. Ainda que estivessem acostumados com experiências terríveis, nenhum deles permaneceu imóvel diante do que foi encontrado no sótão e sob a toalha xadrez vermelha no andar térreo. Todo o aspecto da fazenda, com sua desolação cinzenta, era bastante terrível, mas aqueles dois objetos em ruínas estavam além de todos os limites. Ninguém podia olhar para eles, e até o médico legista admitiu que havia muito pouco a examinar. Os espécimes podiam ser analisados, é claro, então ele se ocupou em obtê-los; e, aqui, se inicia um resultado muito intrigante ocorrido no laboratório da faculdade, onde as duas ampolas de poeira foram finalmente levadas. Sob o espectroscópio, ambas as amostras emitiam um espectro desconhecido, no qual muitas das faixas desconcertantes eram exatamente como as que o estranho meteoro havia produzido no ano anterior. A emissão desse espectro desapareceu em um mês e, após esse período, o pó revelou-se formado principalmente por fosfatos alcalinos e carbonatos.

Ammi não teria contado aos homens sobre o poço se pensasse que eles pretendiam fazer alguma coisa naquele momento. Estava chegando o pôr-do-sol, e ele estava ansioso para sair dali. Mas ele não pôde deixar de olhar agitado para o parapeito do poço e, quando um detetive o questionou, ele admitiu que Nahum temia algo lá embaixo, tanto que nunca havia pensado em procurar por Merwin ou Zenas. Depois disso, nada mais fariam do que esvaziar o poço e explorá-lo imediatamente, então Ammi teve de esperar, trêmulo, enquanto balde após balde de água potável era puxado e jogado na terra molhada. Os homens sentiram o cheiro do fluido com nojo e mantiveram o nariz tampado até o fim contra o inimigo que estavam descobrindo. Não era um trabalho tão longo quanto eles temiam, pois o nível da água era bem baixo. Não há necessidade de falar muito exatamente do que encontraram. Merwin e Zenas estavam lá, em parte, embora os vestígios fossem principalmente esqueletos. Havia também um pequeno cervo e um cachorro grande no mesmo estado, além de vários ossos de animais menores. A lama e o limo no fundo do poço pareciam inexplicavelmente porosos e borbulhantes, e um homem que desceu o poço com uma vara comprida descobriu que podia afundá-la a qualquer profundidade na lama do chão sem encontrar nenhuma obstrução sólida.

O crepúsculo havia caído e as lanternas foram trazidas da casa. Então, quando se viu que nada mais podia ser revelado pelo poço, todos foram para dentro de casa e reuniram-se na antiga sala de estar, enquanto a luz intermitente de uma meia-lua espectral pairava fraca na desolação cinzenta do lado de fora. Os homens estavam muito intrigados com o caso e não conseguiam encontrar nenhum elemento comum convincente para ligar as estranhas correlações entre os vegetais, a doença desconhecida dos animais e dos seres humanos e as mortes inexplicáveis de Merwin e Zenas no poço contaminado. Eles ouviram as conversas das pessoas do campo, é verdade, mas não podiam acreditar que tivesse ocorrido algo contrário às leis naturais. Sem dúvida, o meteoro havia envenenado o solo, mas a doença das pessoas e dos animais, que não haviam comido nada cultivado naquele solo, era outra questão. Seria a água do poço? Muito possivelmente. Talvez fosse bom analisá-la. Mas que loucura peculiar poderia ter feito os dois garotos pularem no poço? Suas ações eram tão parecidas; seus restos mortais mostravam que ambos haviam sofrido com a morte cinzenta e quebradiça. Por que tudo era tão cinza e quebradiço?

Foi o legista, sentado perto de uma janela com vista para o quintal, quem primeiro notou o brilho sobre o poço. A noite havia se estabelecido completamente, e todo aquele odioso terreno parecia pouco iluminado com algo mais do que os raios da Lua, mas esse novo brilho era algo definido e distinto, e parecia brotar do poço obscuro como um raio de um holofote, fazendo reflexos sombrios nas pequenas poças onde estava a água dos baldes. Tinha uma cor muito esquisita e, quando todos os homens se aglomeraram na janela, Ammi deu um sobressalto violento. Aquele feixe estranho sufocante e medonho não lhe era desconhecido. Ele já tinha visto aquela cor antes e temia seu significado. Vira-o no glóbulo quebradiço e desagradável naquele aerólito, dois verões atrás, na louca vegetação da primavera, e pensara tê-lo visto por um instante naquela mesma manhã, contra a pequena janela gradeada daquele terrível sótão onde coisas inomináveis haviam acontecido. A cor piscou por um segundo, e uma corrente úmida e terrível de vapor passou por ele, e, então o pobre Nahum foi tomado por algo daquela cor. No fim, ele explicou: disse que vinha do glóbulo e das plantas. Depois disso, vieram a fuga no quintal e o respingo no poço; e agora o poço estava bufando, à noite, um feixe pálido e insidioso do mesmo tom demoníaco.

Ammi ficou intrigado, com sua mente alerta, mesmo naquele momento tenso, com um ponto que era essencialmente científico. Ele não podia deixar de admirar-se ao ver a mesma impressão de um vapor visto durante o dia, contra uma janela que se abria no céu da manhã e de uma expiração noturna vista como uma névoa fosforescente contra a paisagem obscura e violenta. Alguma coisa estava errada; era contra a natureza, e ele pensou naquelas últimas palavras terríveis de seu amigo:

– Veio di algum lugar onde as coisa num são como tão aqui... um dos professor disse isso...

Os três cavalos do lado de fora, amarrados a um par de árvores murchas à beira da estrada, agora relinchavam e patinavam freneticamente. O cocheiro foi até a porta para tentar fazer alguma coisa, mas Ammi colocou a mão trêmula em seu ombro.

– Num faiz isso – ele sussurrou. – Elis são mais do que isso que vemu ou do que sabemu. Nahum disse que tem uma cosa que vivi no poço e podi sugá sua vida. Eli dissi que deve tê saídu di uma bola redonda como a que nóis viu na pedra de meteoro que caiu há um ano im junho. Ela suga e queima, eli dissi, i é só uma nuvem de cô como a luiz que agora se espalha, que você mal consegue vê i neim consegui dizê u qui é. Nahum pensava que aquilu si alimenta di tudo u qui vivi e fica mais forte o tempo todu. Ele disse que viu isso na semana passada. Deve sê arguma coisa lá do céu, como o hômi da faculdadi falaro nu anu passadu. O jeitu como ele é criado i comu funciona não é du mundu de Deus. É uma cosa du além.

Assim, os homens fizeram uma pausa indecisa quando a luz do poço ficou mais forte e os cavalos começaram a dar patadas e a relinchar em um crescente frenesi. Foi realmente um momento terrível, com terror naquela casa antiga e amaldiçoada, quatro conjuntos monstruosos de fragmentos (dois da casa e dois do poço) no galpão de madeira atrás e aquele feixe de iridescência desconhecida e profana das profundezas viscosas à frente. Ammi conteve o cocheiro por impulso, esquecendo-se de que ele mesmo estava ileso depois do vapor colorido no quarto do sótão, mas talvez tenha sido melhor agir como ele. Ninguém nunca saberá o que estava lá fora naquela noite e, embora a blasfêmia do além não tivesse machucado nenhum ser humano são até agora, não há como dizer o que poderia ter feito naquele último momento, com sua força aparentemente aumentada e os sinais especiais de propósito que logo apareceriam sob o céu enluarado e meio nublado.

De repente, um dos detetives perto da janela deu um suspiro curto e agudo. Os outros olharam para ele e logo também olharam para cima, para onde ele havia voltado seu rosto. Não havia necessidade de palavras. O que antes era incerto, boatos surgidos entre os camponeses, agora não era mais discutível, e é por causa dos sussurros trocados por esses homens do grupo que nunca se fala sobre aqueles dias estranhos em Arkham. É necessário dizer que não havia vento a essa hora da noite. Uma rajada de vento surgiu um pouco depois, mas não naquele momento não havia absolutamente vento algum. Até as pontas secas da persistente mostarda, cinza e arruinada, e a franja no teto da carruagem não se mexiam. E, no entanto, em meio àquela calma tensa e sem Deus, os altos galhos nus de todas as árvores do quintal estavam se movendo. Eles estavam se mexendo mórbida e espasmodicamente, arranhando-se em uma espécie de loucura convulsiva e epiléptica sob as nuvens enluaradas; arranhavam impotentemente o ar contaminado, como se fossem puxadas por alguma ligação alienígena e sem corpo com horrores subterrâneos se contorcendo e lutando sob as raízes negras.

Nenhum homem respirou por vários segundos. Então uma nuvem mais escura e profunda encobriu a Lua, e a silhueta dos galhos agarrados desapareceu momentaneamente. Houve, então, um grito geral, abafado com reverência, mas rouco e quase idêntico em cada garganta. Pois o terror não havia desaparecido com a silhueta e, em um instante assustador de escuridão mais profunda, os observadores viram, contorcendo-se naquela altura da copa das árvores, milhares de minúsculos pontos de brilho fraco e inalterado, inclinando cada ramo como o fogo de São Telmo ou as chamas que desceram sobre a cabeça dos apóstolos no Pentecostes. Era uma constelação monstruosa de luz antinatural, como um enxame cheio de vaga-lumes alimentados por cadáveres dançando sarabandas infernais sobre um pântano amaldiçoado; e sua cor era a mesma intromissão sem nome que Ammi passara a reconhecer e temer. Enquanto isso, o facho de fosforescência do poço ia ficando cada vez mais brilhante, trazendo à mente dos homens amontoados uma sensação de desgraça e anormalidade que ultrapassava em muito qualquer imagem que suas mentes conscientes pudessem formar. Não estava mais apenas brilhando, estava se derramando, e, quando o fluxo disforme de cores inexplicáveis deixou o poço, parecia fluir diretamente para o céu.

O veterinário estremeceu e caminhou até a porta da frente para colocar sobre ela uma pesada barra extra. Ammi não tremia menos e teve que cutucar os outros quando quis chamar a atenção para a crescente luminosidade das árvores, pois não tinha voz. O relinchar e a agitação dos cavalos tinham se tornado absolutamente assustadores, mas nenhuma alma daquele grupo teria se aventurado a sair da casa naquele momento, mesmo sob a promessa de qualquer recompensa. Com o tempo, o brilho das árvores aumentou, enquanto seus galhos inquietos pareciam se esforçar cada vez mais em direção à verticalidade. A madeira da borda do poço estava brilhando agora, e então um policial apontou, mudo, para alguns galpões de madeira e colmeias perto da parede de pedra a Oeste. Eles estavam começando a brilhar também, embora os veículos dos visitantes parecessem, até aquele momento, não ser afetados. Depois houve uma comoção selvagem e um barulho na estrada e, quando Ammi apagou a lamparina para enxergar melhor, eles perceberam que os cavalos frenéticos haviam quebrado os galhos e fugido com a carruagem.

O choque serviu para soltar a língua de vários deles, e houve uma troca de sussurros envergonhados.

– Essa coisa se espalha por tudo o que é matéria orgânica aqui – murmurou o médico legista. Ninguém respondeu, mas o homem que estava no poço insinuou que sua vara comprida devia ter despertado algo intangível.

–Foi horrível – acrescentou. – Não havia fundo. Apenas gosma e bolhas e a sensação de algo escondido lá embaixo.

O cavalo de Ammi ainda dava patadas e relinchava de maneira ensurdecedora na estrada lá fora, e quase afogou o leve tremor de seu dono enquanto ele murmurava reflexões sem forma.

– Veio daquela pedra... cresceu imbaxo... pegô tudu qui tava vivu... si alimentô delis, corpo i alma... Thad e Mernie, Zenas e Nabby... Nahum foi o último... todos eles bebêro a água... pegô forti nelas... veio du além, ondi as cosa num são qui nem aqui... agora tá ino pra casa...

Nesse ponto, quando a coluna de cor desconhecida explodiu repentinamente mais forte e começou a tecer sugestões fantásticas de forma que cada espectador descreveu de maneira diferente, o pobre Hero, que estava amarrado, emitiu um som que nenhum homem jamais tinha ouvido vindo de um cavalo. Todas as pessoas naquela sala de estar abafada e com teto baixo tamparam os ouvidos, e Ammi afastou-se da janela com horror e náusea. Não havia palavras para expressar; quando Ammi olhou novamente, o infeliz animal estava inerte no chão iluminado pela Lua, entre os destroços lascados da charrete. Esse foi o fim de Hero, que foi enterrado no dia seguinte. Mas aquela não era a hora de se lamentar, pois quase no mesmo instante um detetive silenciosamente chamou atenção para algo terrível que estava na própria sala com eles. Na ausência da luz da lamparina, ficou claro que uma fraca fosforescência começara a invadir todo o aposento. Brilhava no chão de tábuas largas e no fragmento de tapete de pano e brilhava sobre os caixilhos das janelas com vidraças pequenas. Subia e descia nas vigas expostas, coruscava em torno da prateleira e no consolo da lareira, e infectou as próprias portas e móveis. A cada minuto se fortalecia e, por fim, era muito claro que quaisquer seres vivos saudáveis deveriam sair daquela casa.

Ammi mostrou-lhes a porta dos fundos e o caminho pelos campos até o pasto de quatro hectares. Eles caminhavam e tropeçavam como se estivessem em um sonho, e não ousaram olhar para trás até estarem longe, em um terreno mais alto. Eles ficaram contentes com o caminho, pois não conseguiriam sair pela frente, com aquele poço no local. Já era ruim o bastante passar pelo celeiro e galpões reluzentes e aquelas árvores cintilantes com seus contornos tortuosos e diabólicos, mas graças a Deus os galhos mais altos eram os piores. A Lua estava atrás de algumas nuvens muito escuras quando eles cruzaram a ponte rústica sobre Chapman's Brook, e foram tateando às cegas até o prados abertos.

Quando olharam de volta para o vale e para a distante propriedade dos Gardner, lá no fundo, tiveram uma visão assustadora. Toda a fazenda brilhava com a horrível mistura desconhecida de cores; as árvores, as construções e até mesmo a grama e as ervas que não haviam sido totalmente alteradas para a tal massa quebradiça cinza e letal. Os galhos estavam todos se erguendo em direção ao céu, pontilhados por línguas de chamas malditas, e rastros luminosos desse mesmo fogo monstruoso rastejavam pelas vigas-mestras da casa, do celeiro e dos galpões. Era uma cena das visões de Fuseli, e sobre todo o resto reinava aquele tumulto de luminescência amorfa, aquele arco-íris alienígena e não dimensionado de veneno críptico vindo do poço: fervilhando, pulsando, envolvendo, avançando, cintilando, escorrendo e borbulhando na malignidade de seu cromatismo cósmico e irreconhecível.

Então, sem aviso prévio, a coisa monstruosa disparou verticalmente em direção ao céu como um foguete ou meteoro, não deixando para trás nenhum rastro e desaparecendo através de um buraco redondo e curiosamente regular nas nuvens, antes que alguém pudesse ofegar ou gritar. Nenhum observador pode esquecer aquela visão, e Ammi olhou inexpressivamente para as estrelas de Cygnus, com Deneb brilhando acima das outras, onde a cor desconhecida havia derretido na Via Láctea. Mas no momento seguinte teve o olhar chamado rapidamente à Terra por um crepitar no vale. Era só isso. Apenas um estalo de madeira quebrando e rachando, e não uma explosão, como muitos outros do grupo juraram. No entanto, o resultado foi o mesmo, pois em um instante febril e caleidoscópico emergiu daquela fazenda condenada e amaldiçoada um cataclismo brilhante e eruptivo de faíscas e substâncias não naturais, que obscureceu o olhar dos poucos que o viram e enviou ao zênite uma explosão de nuvens de fragmentos coloridos e fantásticos que o nosso universo nunca viu. Em meio ao vapor que se adensava rapidamente, aqueles fragmentos seguiram a grande morbidade que desapareceu e, no segundo seguinte, também desapareceu. Atrás e embaixo havia apenas uma escuridão para a qual os homens não ousavam voltar, e havia um vento crescente que parecia vir em rajadas escuras e gélidas do espaço interestelar. Aquilo gritava e uivava, e atacou os campos e as florestas distorcidas em um frenesi cósmico louco, até que rapidamente o grupo trêmulo percebeu que não adiantaria esperar a Lua revelar o que fora deixado na casa de Nahum.

Impressionados demais para sugerir teorias, os sete homens trêmulos voltaram para Arkham pela estrada norte. Ammi estava pior do que seus companheiros e implorou para que parassem em sua própria cozinha, em vez de seguir direto para a cidade. Ele não desejava atravessar o bosque à noite, chicoteado pelo vento, sozinho até sua casa na estrada principal. Pois ele teve um choque adicional, do qual os outros foram poupados e foi marcado para sempre com um medo sombrio que ele não ousou nem mesmo mencionar por muitos anos vindouros. Enquanto o resto dos observadores naquela colina tempestuosa olhava fixamente para a estrada, Ammi olhou para trás por um instante, na direção do vale sombrio de desolação que tão recentemente abrigara seu azarado amigo. E daquele lugar distante e atingido, ele viu algo se erguer debilmente, apenas para afundar novamente no lugar de onde o grande horror disforme havia disparado para o céu. Era apenas uma cor, mas não qualquer cor, vistos em nossas terras ou nossos céus. E, como Ammi reconheceu essa cor e soube que um último remanescente débil ainda deveria estar escondido no poço, ele nunca mais foi o mesmo desde então.

Ammi nunca mais chegaria perto daquele local. Já faz mais de meio século que o horror aconteceu, mas ele nunca mais esteve lá e ficará feliz quando o novo reservatório apagar a existência do local. Ficarei feliz também, pois não gosto da maneira como a luz do Sol mudou de cor ao redor da boca daquele poço abandonado por onde passei. Espero que essas águas sejam sempre muito profundas; mas, mesmo assim, nunca beberei delas. Acho que não visitarei Arkham daqui em diante. Três dos homens que estavam com Ammi voltaram na manhã seguinte para ver as ruínas à luz do dia, mas não havia ruínas de verdade. Apenas os tijolos da chaminé, as pedras do porão, destroços minerais e metálicos aqui e ali, e a borda daquele poço nefasto. Exceto pelo cavalo morto de Ammi, que eles rebocaram e enterraram, e a charrete que logo lhe foi devolvida, tudo o que era vivo se fora. Restaram dois hectares de deserto cinza empoeirado, e nunca mais nada cresceu lá desde esse dia. Até hoje, a paisagem abre-se para o céu como uma grande manhã corroída por ácido nos bosques e campos, e os poucos que ousaram vê-lo, apesar das lendas rurais, o nomearam "descampado maldito".

As lendas rurais são esquisitas. Podem ser ainda mais estranhas se os homens da cidade e os químicos das universidades se interessarem o suficiente a ponto de analisar a água daquele poço abandonado ou a poeira cinzenta que nenhum vento parece dispersar. Os botânicos também deveriam estudar a flora atrofiada nas fronteiras daquele local, pois poderiam esclarecer se a praga está se espalhando, pouco a pouco; talvez 2,5 centímetros por ano. As pessoas dizem que a cor da pastagem vizinha não é muito boa na primavera e que as coisas selvagens deixam pegadas estranhas na neve branca do inverno. A neve nunca parece não se acumular no descampado, como acontece em outros lugares. Os cavalos, os poucos que restam nesta era do motor, crescem ariscos no vale silencioso, e os caçadores não podem depender de seus cães muito perto da mancha de poeira acinzentada.

Dizem que as influências mentais também são muito ruins. Várias pessoas enlouqueceram após a morte de Nahum, sempre incapacitados de fugir. Então o povo de mente mais sadia deixou a região, e apenas os estrangeiros tentaram viver nas antigas ruínas. Eles não conseguiram ficar lá, no entanto, e às vezes me pergunto que percepção além da nossa podem ter obtido por conta dos encantamentos bizarros e fantásticos que sussurram. Eles dizem que seus sonhos à noite são muito horríveis naquele país grotesco, e certamente a própria aparência do reino sombrio é suficiente para provocar uma fantasia mórbida. Nenhum viajante jamais escapou de uma sensação de estranheza naquelas ravinas profundas, e os artistas tremem ao pintar bosques espessos cujo mistério vem tanto do espírito quanto dos olhos. Eu mesmo estou curioso com a sensação que derivou da minha caminhada solitária antes de Ammi me contar sua história. Quando o crepúsculo chegou, eu desejava, indeciso, que algumas nuvens se reunissem, pois um estranho temor sobre os profundos vazios do céu acima infiltrara-se em minha alma.

Não me peça explicações. Eu não sei de nada; isso é tudo. Não havia ninguém além de Ammi para questionar, pois Arkham não fala sobre aqueles dias estranhos, e todos os três professores que viram o aerólito e seu glóbulo colorido estão mortos. Houve outros glóbulos; esteja certo disso. Um deve ter se alimentado e escapado, e provavelmente houve outro que ficou para trás. Sem dúvida, ainda está no fundo do poço; eu sei que havia algo errado com a luz do Sol que vi acima daquele poço imundo. Os rústicos dizem que a praga se espalha cerca de dois centímetros por ano, então talvez exista um tipo de crescimento ou nutrição. Mas, mesmo assim, qualquer descendência demoníaca que esteja por lá deve estar ligada a alguma coisa ou então se espalharia rapidamente. Estaria presa às raízes daquelas árvores que arranham o ar? Uma das lendas atuais de Arkham é sobre carvalhos vultuosos que brilham e se movem como não deveriam à noite.

O que é isso, só Deus sabe. Em termos de matéria, suponho que o que Ammi descreveu seria chamado de gás, mas esse gás obedecia a leis que não são do nosso cosmos. Isso não era fruto de mundos e sóis que brilham nos telescópios e nas chapas fotográficas de nossos observatórios. Não era um sopro dos céus cujos movimentos e dimensões nossos astrônomos medem ou consideram muito vastos para medir. Era apenas uma cor que caiu do espaço; um mensageiro assustador de reinos não formados do infinito que vão além de toda a natureza como a conhecemos, de reinos cuja mera existência atordoa o cérebro e nos entorpece com os abismos extracósmicos obscuros que eles abrem diante de nossos olhos frenéticos.

Duvido muito que Ammi tenha mentido conscientemente para mim, e não acho que a história dele tenha sido fruto de loucura, como os habitantes da cidade haviam me advertido. Algo terrível chegou às colinas e aos vales com aquele meteoro, e algo terrível, embora eu não saiba em que proporção, ainda permanece ali. Ficarei feliz em ver a água chegar. Enquanto isso, espero que nada aconteça com Ammi. Ele viu muita coisa e sua influência era tão insidiosa. Por que ele nunca foi capaz de se afastar? Com que clareza ele se lembrou daquelas palavras de Nahum no leito de morte: "nem consiguiu saí di lá... ti puxa... ocêis sabi qui tá chegano, mas num adianta...". Ammi é um velho tão bom; quando a equipe de obras do reservatório começar a trabalhar, preciso escrever para o engenheiro-chefe e pedir que o vigie. Detestaria pensar no velho como a monstruosidade cinzenta, retorcida e quebradiça que insiste cada vez mais em perturbar meu sono.